# 飞往中国

詹东新 / 著

# Fly
# To
# China

Shanghai literature and Art Publishing House

上海文艺出版社

# 目录

一、雷雨季节 / 1

二、备份拉萨 / 31

三、大阪女孩 / 61

四、三边之王 / 93

五、欧洲路上 / 125

六、浮世职场 / 155

七、天下无山 / 184

八、守望天路 / 210

九、空乘名花 / 242

十、逆风飞扬 / 271

十一、蓝天作证 / 299

十二、飞雪迎春 / 330

后记 / 362

# 一、雷 雨 季 节

## 1

日上东窗,艳如金波。

对于秦风云这样的机长而言,窗外的风光犹如昙花一现。飞行不到一小时,风云突变,不断出现的浮云布满天空,吞噬了天际线上小块的猩红。右方的远处,几道刺眼的闪电划破长空,映在巨大的天幕下,绽放出别样的图景,天空变得凝重而神秘。

今天,秦风云驾驶的班机从东南亚回国,途经南海空域。

南海上空,有三条南北向的平行国际航路,自西向东排列,依次是A1、L642、M771,这类似于地面的高速公路,中外航空公司可根据天气、飞行目的地等因素,选择相应的路径。

南海上空的航行通畅而自由。秦风云飞的M771航路是最东面的一条,靠近菲律宾。他们飞行的路线,将沿M771国际航路往北,在广州空管区的汕头西南进入大陆,再通过A470航路接入华东区域。

空中的云系增厚,飞机开始颠簸,一路飞一路颠。雷雨季,颠簸是家常便饭,延误也司空见惯,他们的工作是飞行,夏天就是和雷雨及颠簸相伴。作为精锐机长，他最明白不过了，气流运动也是流体力学，空中的气流类似于海上的浪与涛，波涛汹涌，船只就摇晃得厉害。多云雷雨季节，气流冲撞剧烈，空中飞行的颠簸也就难以避免了。

坐在秦风云右边的常副驾驶有些恍惚，小声嘀咕着："嘿，该死的雷雨天，已经四天没着家了！学生暑假，咱们暑运，人家春节，咱们春运，摊上这季节，不是延、延、延，就是颠、颠、颠，唉，颠得你七荤八素，颠得你昏天黑地。"

常副驾驶已经干了一年多的第一副驾驶。第一副驾驶是从第二副驾驶升上来的，他得干满三至五年第一副驾驶，考核评估合格后才能升机长。常副驾飞行学院毕业后，先做第二副驾驶，这是一个坐在副驾驶后面的角色，观看机长和副驾驶操作，边观察边学习，跟满六十个起落、五百小时的飞行时间，经过理论考试、面试、教员检查，合格后才能坐到现在第一副驾驶的位置——这个通常称为执飞航班的正式副驾驶，跟着机长飞。

常副驾忽然间感到了一丝的孤单，悬在空中的孤单，无依无靠的孤单。巨大的天幕下，他们驾驶的客机像大海上的一叶小舟，不，像一片小叶，轻轻地向前漂浮着，如果从太空俯瞰，就更显渺小，也许连宇宙中一粒移动的微尘都算不上。

四海远阔，寒云茫茫。在这个星球上，似乎只有他们一架飞机在飞着，包括里面一飞机的人类。

秦风云似乎感应到了什么，嘴角的弧度微微上翘："有时，飞行还得看老天爷的脾气吃饭，这是没法改变的事。"

常副驾从孤独的情绪中牵回神来，忙说："是。"

飞机以每小时 1000 公里的速度向北推进。

秦风云剑眉微竖,习惯性地用食指和中指摁一摁前额,说:"我机已进入国境,本来,这次应该走东南沿海航路 A470,抵达上海,无奈天公不作美,只好改走沪广线 A599 大通道,从上饶、桐庐一线,穿进上海了。"

常副驾瞅着雷达气象图,抽了抽嘴角:"唉,天气一路不乐观。"

突然接到中南区域室管制员的指令:主航路拥堵,需要拉大间隔,空中等待。

常副驾那张脸立马拉成了苦瓜样,真想抽自己一鞭子:乌鸦臭嘴,他奶奶的,竟一语成谶! 刚说天气不乐观,就来了个拉开间隔,等待!

等待的意思,当然不能像汽车那样,停在路边。飞机难以在空中悬停下来,得在管制部门给定的某块空域内盘旋等待,一边盘一边等。

常副驾的头有点懵:"一听转圈,头就晕,不,没开始转,头就晕了。"

"我怎么觉得不晕呢! 这可不好,要习惯,怕转圈,怎么能当好飞行员?"

常副驾说:"秦机长,我飞了好几年了,总感觉地面管制员有怨言,难道是他们嫌待遇比国外同行低太多,有情绪? 动不动就流控,动不动就让空中等待。"

"别乱说,现在比以前已经好多了。"秦风云觑了他一眼,"这种天气下,如果你当管制员,能有更好的办法吗?"

常副驾弯着头忖了忖:"倒是,哎!"

常副驾说的好像有几分道理。秦风云也听好几个飞行员说过。地面的事情他不好评价,便说:"开飞机可是手艺活,开得平稳与否,全在

3

手上的功夫,比如眼下的转圈就是一门手艺,我们不但要转圈,更要学会转好圈,转圈的时候要让旅客感觉不到是在转圈,就要靠手和脚对飞行姿态的精巧调控,这样转出来的圈,才不至于打扰到机舱里客人们的休息。"

常副驾"嗯"了声,心下嘀咕:你是"魔术手",开出的飞机又平又稳,哪能跟你比?

秦风云驾机向右偏出航路,到达一块椭圆形的空域内兜圈子。在他下方,已经有三架飞机在转圈,他进去后,后面又有几架飞机在他上方盘旋。盘一转五分钟,也不知要盘几圈。常副驾又要骂骂咧咧,瞄一眼秦机长冷冽的脸色,硬生生将到喉咙口的话咽了下去。

前挡玻璃外,像过年放鞭炮似的,几串"烟花"刷刷闪了几下,熄灭了。"哇!"常副驾驶的身子往后仰了仰,双眼突鼓,倒吸了一口凉气。他可能第一次遇见。

秦风云淡然一笑。他知道,尽管飞机没有进入雷区,但穿过了云层,这些云累积了许多电荷,能量释放会引发放电火花。

转到第五圈,在他们前面的几架飞机归入航路,飞走了。在秦风云后面的几架飞机脱离盘旋区,也走了。咦,是不是管制员把他忘了?秦风云忍不住问:"排在我们后面的飞机也走了,怎么还不放我走?"

管制员通过无线电回答:"你这个高度最安全,所以让别人先走。还得再盘一圈,快了。"

他本想说:"难道真是会哭的孩子有奶吃?知道我们执勤多长时间吗?如果身体单薄的话怕要散架了。"地面的哪了解空中的苦,说了也白搭。又耐心地兜一圈,才接到管制指令驶回航路。转而一想,遇上这种鬼天气,管制员忙得一团麻,肯定也板着脸,也会吹胡子瞪眼。天路就这么窄,让他们怎么办?

一会,管制员说:"向前,联系华东区域,再见。"秦风云及时将无线调至下一个频率,叫通了华东区的管制指挥部门。

华东区域的天气同样糟糕,飞机与飞机间的水平间距拉得不小。

华东高空区域管制员的声音响起:"赣州和上饶之间,有道东西向的'墙',雷暴势头猛,估计不会一下消退,油量少的可以去备降。"管制员口中的"墙",指雷雨垒起的壁垒,起码有几千上万米高,且在东西之间。

秦风云不看航图也知晓:航路偏北,前有景德镇,后有南昌,但那里的飞行密集,情况复杂,根本指望不上;南边一侧最近的是武夷山机场。他开始困惑。半晌,他细心地瞧了瞧机载雷达天气实况。地面气象系统有大尺度的天气预报,包括整条航路和各机场的预报,而机上的天气雷达也有150公里的探测范围,因为悬在空中,对现场的观感更精细。

他深吸一口气,恳切地说:"能不能从东南面绕一下? 武夷山方面天气稍好。"管制员说:"不行,那边空中有部队飞行,不能绕。""明白。"他说。

秦风云半眯着眼,对常副驾说:"如果备降,即使去最近的机场,一来一去一个多小时,还要地面等待,没有两小时起不来。"又神秘兮兮地说,"任何天气系统不是厚毯子一块,中间必有破绽,必有缝隙可穿。咱,不碰死门,走活门……嘿嘿嘿,我好像发现这条门道了。"

他锐利如鹰的黑眸放出特有的光芒,从容淡定地对管制员说:"给我五分钟,可以穿越。"管制员说:"别逞能,安全第一。"他抬抬英挺的眉毛,字正腔圆地表示:"我们当然不会拿旅客的生命和自己的性命开玩笑。"嘿嘿,他在第一线,比地面更掌握实情。

秦风云在飞行界是公认的青年才俊、飞行悍将,1.79米的个头,很容易让异性沦陷的雕刻般的脸盘,已创造了连续飞行十多年无差错的纪录,颇有些"特异功能"。他犹能独辟蹊径,在看似无比困难的天空中开辟华山一条路;只要有丁点的"路",他总可以谨小慎微地将路拓展,然后悠然地穿越过去,将满机的旅客送达目的地。

地面管制员不再坚持,同意了空中一线机长的请求。

常副驾蜷了蜷五指,浓密的眉毛拧在了一起:"秦机长……"他清楚,驾机穿雷雨云有莫大的风险,如果穿云过程遭雷击,机长将承担严重后果:从机长降为副驾驶,从年入一百万降为四十万。大多数机长宁可绕飞,宁愿备降,也不愿轻易钻云。

秦风云凝视着仪表,只吐出两个字:"淡定。"这时,他驾驶的班机倾了一下翅膀,缓缓地从两坨云系的夹缝中穿了过去。

多少次了,他的这种行为不是盲干,不是无理由的冒险,是对当前天象仔细评估后的行为。穿过厚厚的"墙体"后,常副驾紧蹙的眉头舒展开来,暗暗钦佩:要是自己有这种能力和魄力该多牛!可是自己没有,也许十年以后也做不到。常副驾驶曾和不同的机长飞航班,跟过许多师傅,还是被秦风云精巧如绣花般的驾技所倾服。

班机在一阵短暂的颠簸后,归于平稳。

## 2

乘务长云霞打过电话,用手指轻轻敲击驾驶舱门。

门开处,闪进一个靓丽的倩影。云霞将托盘上的咖啡递给秦风云,将另一杯可乐递给常副驾驶。按规定,机长和副驾驶饮食区分,不能有丝毫重叠。她笑吟吟地说:"秦大机长,喝杯热饮,解解乏。"

见她进来,秦风云略显冷寒的眼光开始变得柔和,勾了勾嘴角:"多谢了。"

云霞是典型的江南美人,细腰长条,长着一张永远笑眯眯的脸。

在秦风云眼里,云霞是神一样的存在。她是公司顶尖乘务员,在客舱部乃至全公司都是位响当当的人物,参加过奥运火炬手接力跑,代表客舱部参加全球多个城市的首航,参加过多款新机的交接,是公司主要形象代言人,无形中已成为公司的一张名片。她从业十多年,曾是多少男生心目中的"那一位",虽然已三十冒头,仍长着一张少女般水嫩的脸,而这种特有的细嫩与娇俏,似乎与生俱来,即使素面朝天,脸上也能掐出水来。如果有女人不服气,非要和她别别苗头,要和她比脸和条,那是活活折磨自己;如果有人想看看仙女是啥模样,不妨来她这儿瞅上一眼。

这家汇聚了上万名空乘的大型航空公司,漂亮的空姐触目皆是。航空领域,同为服务业,东西方的差异显而易见。欧美航空公司,满眼望去,多是人高马大的大婶大妈,碰到调皮捣蛋鬼,可以一把将对方"拎"起来;东方则不同,中、日、韩、新加坡,包括阿联酋、卡塔尔等,多是养眼的美女。这倒不是东方人将空乘业提升为选美行当,而是文化理解的不同:干涩密合的机舱,添了许多美眉,自然变得温柔,变得生动,变得明媚。驾驶舱里也如此,这好像开车的司机,长时间驾车奔驰在高原荒漠,寂寞的旅途,疲惫的躯体,如果放上一段轻快的音乐,心情立马

7

变得愉悦松弛。

云霞和秦风云是民航大的校友，她高他两届，长他一岁，两人都是学生会的干部，由于名字里都有个"云"字，风轻轻地将他们"吹"到一起，在一起工作、学习，交集也多，但她这盏美人灯过于耀眼，男生们都以眼馋的目光迎来送往，争相做裙下臣者何止一个两个，任凭秦风云在校园内粘了两年，仍难以打动她的芳心半寸。毕业后，他们先后进入这家航空公司，一个从副驾驶到教员机长，一个从乘务员到乘务长到客舱经理，他在后面屁颠屁颠地苦贴，但她似乎只和他谈工作，谈学习，谈方方面面，就是不谈那个"情"字，直到她前些年名花落定，可惜不是他，也不是其他"飞人"，是"地人"（地面工作人员）。她结婚后，他双手一摊，也不伤感，坦荡地说：不能那个，只能做"死党"了。如今，她已完婚三年，年龄也三十挂零好几了，仍嫩得像二十来岁的少女，人们根本不相信她已是孩子的母亲，也不知道她这幸运是如何保持的。

眼下，云霞的进入，给沉闷的驾驶舱带入了丝丝春色。因为在巡航高度，他们就闲聊了起来。

"班机上有你的南洋弟子么?"他问。

"这次没有。"她撇了撇嘴，"飞东南亚，原本有泰国和马来西亚籍的空乘，不巧，临时换了班头。"

"老外空乘和机长在咱这儿供职的快扎堆了。"他笑道，"不过，东南亚人长得和中国人有些类似，不像欧籍人士，一眼就能辨穿。"

"周末了，又该侃段《论语》了吧?"她不经意地转了话题。秦风云喜欢孔子、老子，定期发一点他自己解析的《论语》，尽管不算太精彩。

"嗨，本来是瞎捣乱的，现在倒弄得骑虎难下了。"

"毕竟在复旦读过三年'子学',虽是业余的,学问比不上教授,却也有独到之处。"

"什么叫'子学'？我读的是圣贤绝学好吧。"

"哼,老子孔子的学问,不叫'子学'？你小子混着混着,有点像小学虫了。"

"嘿,哪能跟学虫比？只不过瞎折腾了一段时间,也有人等着想读,到时不发,好像对不起他们似的。"

"你至少有上万粉丝。"她轻笑道,"一不小心也是专家了,从机翼上成长起来的'子学家',原本专家不专家也没啥标准。"

"我是砖家,经常拿块砖,砸一下某些真专家,在他们的'鸡汤面'加点辣货。哈,话又说回来,我这样打打横炮,挑战下太过学术化的僵硬注解,也蛮有味道。"他说着,忽而想到上周刚发出去的那几句:子绝四:毋意,毋必,毋固,毋我。解析中,借机对某专家不着边际的"鸡汤"讥讽了一番,心中阵阵惬意。

云霞指下腕表,说到哪儿啦？秦风云说,过半小时,就到桐庐走廊了。哈哈,不影响你们,我该出去了,再给客人们发回饮料。她说。他别转头对她,一双眼灿若星辰:雷雨天,你们满舱跑,也辛苦。

她已关门出去,他脑间萦回他们一年前的往事。


"我给你物色了个对象,见个面吧?"瞧着他雕刻般的俊颜,云霞说。

她结婚前,秦风云很友好地问她,为什么我们之间不可能,能说说原因吗？让人死了也闭眼。她照例半眯着媚眼,说,我是老派,相信我们之间只是挚友,不会是情人,更不是两口子,这,不需要理由。

"什么人?"他吃了一大惊,"你帮我介绍女朋友?"

"当然是新进来的空乘,姓洪,绝对的清新淳朴。"她喜滋滋地说。

"我要是不去见面呢?"他反唇相讥,"最反对谈朋友要人介绍。"

"我相信你会去的,因为你俩很搭,她非常适合你。"

他哈哈大笑起来:"哇,我怎么感到有种被包办的感觉!"

她顿了顿语气:"替人牵线不等于包办,最后还得你们两人对眼。其实,由第三方介绍,利远大于弊。这位介绍人得认真评估双方的性格特征、年龄、长相、职业、家庭背景,觉得般配,才出面撮合,比自己偶然认识的有更高的吻合度。"

"这样一来,不是又倒回去,回到了以前?"

"我的看法恰恰相反,这不是倒退,是对传统的接续。看如今,自由恋爱结婚、离婚的比比皆是,开始认识觉得浪漫,冲动,激情四溢,结婚后发觉问题成筐,各种优点变成了缺点,最后拜拜。现在各行业不时兴第三方评估吗? 就是这个道理,只要这第三方是公正的,结论肯定比自我评估客观。"

说来也怪,他和小洪姑娘接触后,各方面都合拍,走心,谈得来,玩得转,一路过关斩将,直抵对方内心。他们已在上个月领了证,准备过了雷雨季、过了暑运高峰办婚礼。他仔细玩味起来,觉得云霞的话有道理,他和小洪的姻缘好像上天注定,只等云霞这个第三方来搭桥,让两只手牵到一起。


飞机在自动驾驶模式,按前后两机40公里的间隔,向前开进。

## 3

云霞来到乘务工作区,对几名空姐说:"趁着现在平稳,下降前,抓紧送次饮料。"对左边一名日籍空姐说:"你送左通道,动作麻利点。"

这名日籍空姐叫菊池静子,一名大阪女孩,头一次跟飞东南亚线,便遇到了一路飞一路颠的经历。听乘务长点到自己名,双手垂在腹前,右手搭在左手上,鞠个躬:"嗨。"忙去了。云霞对她旁边的一名空少说:"你去帮帮菊池。"他应声而去。

云霞又对自己右手边的空姐说:"小谢,你负责右边通道送饮,抓点紧。"小谢答应一声,推起餐车,走向右通道前端。

云霞刚想去头等舱巡视,脚还没迈出,整个机身开始颤抖,极为剧烈,能听见餐饮车上发出咣当咣当的声音。几乎在同时,机长秦风云的声音响起:"飞机遇到强气流,剧烈颠簸,请各位在座位上坐好,扣紧安全带。"

云霞拿起话筒,接着说:"机上服务暂停,乘务员归位,洗手间暂时关闭。"乘务员停下手中的工作,回到各自的位置坐下,扣下保险带,等这波颠簸快点过去。

位置上,云霞想:今天的颠簸真的有点多,小乘务员们一路颠一路干,小谢都吐了两次了,但没办法,这就是工作,要不是途中不停地颠,按工作流程,这最后一次饮料也早送完了,唉,这揪心的雷雨天!这样想着的时候,机舱里的颤动忽然停顿下来,旅客们说话的音调开始增大。她瞧瞧表,还好,这次共持续了八分钟。她带头从座位上立起。乘务员们像听到了行动的号角,像看见了无形中的指挥者的令旗一挥,齐刷刷地站起,继续他们的送饮工作。

负责右通道的乘务员小谢,一心想快些推出餐车,将饮料送到每位旅客的手上,出发前比较急促,显得有些手忙脚乱,没来得及将大瓶可乐和雪碧的盖子拧松。心里打着小九九:到旅客跟前再拧开也不迟。按操作流程,大瓶的碳酸饮料,应该提前拧松,打开盖子,但偶尔也有直接送达旅客跟前才打开的。

刚才小谢推出餐车,才走了几步,强颠簸开始了,她急忙回归座位。由于她开始时的疏忽,没有松开瓶盖的几瓶碳酸饮料在餐车剧烈的抖动中积聚了许多泡沫,——这类似于香槟酒,开瓶之前需要先晃动几下,以便积蓄能量,一旦开启,就会泡沫四射,引爆气氛。一会,颠簸停止,小谢重启餐车,在第一排的旅客前立住,启开大瓶可乐,准备分发。忽听"嗤啦"一声,似仙女撒花,可乐连同白色的泡沫喷了面前的旅客一身。

全身湿淋淋的中年男人勃然大怒:"怎么搞的!嘴没喝到,衣服喝了一身,什么素质!"

小谢的脸刷一下变绿了,晓得闯了祸,当场石化,伫立在原地,不敢吭声。才知道,提前打开瓶盖是火辣的教训换来的。一般情况下事先不开盖没有问题,但遇到今天这样的重颠簸天气,预先不开盖,可就吃苦头了。唉,真是,理论学习一百次,不如现实摔一跤,该走的弯路,一厘米都不能少。

中年旅客又吼一声:"丫头片子,平时怎么培训的!"

她才想到事情没完,一个劲地道歉:"对不起,对不起。"

旅客睨了眼她的胸牌,怒冲冲地说:"投诉你,我要投诉你!哼,你姓什么?哼,姓谢,好,真的要谢谢你,让我长了大见识!"

云霞听见噪声,快步赶来,上前一瞧,已明白怎么回事。她一把将花容惨淡的小谢拉至身后,对男乘客说:"对不起先生,我是乘务长,都怪我,是我们的错。"

她马上抽出几张餐巾纸,一手递给对方,一手帮他擦拭。又像变戏法似的掏出一张头等舱用的洁净桌布,替乘客围在脖子上。旅客仰了仰头颈,舒服多了。她又快速递上一杯饮料:"先生先喝点东西,消消气。"

"今天真是对不住,您开了眼界,我也开了眼界,谁想到会发生这样的事?"她蹲下来,使自己的目光低于他的眼光,端着迷人的笑脸道,"对不起啊先生,不知道您有没有其他衣服,要么去洗手间换一件?"

客人甩着脸:"这倒用不着,开箱关箱挺麻烦。"

她蹲得更低一点,几乎半跪着:"对不起先生,这是我们工作失误,看能不能留下您的联系方式,到上海后,使我们有机会登门道歉。另外,如果您愿意留下衣服,我们洗干净后送到府上。"云霞的这番话,差不多表达了几层意思:赔礼道歉;清洗衣服;送上门。

男旅客气咻咻的神色缓了一些,说话口气也变软些了:"算了,哼,自己洗吧。"

云霞仍用蹲式的姿势和他说了一会话,直到他凝成冰的目光出现暖意。她说:"今天,我们小谢乘务员一定会记忆深刻,她以后一定会在工作间先把瓶盖打开或拧松,今天下班回去,她肯定睡不好,也许一夜无眠,会一直想这件事,这一课对她实在太生动了。先生,但愿您能睡个好觉,别将这件事放心上。"

中年男旅客瞧了瞧她,面前的这位乘务长不但颜值超高,工作能力与临场反应更是一流,绝对是秀外慧中的那一类。人总是崇拜高人,他脸上的肌肉完全松弛下来,微笑道:"谢谢你,乘务长。我不投诉她了,想想你们在天上也不容易,让她晚上也安心睡个好觉吧。"

"不管投不投诉,对她都是个好教训,先生对她的帮助实在太大了。您知道吧,以后她每次开瓶盖,都会想到您,都会在心里感激您。"

"云乘务长真会说话,说得我倒不好意思了。"旅客瞧着她的胸牌,眼角挤出一抹笑容。

云霞起身,将小谢让到前面:"还不快谢谢这位先生,帮了你这么大个忙。"

小谢跨前一步,鞠躬道:"谢谢先生。"旅客摆摆手:"不谢不谢。"

回归乘务工作间,云霞既批评又抚慰了她一番。


## 4


检查完客舱发送饮料,搞定小谢饮料喷洒旅客等一摊子事,回到乘务工作间,转得像陀螺一样的云霞,小腿肚微微打颤,内衣湿了一半,实在有点累了,侧头对正好立在一旁的日籍乘务员说:"你进趟驾驶舱,再给秦机长他们送杯饮料,我会往里打电话的。"

菊池静子瞧瞧周围,又指指自己的鼻子:"乘务长是让我去吗?""对,就是你。"

菊池的脸上闪过一丝复杂的神色,矜持地说:"我,可以吗?""让你去就去,哪那么多问号?"云霞说。"嗨。"

菊池是标准的日式美人,也是萌死人不偿命的那种。日籍同事这么说她。接到指令后,她用手轻巧掸了掸左右两旁头发的鬓角,又瞧了瞧自己的服装有没有什么破绽,才小心翼翼地端起饮料,敲门进去。刚才云霞已打过电话给里面:有乘务员送杯喝的进来。

秦风云瞧见进来的是她,一位日籍乘务员,黑眸变得冷寒。"菊池静子。"他望着她的胸牌说。

"是,我是菊池静子。"她蠕动着小嘴,低眉顺眼地说,"秦机长,您请喝杯咖啡。"

"呵,这个,这样……你可以出去了。"他望着窗外的云层,打着哈哈。

"为什么呢,难道机长不喝咖啡,想喝可乐或雪碧吗?"她脸部一僵,不解地问。她虽然头一次跟他飞航班,但秦机长的名头是听过的,知道他是一位年轻的飞行佼佼者、有名的飞行"魔手"。

"这个,难道你听不懂汉语?"他忽然冷冽地说。

她的眼里闪过一抹黯然,双手紧紧扣住盘子的两端,被他凌厉的气场逼得不自觉地退了小半步。"我的汉语说得不太好,正在学习,请原谅。您,还是,请喝杯饮料吧。"

他眯起眼睛,不带温度地说:"这个,不用了,因为我不需要。"

"那您需要什么?热茶,开水?"她心里擂鼓似的,不甘心地说。

"省省,我啥都不要,出去吧。"他眼光淡淡地盯着对方,不屑地说。

瞧她眼中饱含委屈,常副驾哈地一笑,打圆场道:"别误会,菊池小姐,秦机长的意思是,飞机快下降了,请出去吧。"

她的脸上有些挂不住,但很快恢复了正常。她弓下腰去,鞠了一躬:"嗨!那我出去了。"细步倒退了出来。

来到乘务长云霞旁,将事情原原本本说了给她听,无意间学着前几天电影里的一句台词,埋怨自己道:"我真的那么不堪么?"

云霞猜也猜到是怎么回事了。这秦风云,真的以为自己是明星,是风云人物?这么怠慢咱乘务员,不解风情的家伙!她抿了抿嘴,安慰地说:"也许他真的不渴,不需要,没事,不是你做得不好。"

安慰了菊池几句,想想来气,又敲开驾驶舱门,进去瞪他一眼:"我不来给你送饮料,既然不需要,就不送!"

"你不是说机上没有外籍乘吗?"秦风云疑惑地说。

"我说机上没有东南亚的外籍乘,可她是日本人。"她气恼说。

秦风云放下笑脸:"怎么叫她来送东西?"

"哪条规定她不能进来送餐饮?都是乘务员,都是公司员工。"

"我不是这个意思。"他嘿嘿笑了笑,"我是说,你为什么不来看看咱们?"话出口,觉得不妥,又说:"或者让其他的中国乘务员来送。"

"嘿,挑三拣四,有人送就不错了,公司哪点规定外籍乘不能送饮料?秦风云,真以为机长是大老爷?"

"别生气啦,难得搭一次班。电脑排班,下次不知道啥辰光了。"他讪笑着。

从驾驶舱出来,菊池静子颓丧地候在一旁,忙迎上去问:"乘务长,要不要进去再服务一次?"

"不用了,他说不渴。这个人么,飞行技术超赞,但人有点怪。这个么,不管他了。"

## 5

过了上饶,桐庐走廊近在眼前。

桐庐多次被评为最美县级市，但更扬名的是它在航空人眼中的地位。在这个全国流量第三的导航台上空，有 A470、A599、W508 等五六条航路在此交汇，呈米字型结构，每天有 1300 架飞机过往。桐庐和合肥、郑州周口一起，共同成为航空人员口中的高暴词汇。

每到桐庐上空，飞行人员就隐隐觉得焦灼，流量越大的地方，越容易拥堵。不过，事先准备充分的情况往往不会发生，这好像谁发明过一个定律。

今天一路飞来，前面进行了分流与限流，到这儿反而流畅起来。

天空也豁然开朗，应了句"夏雨隔田埂"的谚语。夏天的雨虽然一片一片，但局部有小气候，有的地方阴云密布，大雨倾盆，有的地方云开日出，好似白色恐怖中的红色根据地。今天的桐庐走廊，就是这么一块宁静的"根据地"，周边云雨连天，这里相对风轻云稀。他心中一热，加大油门，一个腾挪就飘过去了，快速通过了这个空中繁忙点。

秦风云将腰板往后靠了靠，对副驾驶说："小常，剩下的这段，你来开。"

常副驾驶愣了下："后面一段都我来？包括进近和落地？"

"怎么，不愿意？"秦风云讪笑着，"还是没信心？"

"不，愿意，愿意。我就晓得，跟着秦机长，能学到不少好东西，过瘾。"常副驾心头雀跃。

常副驾挺正身板，在位置上微微活动下手和脚的关节，开始接手飞机的操作。实际上，平飞阶段，根本就不需要过多操作，基本是自动驾驶，现代智能化的飞机会按飞行计划自动往前飞，只有在上升、下降、穿越，或者收到管制员的指令，做某些改变时，才需要"动手动脚"，大部分时间只要盯住仪表盘,瞧瞧是不是正常。

秦风云用食指和中指轻轻摁了摁前额,忖着:不知当了几年副驾的小子明不明白,情况越复杂成熟越快,可别把我想成想偷懒;要是选择开飞机和乘飞机,我情愿开飞机。

秦机长可能要考考我,我都干了两年多副驾驶了,他是要看看我有几斤几两? 可不能让他瞧扁了。心里想着,常副驾聚起十二分的精神,面对面前的仪器仪表。

越过桐庐,直插南浔,航班开始调慢速度,进入下降程序。天气原因,绕来绕去,这个班次比计划多飞了一个小时。

传来上海终端区管制员的声音,呼叫的是他秦风云的航班号:3300 米保持。

这是管制中心进近管制员的指令。听这声音,今天当班的是方向准,他在民航大的校友。尽管是熟人,在波道里也不是回回能遇上。有上千个管制员在工作,虽然飞出去飞回来都得经过这块空域,都要通过无线电和指挥人员交集,但管制员三班倒,轮流上岗,不是每次都能碰上的。

今天,方向准在,一位熟悉的男中音。秦风云有些激动,想打个招呼,但波道繁忙,一名管制员要同时指挥八架以上的飞机,得分别和不同的机组成员对话,根本没时间搭理他。对他下过口令,听完他们的复诵,马上和其他机组对话了。

听着说话,由此想到方向准,两人是同年级的校友,一个学飞行,一个学管制,同年进,同年出,同样来到华东地区工作,一个飞行,一个指挥,一个天上,一个地上,平时也有些来往。管制工作是高风险行当,平时玩命忙。想想也是，每天这么多飞机在头上飞,蜘蛛网式的航线交叉重叠,飞机又不比汽车与轮船,速度猛,弄不好就危险接近了。但据管制部门反映,方向准脑子灵,反应快,肯用心,十年摸爬滚打下来,已是个艺术高超的"指挥家"。

常副驾将高度下降到了 3300 米,向目的地机场开进。

外面下着雨,风呼呼地刮。来到这里,天气跟桐庐走廊又不同。

"小心,侧风有点大。"秦风云提醒道。

航班继续由常副驾操控。"老人"总是由新人蜕变上来,不给新人以历练,怎么能够成为"老人"? 秦风云自己就是多方历练才成的"精",所以他肯放手让副驾驶多动手,只要有机会,在公司的规章范围内,他尽可能地将机会留给和他搭机的副驾驶,给他们多上手,他在一旁做观察员。但他这个"观察员"一点也不轻松,副驾驶的一举一动都揪着他的心,他的精力比操作者还集中。

"继续下降,进五边。"方向准又发来指令。

常副驾轻轻收杆,飞机缓缓下降。常副驾几乎屏着呼吸,迎着风雨降下高度,向机场方向缓缓靠拢。

这小子运气好,航班由南向北而来,今天落地跑道也是由南向北,顺着,用不着兜圈子变方向。

"准备切盲降。"秦风云对他说。

"是。"常副驾答应一声,准备接收盲降的信号。

天气不佳,机场开启了二类盲降。这类设备,由地面向跑道上空发出两束无线电波,一束指引方向,引导飞机沿跑道中心线下降,保证不让目标偏离;另一束电波指引飞机沿设定的 3°斜率下降,准确引导飞机在跑道适当的位置接地。两种电波在空中合成,在能见度恶劣的情况下,也能指引飞行员操纵飞机安全落地。

班机接收到盲降设备发出的信号,准备转入五边——跑道端上方的延长线。

"风向变化,所有航空器改由北向南落地。"蓦地,方向准发来新的指令。

按飞行规则,飞机都是迎风或顶风起、落,风向骤变,起飞和降落的方向也要随之改变。这是一个重大的变化,为引起重视,方向准在波道里重复了一遍,并要求机组复诵一遍,确保无误。

常副驾眸光一僵,急忙停止下降,推杆将机头昂起,向右偏出。心想:唉,又要飞五边了。秦风云轻声说:"沉住气。"心下想:让你小子多做几道题目,不觉得机会更难得吗?这又是一次淬火。

常副驾向右倾翅,飞机旋即向东面方向转出90°,飞的是一条和跑道垂直的边,称二边。"切三边。"方向准向他发着新指令。常副驾左蹬舵,机翼向左倾斜,一个90°左转,改向北飞,这条边和跑道平行,称三边。三边较长,飞的时间也较长,几乎甩到了长江边。"转四边。"方向准连着发令。常副驾驾机又一个左倾斜,向西飞,飞到与跑道垂直的一边,称四边。二边与四边相对较短。"进五边。"方向准又下来指令。常副驾再左一倾翼,来到了跑道端北面上空的延长线——长五边,这里,已排起一串飞机,一架跟着一架,都将沿着这条线,由北向南,缓缓下降,最后落在道面上。常副驾明显感到:他的前面有三架飞机,在他转进五边后,又有两架飞机切入五边,排在他的后面——一条线上串起了六架飞机。

常副驾驶喘着粗气,心下嘀咕:排得这么密,前后飞机的间隔也就六、七公里。

秦风云暗暗松了口气。刚才常副驾飞五边的时候,他手捏一大把细汗,飞机倾翅膀,他的心也在倾斜,飞机平衡了,他的心也恢复平稳,现在,副驾驶终于转到了长五边。其实,这次的长五边和几分钟前的长五边是同一条直线,都是跑道延长线的上方,只不过当时在跑道南,现在到了跑道北。

"不急不躁,紧跟前机,平稳落地。"秦风云吩咐道。

有秦风云压阵,常副驾胆子放开了不少。还是不忘轻轻嘟哝一句:"排得这么密,够意思了。"

秦风云无暇和他噜嗦,心里却明白如镜:今天是方向准当班,他可是有名的进近才子,头一号猛人,反应快,效率高,排这密的队形,不就是想让大家尽快落地吗?

乘务员们早已在座位上就坐,扣紧安全带,一声不吭,等待接地后的工作:打开行李架,开启舱门,送客,清理机舱。


# 6


秦风云的航班前面,排着三架飞机,位于前低后高的一条直线上。第一架货机,第二架 B737,第三架 A380。临近机场上空,飞机的前照灯闪亮,各自向跑道方向射出两束聚光。

传来塔台管制员清晰的女声。尽管口令有些急促,还是带着悠悠甜糯。在她的指令下,前面那架货机刺破空气,吱溜一声落在跑道上,滑行了45秒,脱离主道,滑向属于它的停机位。

那个女声不停地响起,一会让航班起飞,一会让航班落地,平均几秒钟发一条指令,一分钟倒有50秒在说话。

常副驾不一定听得出,秦风云早已听出来,那个女管制叫何雨丝,说话的声音有点像下雨的声音,唑唑唑的很动听。也是民航大的毕业生,比方向准低几届,要个头有个头,要长相有长相,是空管学院的五大院花之一。也不知怎的,这些年,去民航大、南航大、广汉飞院读书的女生中,美女比例陡增——在校内林荫道上散步的女生,随时猛喝一声,回过头来的,十个中倒有七八个美得晃眼,难怪民航业理所当然地成了高颜值行业。

塔台管制员的出现,意味着他们的飞机已足够低,低于了"进近"600米以下的高度范围,距地面近在咫尺。

机与机之间挨得近,飞机在空中的队形很壮观。按常副驾的水平,这类天气下的五边队形,前后机的间隔应在十公里左右,目前的架势,怕只有七公里。唉,这管制员,将他们排这么紧,成心"小路考"。他皱着眉,战战兢兢地握着操纵杆,手心沁出极细的汗丝。

秦风云也觉得间距近。对自己没问题,对常副驾那是考验,方向准这家伙,将队形压得这么密,以为自己是天才,将塔台管制员何雨丝当作天才,将飞行员也个个当成天才。心里这么叨咕着,嘴上不响,眼睛紧紧盯着。这样也好,逼一逼常副驾这小子。

他们的前面是一架A380,世上最大客机,载客500多名。A380机翅下悬挂着四台大发动机,向后呼呼吐着粗气,巨大的翼展足有80多米长。见这么个大家伙在前面,常副驾心下忐忑,手上一松,无意识地

22

与前机拉大了间隔。

"××航班,跟上。"何雨丝点了他们的名,语气急促。

常副驾吃了一大惊。这女精灵,这么细的间隔变化都来点,什么都逃不过她的眼。秦风云在心里坏笑:你以为人家管制员吃干饭的?常副驾嘴上答应:"收到。"手上加大油门,赶紧将前后间距缩短。

逼近到 A380 的身后,那庞大的身躯无形中又给了常副驾山大的压力,只怕吃到它的尾流,不由自主地又将油门松了一松,两机的距离又荡了开去。

"××航班,如果再磨磨蹭蹭,让你转出去,兜一圈再回来!"何雨丝厉声道,没有一丝讨价还价的余地。

"是是是,缩小间隔。"

常副驾咂了咂嘴,大声答道。咬咬牙将速度提上去,和 A380 相差七公里多。哎,这姑奶奶,这么凶,这么蛮,真不是省油的灯!咱惹不起,躲还不行吗?手上抓紧,贴近 A380 而去。

秦风云轻声道:"保持正常距离,人家已经盯上你了。也不能怪人家,管制员关注的是整个空域内的飞行情况,是全盘,不光我们一个点,看问题当然比我们全面。跟上,跟上。"

空中和地面的多次对话,其实也就一分钟的时间。跟他说完,何雨丝又忙着和其他飞机通话去了。照她的语速,估计几秒钟就得发出一条指令。有飞行员想和她说半句话,或问个问题,马上被其他机组的插话打断。按这个节奏,估计几小时下来,她的舌头不脱层皮也得起个泡。常副驾不敢再磨叽,一丝不苟地按她的指令行事。真要是被这姑奶奶"扔"出去,再兜一圈,又得绕场一周,又得飞一个"五边",至少十分钟。

秦风云心中却一阵窃喜。年轻人,当然,自己也还不老,该挨尅的时候就要尅,该挨训的时候就要训,演练十次,不如问责一次。他倒佩服起何雨丝来,这小姑娘作风泼辣,敢为敢说,站在不算高的塔台上,凭嘴边的话筒,将一干机组大男人收拾得服服帖帖。其实,塔台那头,何雨丝内心也叫苦不迭:方向准在上面将队伍挤这么紧,将飞机都丢进了长五边,叫她怎么办?如果想轻松点,这头再将间距调开,那一些飞机就得飞出去,绕一圈,重新进入进近,重新编队,空中和机场的运行效率就会大打折扣。遇到这种鬼见愁天气,那么多航班需要处理,也只有跟着方向准那高效的指挥棒转了。

面上,秦风云不忘给常副驾打气:"别慌,跟着就是,动作别走形。380怎么啦?不还是两个翅膀一个头吗?不过块头大一些罢了,有什么了不起。"

前面的A380刷地放出襟翼,增加了阻力,速度继续减小。庞大的身躯在风雨中一晃一晃,两个翅膀微微颤动,五秒钟后,主轮哐当接地,发出尖利的摩擦声,而后,前轮落地,迎着积水快速往前滑行。

"××航班,可以落地。"何雨丝的指令。

"明白,本航班准备落地。"常副驾复述道。

常副驾偷偷瞅了秦风云一眼,手心有些湿润,知道那是油腻的汗液。

"刚才你离前机几公里?"秦风云腰板笔挺,冷不丁地问。

"小于八公里。"

"安全冗余度已经足够。"秦风云说,"今天侧风,侧风可以抵消部分

24

发动机喷出的尾流,飞机之间的间隔可以偏小。难怪方向准和何雨丝他们敢将队伍排得那么密。”

“可是,机长,风,真的有点大。”常副驾带着点哭腔的语气说。

# 7

风,真的有点大,而且是侧风,似乎还在增大。

常副驾的班机左摇右摆,随着呼呼的风声摇摇晃晃,好像一个刚学会走路不久的稚童,步履蹒跚,一不小心有摔倒的风险。但不管怎样,按飞机和跑道端的距离,一分钟后将降落地面。

常副驾觉得浑身的血液都冲到了头顶,驾着机颤巍巍地接近跑道,双眼的目光僵成了一条直线。

“啊,侧风增大!”当看到风力表上的数字时,常副驾吓得两手一抖,满身的凉意侵入四肢百骸。

仪表盘显示:侧风风力已大于每秒七米的速度。

“不好。”秦风云暗喝一声,漆黑凌厉的眉毛下,一道犀利的目光咬住前方。

“我来驾驶。”他目光不变,对着常副驾说。同时,一把接过操纵杆。按飞行规则,在一定的气象条件下,比如侧风超过每秒七、八米,规定副驾驶不得起降,必须由机长操控飞机。

常副驾如释重负地呼出一口气,向后靠了靠身子。这次的经历,真比过去的一年都得益。

“注意侧风,保持方向。”塔台上传过来何雨丝的提示声。

"明白。"秦风云答应道。

秦风云接手迟了几秒钟，他似乎有些后悔。接过驾杆后，飞机还是晃得厉害，像一艘船在海洋中遇到了强浪，一时难以平稳。他手操杆，脚蹬舵，上下同时发动，使机头的运行指向不是对准跑道中心线，而是稍稍偏向侧风吹来的那一侧。此种飞行姿势，使大侧风的力量和机头的侧向发生作用，通过角度修正，最终确保飞机落在跑道的中央。

在秦风云的操控下，飞机的运动拉出了一条细细的弧度，显得比原先平稳起来。机上的乘客也一定感到换了个驾驶员，个个屏住呼吸，等待机轮噗通接地的一刹那。

当飞机临跑道上空 30 米时，秦风云还是感到了万分之一的不妥。接手晚了！上有几百条的生命，千万分之一的风险都不能有。他比谁都清楚，"临门一脚"生死攸关！这十几秒的魔鬼时刻，可不能存厘毫侥幸。

他对塔台说："报告塔台，本架航班姿态不稳，自行复飞。"说着，向后拉杆，机头忽地上翘，轻飘飘地抬升了起来。

秦风云有着与生俱来的飞行感觉，该冒险时冒险，不该冒时半分险也不能冒，年纪轻轻，已经练就了海啸迫于前也不会惊慌失措的静气。他深知，如果这样着陆，也成，决不会横翻草地上，但有些勉强，虽然临时修正了飞机的下降姿态，但万一拿捏不准，轮子冲出跑道，事情就通天了。

几乎在他拉起机头的同时，何雨丝那清脆的声音从嘈杂的波道里响起："通场后，重新五边，联系进近，再见。"

"明白，重新五边，联系进近。"

"××航班,右转,二边。"进近指挥室的方向准,将他的指挥权接了过去。

在方向准的指挥下,秦风云转了四次 90°的弯,重新来到五边,伸出起落架,排在一架 B747 后面,沿着跑道端接近。也没啥,多飞了八分钟而已。

那位悦耳的女声又响起,指令他可以落地。

他也变得生动起来:"收到,谢谢。"

这回,秦风云似乎在给常副驾进行现场教学,做示范。他细腻地调整好飞机姿态——5.6°的仰角,将下降的坡度与机头的角度调整得纤毫不差,如一只归巢的大雁,在大侧风下稳稳下降。虽然侧风继续加大,到了每秒八米的程度,这对他不算什么,有了准备,提前应对,只是手和脚多做了几个细巧的动作而已。跑道已在脚下,落地的瞬间,秦风云将驾杆往后轻轻一带,在旅客的不知不觉中,哗啦一下,主轮接地,尔后前轮落地,班机落在跑道中心线上。他恰到好处的操纵几乎抵消了侧风的影响。

"魔手。"常副驾揪起的心放下,自然握紧的拳头缓缓松开,脑子打了两个转:在今天的大侧风下,如果自己驾机落地,也许将旅客晃成呕吐,也许重着陆,也许就偏到草地里。这就是手上功夫的差距。

"脱离跑道后,沿 A10 滑行道,进 29 号远机位。"何雨丝说。

"唉,塔台,为什么又是停远机位?"飞机接地后,常副驾开始活跃,忍不住问。

"机场运控中心安排的,问他们去,再见。"她冷冷地说。

"是,停 29 号远机位。"秦风云恭敬地回答。

平稳降下后,秦风云的心情一点也不轻松,反倒十分沉重。他是个敢于大胆放手的人,年纪轻轻已培养了多名机长,但今天他自认为失误,接手稍晚几秒钟,导致复飞。尽管没有产生什么后果,但复飞本身是需要交代的,对自己的处置作交代,也须向飞行部报告。如果飞行部觉得他处理失当,扣罚他的绩效,他毫无怨言,愿铁肩担责。常副驾哪能体会到他此刻的心情。

## 8

脱离跑道,滑出 A10 滑行道,上机坪。

秦风云的视野里,出现一辆引导车,闪着小黄灯,慢慢在前面开路。他跟着导引车差不多滑行了十几分钟,在现场指挥处指定的远机位上停住。马上有地面机务人员过来,按上轮挡,防止飞机滑溜。

就在飞机停稳的刹那,乘务长云霞带着乘务员小谢来到被她泼洒饮料的旅客前,再一次致歉。小谢说:"以后每次发饮料前,都会想起这次教训;以后每次开瓶盖前,都会想起先生您的帮助。"

中年旅客望望小谢,最后定格在云霞的笑脸上:"谢谢你,云乘务长。"特意向她竖了竖大拇指。

地面客梯已经到位。工作人员从外面敲敲舱门,里面乘务员回复:"可以开舱门。"将舱门打开。地面,两辆大型摆渡车已到跟前。大雨如注,雨滴刺破空气的声音越来越响。

云霞已迅速率领一干乘务员立于舱门口,为旅客送行,嘴里不停地说着:"走好,再见。谢谢,走好……"

旅客们只顾埋头往前,似乎没有听见她们亲切的告别语,只有少数几位对乘务员们报以微微一笑,对此,空姐们视为常态了。尊重旅客是她们的职德,请别人尊重那得看缘。

下去的旅客有的带伞,有的无伞,快步奔向摆渡车。机坪上,雨水倾盆。

旅客们已走空。秦风云和常副驾拎着飞行箱,步出机舱,准备上机组的接送中巴。

乘务员们仍排成一排,送他们:"秦机长走好。""你们也早点回吧,够辛苦的。"云霞说:"我们可没那么好福气,还要巡舱,必须得最后走。"他的眼波和她在空中交流:"再见。"她莞尔一笑:"周末臭美你的《论语》。"

他的眼光瞄到她身旁的菊池静子身上,只瞧了一眼,快速移开。菊池静子眼帘下垂,不敢正眼触碰,只是感应似的躬下身去。他大步跨出。

空姐们眼里满是潋滟的笑。

空姐有高端的职业血统,美国最初的空姐,须是有护士或医生资格、二十五岁以下的女性,我国民国年代的空姐则是从金陵女子大学、上海圣约翰等大学挑选的女生。孙中山先生的孙女就做过空姐。

秦风云一脚跨出舱门,还在过脑:工作需要仪式感,咱们的工作也太有仪式感了。

他已下了舷梯。不知哪个乘务员说:"秦机长真帅。"又一人说:"听说马上要做新郎了。"

云霞也不反对这么评价秦风云,论长相,他是实打实的好,傲人的身材,精巧的五官,棒得不能再棒的体质,足以迷死一片女孩。

听见另一乘务员说:"云乘务长青春靓丽,才第一美呢。"

云霞听见,哈哈笑道:"我这个年龄,还能用这个词吗?"

那乘务员说:"怎么不能用?乘务长是乘务员中的凤凰,看上去比我们还嫩,才二十出头呢。"

"你们说得我有点自信了。"云霞说,"可以这么说,如果真有,我们的美,也是为公司而美。"

又一乘务员说:"云姐,你有啥秘方,也教教咱们哪。"

乘务员们对她,只有羡慕,连妒嫉的成分都没有。

"嘿嘿,哪有啥秘方?父母生的,要问也问我爸妈去。"说着,对菊池静子说:"菊池,咱巡舱去。"

"这就去。"菊池答应一声,快步奔向客舱。

巡舱的时候,云霞忽然问菊池:"怎么,你好像忧秦风云?"怕她没听懂,又补充道:"你是不是见到他有些紧张?"她耳根一热:"没,没有。"

# 二、备份拉萨

## *1*

飞机停稳,秦云风就给女朋友,不,准妻子,也不,是法律上认可的妻子打电话。电话关机,传来的只有提示音:"对不起,您所拨打的号码已关机。"

他微微一怔:咦,她今天不飞,怎么会关机?难道没电啦?

小洪是云霞介绍给他的对象,一个清纯亮丽的乘务员,谈下来情投意合,三下五除二,领了证,准备婚礼了。昨天约好的,等他今天飞回家就去试婚纱。不料关机,一定临时有啥事,或者忘了开机。打了两次,不通,没再打。当他踏着下舷梯时,边走边再拨一个试试,还是不通。他收起电话。

雨大,风在空旷的机坪上呼呼地打着旋。他没带伞,不愿冒雨冲过去,想起云霞她们还在清理客舱,犹豫着又踅了回去。

菊池静子直起腰杆的当儿,差点和他碰个正着。挨得近,这个男人特有的清冽气息强势地侵占了她的感官,她耳垂上蓦地浮起一层薄薄的红晕。四目相对,她慌乱地快速错开。

秦风云发现是那个日籍乘务员。乘务员一样的服饰,同样的发型,差不多的个头和身材,躬着身做事,从后背和侧面看都有几分相似,正面抬头才晓得是谁。见是她,秦风云立马又变得冷漠疏离,眼睛里透着种凛然难以靠近的神色。"哦,这个,乘务长在吗?"他问,对她,也像对其他人。

她忙侧在一旁,视线只敢在他的鼻孔以下,用手指指机舱:"云乘务长,在里面。"

他不再言语,从她身旁穿过。云霞正和几个乘务员巡完舱,看到他,问怎么又回来啦?外面雨大,不急,顺便看你们收工了没有。结束了,走吧,走。说着,前后步出机舱。候在舷梯口的一队清洁工人鱼贯进入机舱,清理卫生,准备下一段的航程。今天,他们这个机组不飞了,回家。这架飞机还飞不飞,得由公司决定,要飞,就换人不换机;不飞,就停场过夜了。

步下舷梯,秦风云呷呷嘴,打算一头冲到车上。身后,云霞打开她的小伞,伸上前,替他遮住头,两人挤着把伞,快步钻进专接机组的考斯特。人齐了,中巴开动。

坐在位置上,云霞问,小洪在家吗?在家,今天她休息。快去陪陪她,明天又要飞了。这就过去。想起,又拨了个电话过去,还是不通。奇怪,关机。难道在睡觉?云霞说,乘务员苦,常年缺觉,趁着休息,还不吃粒褪黑素,倒头狂睡一天?想想也是,不再打了,一会直接赶过去。

对于婚姻,他自己不急,他父母急,催得不行,年年催,月月催,弄得他都不敢回家,好像结婚不是他个人的事,而是家里的"公事"。现在终于瓜熟蒂落,就差最后那么一哆嗦,一个仪式了。

想想两年恋爱,的确甜蜜。小洪不仅人长得漂亮,更有一颗善良的心,愿意帮助别人甚于自己。而且,脾气出奇的好,在他光火的时候,总是能用巧妙的一笑让他熄火,似乎是上天专门赐给他的礼物。两个都是飞人,许多时间在空中,也不能常见面,他是悍将机长,飞国际长航线多,飞国内航班少,而她则国内国际来回倒。机组和乘务员统一电脑排班,不能自我选择,两年来,同一个航班上做事的经历加起来只有三次,其余都是分头飞,飞得没日没夜,飞得天昏地暗,一周也见不上几次面。这周,他东南亚一个来回,她前天刚从澳洲回,已经一个星期没照过面了。

给她打不通,就给自己妈打一个,告诉一声,先去小洪那边坐一会,晚些时候回家。妈的声音有些嘶哑,咳了两声,好,好,去吧。他问妈,是不是感冒了?妈又咳一声,没,没有,快,快去吧。说完,匆匆挂了线。他朝云霞笑笑,说一会直接去小洪那儿,要不要一块过去蹭饭?她说,我又不是没有家,嘿嘿,几日不见,如隔三秋,去吧,代我这个媒婆问好。那是,一定一定。他笑眯眯地说。

## 2

以为做梦的时候往往不是梦,如梦如幻的事情,偏偏是现实。

秦风云敲开小洪家的门,一股沉闷的弥香扑鼻而来。客厅里布置成了灵堂!抬头望去,壁上挂着的已亡人的照片,竟是他法律上的妻子小洪,那个即将和他走上红地毯的人。他狠狠擦了擦那双黑亮的眼睛,闭上眼睁开再瞧,还是小洪。穿着航空公司的制服,盘着头发,笑靥如花地望着他,望着进进出出的来宾,望着客厅里她熟悉的一切。而她的这张放大的相片竟被披了黑纱。

见他进来,小洪的父母泣不成声,几乎晕厥在地。

哽咽中,小洪的表姐扯了扯他的衣角,将他拽至一旁,告诉他:小洪是为抢救一位外乡人不幸牺牲的,都是快结婚的人了,她绝对不想那样,但还是……那样了。

原来,昨天开始一直有雨——雷雨季,动不动下雨,一下还一整天,像冬天。小洪开车上街。街口,一位骑自行车的女士大转弯过快,连车带人滑倒在地,摔倒地位于十字路口的当中。她这一摔影响了交通,南北与东西向的车辆都停了下来。这是条不大的马路,路口没有警察值勤,红绿灯根据时间而不是车流呆板地跳转。

雨量大,许多司机看着,在车里待着,不愿下车帮人,也有的怕摊上事。有的还在车上按着喇叭,催倒地者快点爬起离开。

小洪将车往旁边靠一靠,开门下去探个究竟。那是一个外地在此打工的女孩,穿着雨披,戴着深度近视眼镜,这一跤摔得不轻,有没有骨折不清楚,但屁股死疼,站不起来。小洪将她扶起,问她需不需要坐车去医院检查一下?那人说不用,只是屁股麻,一会就好,老乡家有急事,要赶紧过去。小洪一向好管"闲事",飞机客舱里、街上、公园里,不知帮过多少人。她将对方和她的自行车一同扶起,推至路边,让她休息会再骑。两人挥一挥手告别。

她挥出告别的手还未放下,一辆助动车速度不减地闪过路口。骑车男子左手驾车,右手打着手机,开至面前,才发现有人,急踩刹车,但车轮打滑,不偏不倚将小洪拦腰撞倒,轮子从她肚子上碾过。小洪当场鲜血长流,身负重伤,送往医院,抢救无效……那个肇事者已被警方控制。

手机,又是手机,该死的手机,骑车打什么手机,不打会死么!

这是今天一早的事,因他在飞机上,通讯不便,没来得及告诉。当小洪送往医院,抢救不治时,他飞在万米高空;在回程的路上,怕影响他飞行,也没有再联系,一切等落地后再说。他忘了流泪,忘了号啕,已哭不出来,整个人都懵了,望着小洪那张照片发傻,双眼噙满泪花。过了许久,迷迷糊糊还以为在梦游,但看着周围人哭哭啼啼,个个悲痛欲绝的样子,终于承认是现实。

他今晚为她守灵。

## 3

夜深了,秦风云的脑子却越来越清醒,脑电波流过的,全是他和小洪两年来的往事,想不到伊人已成故人。

噩耗传散。翌日一早,便有许多人陆续前来吊唁,大多数是单位同事和领导。由于小洪和秦风云在业内工作多年,人脉较广,除飞行部和客舱部外,民航界的朋友、民航几所大学的校友都有人前来。事出突然,来人极大震惊之余,都极为惋惜。秦风云不停地开门、关门。十点半后,来人更为频繁,他干脆将门虚掩,留条缝,凡来人走出电梯间便能闻到燃着的沉香,用不着辨门号,直接推门进来。

小洪年轻漂亮,人缘好,上万人的空乘队伍,认识的、搭过班的、没有一千,也有八百,熟稔和要好的至少一二百,拣着不飞的空当,相约前来。小洪父母心都碎了，哭得悲天恸地，已无暇接待来人，秦风云身体硬，接待着一拨又一拨的吊唁者。来人都握着他的手，悲恸地说：想不到，真正想不到……哎，人生……哎，事到如今，节哀顺变，节哀顺变。

管制方面的朋友，方向准、何雨丝等听到消息，也赶来了。他们和小洪不熟，但和秦风云是朋友，专门腾出时间来吊唁。他们在小洪的遗像前，立定敬香，躬身，拜三拜。对他说：保重，保重。他们和他是校友加朋友，本来准备参加婚礼的，不料人生无常，年轻的生命流星般陨落，婚礼转成了葬礼。

云霞带着小谢等一班空乘来了。她们这组人马昨天刚和秦风云飞过，今天休息，便结伴前来。昨天晚上，客舱部和飞行部的领导已来慰问过，小洪一些不飞的朋友也来了几个。云霞恸哭后，化悲伤为力量，立即帮秦风云接待一拨又一拨的客人。小洪是她的弟子，秦风云和他更是铁哥们，云霞作为半个主人，忙碌了一上午，直到一点钟，还不愿走，留下来继续帮忙。

外籍部的空乘们来了，有的和小洪是好同事好朋友，有的和秦风云搭过班。

进来几个金发碧眼的女郎。秦风云抬眸瞧瞧，有的眼熟，有的眼生，估计是小洪的朋友。云霞轻声在他耳旁说，几位外籍部的同事约齐来的，有人甚至专门调了班头，这位是法籍的卡米尔，这是意大利的露琪亚，那位是西班牙的特蕾莎，那位是……。几个老外用中文和他打招呼。他知道，外籍部的许多乘务员都有研究生学历，有的学中文，有的学历史，有的学地理，毕业后来华工作，一些简单的汉语还是会的，个别的还比较流利。

又进来两位亚裔的外籍乘务员，日籍和韩籍的，前面一名韩国人，后进门的是菊池静子。她们都认识云霞，先到她这头打招呼，又和欧籍的同事默默地点点头，尔后径直来到小洪像前，学着中国人的样子，点起三支香，拜了三拜。日、韩距中国近，她们的中文能力自然比几个黄头发的欧洲人强，对中国人的礼节也比较通晓。

菊池静子来到秦风云面前，躬身道：秦机长，不要太难过了。她没有跟云霞那一组来，而是和外籍部的空乘结伴，可能是部门领导的意思。韩籍空姐也说了类似的劝慰语，汉语比菊池还顺溜。他轻哼了一声，悲哀地朝她们颔下首，答了礼。菊池又说：要我们帮忙吗？尽管吩咐。秦风云摆摆头：不用。

菊池、韩籍乘和几名欧籍乘拢在一起，低声交流了一番，来到云霞跟前请示。云霞说：这里也不需要太多人帮忙，你们都要飞的，还是回吧。她们点点头，又到小洪像前拜了三拜，怏怏然地步出洪家。

## 4

秦风云所在大队的大队长推门进入。这位人高马大的北方汉子将脚步迈得很慢很轻，以免打扰到框中人的安静。

秦风云站起身来，悲切地说：大队长这么忙，就别过来了呀。

大队长咧了咧嘴，悲愤地说：小洪的牺牲是公司的不幸，也是光荣，她是为帮助别人而不幸，值得大家怀念。秦风云无言以对。大队长轻轻拍了拍他的肩膀：这种事谁也不愿意遇见，但越不愿意的事有时也会发生；你先忙着，等料理完了这摊子再说；身体再硬，也要注意，别垮了。秦风云眨了眨眼睛说：不，小洪后天……那个，完了以后，我马上可以上天，公司人头紧，飞行员休假都轮空。大队长说：都熬了两宿了，真以为练了几年陈家太极，成了金刚不坏的超人？送你几句心底话，人死再不能复生，但活着的人还要踏踏实实活下去！事情忙完后，先休息几天，再作安排。秦风云说：闲下来想着这事，反而难受，我大后天就想上天。大队长叹了口气，沉吟半晌，说：既然你坚持，那这样，近几天你连续熬夜，身体骨虚弱，看上去瘦了七八斤，不知情的还以为你得了糖尿病，这阵子你先飞短点的日本线，早出晚归，顺便安慰下两边的老人。走时，大队长语重心长地说：还是那句话，大家都很痛，但去的已去，活着的还要活着。

云霞在此忙了几乎一天，都是站着走着，招呼不同的来人，到下午已小腿肚抽筋，一直忍着。大队长走时，秦风云让她一道走，代自己送送大队长。大队长说：好，好，我有车，一块走，顺个路。她还不想走，秦风云连请带搡地送上电梯。

下了电梯，还没上大队长的车，收到客舱部领导的微信：有人投诉，立马来趟客舱部！她脑袋"嗡"地一响，头大如斗。投诉？哪一档子事？对大队长说：不回家了，去单位，领导加班不回家，等着训咱呢。

去的路上，她思绪百转，什么事引来投诉？乘务员对投诉保持极大警惕，不但怕罚绩效，影响个人声誉，而且毁损公司形象。她首先想到小谢泼洒饮料的那个男人，但想想不至于，她亲自出面化解了干戈。难道是其他什么环节，比如送餐、送枕头毯子、乘务员说话口气、广播词、卫生间卫生……哪一个环节出问题都可能引来乘客投诉。谁让民航乘客是高端客人？高端客人要求自然比铁路、公路、航运客人高。她一路走一路想,想得头皮发麻,反而将小腿肚转筋的事忘了。

客舱一部经理将电话记录递给她。她接过一翻,咦,这么多,写了满满一页。而且,投诉的不是某一个人,是他们整个乘务组,包括小谢、菊池等一干乘务员,当然也包括她这个带长的。

"就是你们从东南亚回来的航班。"经理的食指敲着桌子说。

云霞仔细一瞧,投诉内容真还不少:广播词播放频次不够规范;普通话不够标准;乘务员巡视客舱次数不对;卫生间有污渍,打扫不够及时;乘务员笑脸不够生动;滑梯预位、解除,没按标准流程……几乎全盘否定。

"经理您别急,这里面好像有点问题。"她抖了抖眼睫毛,"这种全面性的投诉,明显带着恶意——"

"云霞,我晓得你是优秀乘务长、乘务经理,但有人投诉,事关公司形象,就得去查,去核实,晓得吗?"

"明白,经理,您消消气,我们欢迎核查,便于整改。"

出了经理办公室,她终于明白,这次遇到的不是善茬。从内容上看,投诉者不是针对某一人某一事,而是打击整个面,而且在说辞上比较巧妙,虚虚实实,虚中有实,实中有虚,而且,有些事很难核实的,比如,巡视客舱次数不对,笑脸不够生动。事情已过,怎么核准?滑梯预位、解除,也算在乘务服务账上?笑脸不够生动,笑?怎样的笑脸算生动,怎样的笑脸不算生动?怎么核实?又如卫生间有污渍,这个更不好核实,都已经换其他机组乘务员了,卫生间又没有摄像头,没有留下影像,怎么查?而且,她可以证明,卫生间是比较干净的,菊池静子一直进进出出,在清理卫生间,怎么可能?想想都要醉了……哎,查就查,怕啥呢。

她暂时不想将这些告诉当班乘务员,有什么后果,她愿独自承担。她名头响,身上有光环,关键时可以挡一挡。但这些消息往往传得飞快,第二天,连菊池都听说了,心里七上八下,拐了好几个弯问云霞。云霞说:你一个小小外籍乘别管这些破事,飞你的。

## 5

接下来一周,秦风云从欧线改为日线,从上海飞东京、大阪、奈良、名古屋、札幌。根据对等原则,他所在的基地航空公司和日本方面的日航、全日空对飞。第一班排的是大阪。

他一脚跨进舱门时,瞥见菊池静子朝他鞠躬,她幽幽地说:"机长好。"怎么又碰见她了。

才反应过来,他今天飞的是日本线,菊池在机上很正常,她本身长期飞沪日线,重点是上海至大阪。外籍部怜惜她们,工作之余,方便回家看看。前几天飞东南亚,那是对她的奖励。见他没啥表情,菊池又鞠一躬:"秦机长好。"日本人这么喜欢鞠躬,可能是腰肌功能好。他不屑地点点头,并没吱声,算是答礼了。

菊池能理解。他刚失去爱人,心不知碎成什么样了,现在一定没缓过来。对她的不理不睬,也没挂在心上,忙着迎候旅客登机。

起飞了,菊池坐在乘务席上,趁脑子有点空闲,开始追忆上周飞东南亚航班遭投诉的事。怎么飞一趟别的航班就遭投诉?至于旅客投诉什么,她不得而知,只听说投诉的东西挺多,和每个乘务员都有关系,现在公司层面已经在调查,查问题、查原因。虽然不知道错在哪,但遭到投诉,在她的心里总是留下了阴影,心中如压了个秤砣,沉甸甸地往下坠。飞机在快速拉升,她已没时间多想,进入巡航后,一系列的服务等着做,还是先打起精神,做好眼前的事情。

平飞后,乘务员们从位置上站起,开始工作。今天领班的是高乘务长,不是云乘务长,她挺喜欢云乘务长。高乘务长瞧了瞧肌肤白皙、烈焰红唇的她,忽然说:"菊池静子,这是去你家乡的班机,你是主人了,尽下地主之谊,进去给机长他们送杯喝的。"

菊池微微一愣,不由自主地蜷了蜷手指,说:"嗨。"

她快步来到工作间,细心调了一杯咖啡和热茶,外加一杯可乐,放在托盘上,将几张餐巾纸折叠得整整齐齐,放在饮料边上。又左右捋了捋头发,其实,头发盘得十分整齐。觉得自己满意了,才轻轻叩开驾驶舱门。

进入里间,看见秦风云那张雕刻般精致的脸,心脏不知怎么的,扑通扑通快跳了起来。她匀一匀呼吸,用中文说:"秦机长,请喝杯咖啡或饮料。"

秦风云抬头瞅了瞅,又是那个日籍乘务员。嘴角的弧度扁了下去,毫无表情地将头折了回去,直视着远方的天空。透过前挡玻璃,几朵白云飘忽着,点缀得天空美轮美奂。

"谢了,不过,还是请你先出去吧。"秦风云湛湛的目光微微露着寒气。

她瞳孔微一缩,脖根渐渐发热:"难道,机长不需要喝东西吗?"

秦风云仍不冷不热地说:"我想你的中文水平,应该能听明白我的话。"

她扬了扬睫毛，气馁地说："机长是不是嫌我中文不够好，服务不够到位，惹您生气了。"

他直视前方，慵懒地说："呵，也不是，这个，还是请中方乘务员来送吧。"顿了顿，补充道，"要么，请副驾驶先喝一杯。"

她的红唇微微一抖："为什么呢，秦机长为什么一定要请中方乘务员来送东西呢？"

他的语调开始变高、变硬："我真不喜欢有人问那么多为什么。"

"明白。"她暗叹一口气，像被人掴了记耳光，连耳带腮地红了，但很快调好了情绪，腰部微微一躬，卑恭地说，"嗨，我出去了。"

见她红着小脸出来，乘务员小莎嘿嘿讥笑道："怎么，端进去又端出来，碰钉子了？"她泄气地说："哎，也不知为什么，秦机长不喜欢我送东西，要，要请……""还是我去吧。"小莎接过托盘，又加了杯绿茶，进了驾驶舱。菊池静子轻轻跺了跺脚："难道……"

半晌，小莎从里面出来。她忙贴上去问："秦机长喜欢喝茶，不喝咖啡？"小莎白了她一眼："跟你说不清，这不是咖啡和茶的问题。""那是什么？""问你自己。""问我自己？"她指了指自己。这时，高乘务长踱步过来，吩咐道："别瞎聊了，抓紧准备，马上发餐。"众人齐声答道："是。"

菊池立马准备餐食，发餐。将餐具、餐盒、纸巾整理得井井有条，将所有印有本公司航徽的餐盒、餐巾纸等，摆放整齐，正面对着旅客，感觉一切无可挑剔后，双手递给旅客，说："您请用餐。"

小莎和她一个餐车，早在心里埋汰：不就送个餐吗？有必要这么一本正经？不温不火地说："一般的送餐，不违反程序就得，用不着这么穷讲究。"

菊池不以为然,继续逐一摆弄她的餐盒和餐具,坚持双手递送,半鞠躬致意:"您好,请慢用。"转头轻声对小莎说:"可是,我习惯这么做的。"

"这样不影响分发速度吗?"小莎横了她一眼,小声嘟囔着。

"慢是慢点,但这样严谨些,旅客用起来也方便。"她低笑着说。

"哼,还是要节省时间。快到你家了,还这么慢慢吞吞。"

"是。可这样也不影响工作的,放心,时间上足够。"她细声回答,手上的活不停不省,脸上满是笑意。

高乘务长巡视客舱,听见她们的对话,对小莎说:"菊池有她的做法,不要限制她,你们扬长避短,相互补位。"

小莎嘴上答应,心里却在说:磨叽。朝着高乘务长的背影噘了噘嘴,哼!

# 6

乘务组忙碌着发餐食时,秦风云驾机飘越过了 A593 航路中日交接点,点西由中方的华东区域管制员指挥,点东由日本福冈空管区域的管制员接收。

在秦风云耳中,福冈管制员的英语既不像西式英语,也不像东方英语,叽里咕噜的十分难听。地空通话以专业术语为主,沟通上倒没太大障碍,但他真觉得日本管制员的英语没中方管制员的标准。这也难怪,中国航空业后发,管制一线人员九成以上为年轻人,平均年龄三十岁,学历高,英语自然顶呱呱。而日本及其他国家管制员年龄偏大,外语口音有时缠夹不清，一般对话如上升下降、避让等没问题，遇到特殊情况，需要深度沟通的，非要来回折腾几遍才能搞清状况。

几个小时的飞程，在不经意间悄然滑过，他们降落在大阪关西机场。两小时后，秦风云驾机回程。

飞行部给他的安排是明天休息，但后面还有一行字：备份拉萨。备份的意思大家都懂的，一般不用出勤，但如果去拉萨的机长生病或其他突发情况不能执勤时，他得替补。这种概率比较小。

但比较小的概率不等于没有。第二天，原定执飞拉萨航班的机组昨天飞武汉、重庆一线，恰逢华中、渝中强对流天气，航班大面积延误，最后一程飞到上海已是凌晨三点，严重超出执勤时间，按规定第二天不可以出勤，这样一来，秦风云这个备份就得往前顶，成为执行机长。飞行部问他有没有困难？他说当然没有。他从飞行至今，真不晓得有哪些算是困难。从心理上说，他刚失去爱人，在家待着反而闷得慌，还要想东想西，还不如去飞，站在万米云端可以化解心中的抑郁和伤感。

不是所有的机长有资格飞西藏。拉萨贡嘎机场海拔 3600 米，属高高原机场(2438 米以上为高高原机场)，执飞的机长需要有高原机场(高度在 1500 米至 2438 米)500 个起落的积累，副驾驶至少有 1200 小时以上的飞行经历。悍将秦风云当然有执飞高高原机场的资质。

这天中午，他和林机长走进驾驶舱，正式执飞至拉萨的航线。按规定，飞高高原机场，必须是双机长同行。林机长比秦风云小几岁，为同档次中的技术能手，升机长不久，却是头一回飞拉萨。眼馋高原已久的他，能跟着教员机长上一次高原，显得十分激动。他瞧了瞧秦风云穿着衬衣也能凸现发达肌肉的胸脯，开玩笑地说：第二机长仍是姓林的，第一机长已不是原先的机长了，跟秦老师飞，太带劲啦。

秦风云知道他指的什么，飞行部的同行都知道他身体硬，像石头，像铁块，飞行这么多年来，从未生过病，连伤风感冒都不找他，不晓得药是啥滋味。除了飞行员体检，从不进医院。谁要跟他比身体，那是自寻烦恼。

秦风云十七岁进大学起，就跟陈家沟的一名于师傅习太极，练桩功、练缠丝功，除了飞行，他两样爱好，一太极，二老子孔子，一武一文，都是祖上传下来的东西。从源头上说，太极基本也是道家的功夫，讲究阴阳虚实，十几年练下来，其武术修为，对付二三个人不在话下。但他身体状况的超一流，除后天的练武，一大半归父母生就，一流的先天体质，加上一流的修炼，成就了他超一流的体格，病见了他就躲，金刚不坏之身的话不敢说，反正这么多年来真还没害过啥病。在繁重的飞行重压下，许多飞行员处于亚健康状态，但他似乎是例外，今天向东，明天向西，时差对他几乎不起作用，怎么折腾都屹立不倒，业内有人称他"硬材料"。

有硬材料和他搭档，林机长心里美滋滋，笑得连嘴都快合不拢。

华中区雷雨带飘忽不定，往西南方向的航班普遍延误，间隔放缓至四十分钟一架。流量管理室排序的秩序，轮到他们的班机撤下轮挡，滑出起飞时，比计划时间足足晚了四个小时。旅客们能理解，雷雨季节么，安全第一条，等等没关系，可这一等就等去了四个钟头。

当秦风云驾机跃上巡航高度时，才觉得管制方面四十分钟一架的间隔还是紧凑。今天的航路也叫航路吗？航路周边和翼下全是黑乎乎的云，有的怒气冲冲地竖着头，有的一声不响地丧着脸，也有的快速旋动着。在航空人眼里,这些黑云都是"拦路虎",乌云深处不是雨就是雷,带给航班的不是甩上甩下,就是左摇右晃,异常凶险。

他们沿着东西向的 R343 主航路到武汉上空,再转 W31 航路至成都,将从成都向西进入川藏高原。他们所在的 9200 米的高度层,前后六十公里一架飞机,排着队向西进发。这么大的间距在晴朗的天空也许太过奢侈,但在整个华中地区黑云压城的环境下,变得紧密。秦风云心中只有一个念头:快赶,迅速穿过湖北湖南一带的雨区,进入成渝。但这显然是他一厢情愿的事,空中的飞机不同于地面的汽车,可以加大油门随意超车,飞机在同一高度层飞行,前后距离有序,速度也有限制,后机不允许超越前机,只能一架跟着一架飞行。

航路的天气越来越悲观,乌云密布,看上去阴森恐怖。航空人看多了云淡天清,也见惯了黑云压顶,但今天过厚过重的乌云对航行构成了致命的威胁。当秦风云的班机穿过南北向的京广线 A461 航路时,已经很难再前进了。机载气象雷达显示,周边大片积聚的云呈黄色或橙色预警,前面一百公里左右的区域雷暴活动频繁,显出红色告警。

几乎在同时,中南空管的管制员经过综合判断,指出前面天况极为恶劣,已安排沿途飞机绕飞的绕飞,返航的返航,并明令秦风云不能继续飞行,尽快选择附近机场备降。

这和秦风云的想法不谋而合。返航回去,七八百公里,太不划算,还不如就近备降,等天气好转再作打算。林机长像泄了气的皮球,情绪跌倒了冰点:备降,又是备降,第一次去拉萨,赶上了备降。秦风云说:咱们是航线飞行,不是试飞,攸关人命,一定要秉持"危地不碰、险境不入"的原则,触霉头的事绝不能干;今天这种"航空杀手"的气象,除了回

46

头,备降已是不错的选择了。

秦风云分析了周边情况。他们目前处在 W31 航路的武汉与恩施的中间,退回去是武汉,那是华中的心脏,航班起降量巨大,繁忙度可想而知,中南空管也不建议退回武汉。他们的北面是襄樊机场,南面是常德机场,西南则有张家界机场,去这些地方备降的路程都在半小时之内。他们从管制员口中了解到,今天去这些中小机场备降的飞机多,襄樊已不接收航班,张家界机场晚七点后修跑道,已在往外赶飞机。常德往南倒有大机场长沙,省城级别的,但过去路途远,又下着大雨,困难重重,想想都要哭。

秦风云的目光在 W31 航路周边一扫描,将手重重地点在最近的"宜昌"二字上。他当即问管制员:我们去宜昌怎么样?管制员利索回答:天色已晚,你们就就近备降宜昌吧。秦风云想:现在好比打仗,安危第一位,打得赢就打,打不赢就跑,既然有最近的容身之处,赶紧下去。

宜昌几乎就在他们脚下。得到管制部门的许可,秦风云驾机迅速降低高度,在雨中飘落在四面环山的宜昌巫峡机场。

地面机务是个老民航,姓牛,五十多了,头发花白,一上来就骂骂咧咧。他冒着雨将轮挡放在主起落架轮子的前后,不耐烦地说:"啊,怎么来宜昌啦?"

秦风云给他气得想笑:不来宜昌,叫我们去哪里?嘴上说:"娘要嫁人,天要下雨,没法子,只好投奔到您这儿了。"

老牛抹一下满额头的雨水,没好气地说:"你们投错了门,知道吗?这里没有空客的机务,我做波音,不做空客。"

秦风云被呛得一怔。没有机务可是大麻烦,航前检查,航后检查,停场过夜维检,这些都是机务的规定动作,缺了程序,飞机不准上天。他们机组乘务员倒无所谓,这么多乘客不闹死你?

秦风云有些抓狂地说:"啊,那可怎么办?"

"我哪知道?管我鸟事!"老牛头犟着说,"我不是做空客的,管不了,走人了。"

塔台管制方面正式通知,他们这架飞机今晚不可能起航,就在宜昌过夜,等次日天气好了继续西去拉萨。客舱里,已让乘务组通知旅客。地服人员也开始工作,帮助旅客联系车辆、食宿。有几家宾馆是定点的,专门接待备降、延误过夜旅客。过了一会,拉旅客的摆渡车突突地开到客梯前停下。

客舱里乱成一团,许多旅客怨声载道。起飞之初就延误了四小时,空中颠了半天,现在又备降在这个群山合围的黑咕隆咚的巫峡小机场,一会要拎着东西下去住宿,明天又要提着行李上机,人人皱紧了眉头,聒噪声此起彼伏。乘务组一个劲地抚慰,唾沫星子甩干,总算将大部分旅客的情绪安稳了下来。

秦风云的头皮阵阵发麻。过夜就过夜,可问题是,这里没有空客的机务,只有波音的!怎么会没有机务?他也不知问谁去,没有机务怎么做航后、航前、停场检查?没有人签字明天怎么放行?那个只会做波音的老牛头也不回地走了,是不是今天遇事不爽,在闹情绪?没辙,他一手打着雨伞,一手掏出手机,打给公司,将夜宿巫峡机场、这里没有机务的情况报了上去。总部那头支支吾吾,值班人员很快将球踢了回来,说大半夜的从基地方派人过去不现实,也来不及,还是自己想想法子吧。

想想法子？叫他怎么想法子？要是自己能做，早就动手了，何必求人？求人的事，不如自己伸伸手。但他开飞机，不是修飞机的，两个专业，两码事。

一会，那个说话牛哄哄的老牛又来了，秦风云如大旱见甘露，忙大步迎上去，激动地说："您好，牛老师。"

老牛气咻咻地说："哼，是总部硬要我来的，我还不想来呢，管我鸟事。"

"牛老师好。"秦风云一个劲地点头，"来了就好，牛老师高抬贵手，咱一块想想办法。"

"哼，来了也没鸟用，我做波音，不做空客，业务不同。"

"是、是，业务不同。"秦风云赔着笑脸说，"我是驾驶员，也没有机务执照，这该咋办呢？怎么办呢？嗯，要是从总部派个机务过来多好，但那不可能，嘿嘿，晚上也没航班。这个，牛老师，一看您就是老法师，总有些东西是相通的，就好像汽车，不管德国车、英国车、日本车，轮子还是轮子，座椅还是座椅，方向盘还是方向盘，都差不多，修哪辆不是修呢。"

老牛翻了翻眼皮，白了他一眼："我没空客的照。"

"是，是，您没空客的照。"秦风云拍拍他的肩膀，亲热地说，"这不意外情况吗？好像在战场上，前面人牺牲了，炊事班不也得上吗？要么这样，老哥哥，驾驶舱、客舱我负责检查，您审核，签字。外面的科目我没做过，像起落架的插销，我真不会，只好麻烦您了，老哥哥。"

被秦风云马屁一拍，老牛的骨头轻了几两，含糊着答应："哼，也只好这样了。"刚想去查验机身和发动机有没有鸟击、雷击、冰击的痕迹，听说要他签字,唬着脸说:"这个,我不能签字。"

"好,好,不签,不签字,先检查。"秦风云帮他打着伞,哄着他查验机身周围和发动机外罩,插上起落架的销子。

查了一遍,没发现什么问题,老牛又说:"这事不是我该做的,我没空客的机务资质,怎么做? 做了也是违反条例,你刚才说汽车,我就打个汽车的比方,你是 C 照,怎么能开卡车?"

"是是,牛老哥说得对头。这不是权宜之计吗? 检查了总比不检查好。"秦风云说着,帮老牛举着伞,像孙子对爷爷那样,一直送他到工程车旁,打开车门,请他上车。

老牛离开后,他又打电话给总部,汇报了已做过航后检维,但老牛不肯签字的情况,又将球传了过去。总部那头嘿嘿了几句,说只好先这样了,早点休息。早点休息? 还早么? 他稍微有些欣慰,走一步是一步,总算请老牛做了个检查,将起落架的销子插上了。

客舱这头还没摆平。大部分旅客在地服引导下拿着随身行李下了机,乘上接驳车去住宿,但还是有一对中年夫妻死活不肯下飞机,爆声发着火:"今晚一定要赶去拉萨,签个要紧合同,这样一备降,事情可能会黄,航空公司得赔偿损失。"乘务组围着他们好说歹说,磨了半小时的嘴皮,那男的不为所动,仍气势汹汹地咆哮:"如不赔付,就绝不下飞机!"

秦风云迈进机舱,鹰一样的锐眼盯了那男人半分钟,冒着火气道:"我是本次航班的机长,姓秦,对飞机和所有旅客的安全负责。我不介意你今晚睡在机舱,但必须告诉你,机上安有摄像头,你如果有任何损害公物的行为,都属于违法,都将受到法律的惩罚。"

不待对方回话,他又言辞铿锵地说:"你以为我想这样?我愿意下着大雨,黑灯瞎火备降到这旮旯地方来?半夜三更好玩哪?闹吧,想闹,接着闹,闹,大闹特闹,有本事将天闹塌!不过,再闹下去,咱机组的执勤时间就超了。超时知道吗?超时的意思是我们下去休息,等别的机组过来接手,而这里是巫峡机场,不是上海,也不是武汉、长沙,接班的人不知道在哪里,结果这架飞机可能明天也走不了,而且很有可能取消飞行计划。没有司机怎么飞?你们既然这么喜欢赖在机上,就让你们赖个够!"

"如果想投诉的话,公司的电话搁这里,尽管打,这是你们的权利。"他转了下脖子,又说,"不过,机场公安就有人在下面,如果你们再无理取闹,对不起,我可报警了!"

被他大嗓门一吼,这对夫妻失去了方向。正发懵间,乘务长趁势好言相劝。相挟带推地总算把"两位困难户"送下了机。

忙到这儿,乘务长的半条腰已经不是自己的了,她扶了把座椅,几乎用蚊子吟的音量道:"秦机长,你这么凶,他们会不会真投诉?"他说:"要投就投诉我,跟乘务组的服务无关。"

秦风云脑子灵光一闪,忽然浮现出曾经读过的《韩非子·五蠹》,里面有一段文字印象挺深,一直记着:今有不才之子,父母怒之弗为改,乡人谯之弗为动,师长教之弗为变……操官兵、推公法而求索奸人,然后恐惧,变其节。想及此,忍俊不禁。

乘务长说:"你笑什么?"他喃喃地说:"推公法而求索奸人。嘿嘿。""啥意思?"乘务长问。他不响。

关舱门的刹那,秦风云忽然想起云霞。要是今天她在班上,客舱一摊子事定会弄得妥妥当当,也用不着他来咆哮一通。她善于解决疑难杂症,少有过不去的坎,可惜,今晚她不在。

第二天,天上的云系变薄,有的地方露出片片湛蓝。机组一早赶到机场。

昨晚的那个老牛机务还没到。秦风云思虑半晌,给他打电话。老牛在电话里说:"这么早,你们不用睡觉?"秦风云说:"塔台管制通知了,只要准备好,随时可以走,所以我们早来了。"老牛说:"呵,看你们也蛮拼的,我这就过来,唉,过来了。"机务驻场值班室离机坪不远,这一次,老牛来得算快。

还是按照昨晚分工,老牛负责检查飞机外部,看看飞机各个部位有没有损坏的痕迹,起落架和轮胎是否正常,并拔掉固定起落架停场的插销。秦风云检查驾驶舱设备和机舱内部。二十分钟后,检查完毕。秦风云请老牛在放行单上签字。

老牛的脾气又上来了,不情愿地说:"我没有空客公司的资质,怎么可以签字?帮你忙不错了,爱走不走。"

秦风云只得服软:"是,谢谢牛哥哥。"

无奈之下,秦风云打给总公司。接电话人的作不了主,说要请示上面,他只得等。时间一分一分过去,停场的飞机引擎轰鸣,有的已在滑出起飞。秦风云再打一次,接电话那个人说领导要考虑一下再答复,让他再等等。秦风云说,难道总部真能派一名机务过来?乘专机过来?对方说,那不可能。

忽然,秦风云一个激灵:"机务的字我来代签,内容是无故障放行,可不可以?"对方说:"你自己给自己放行啊?"秦风云说:"那你们马上派个机务过来?"对方说:"已经说了,明知道这样不可能,哎,这事么,再汇报一下。"

等了十分钟,不来答复,秦风云重新打过去催问。这回,对方答应了:"无故障放行,同意。"

秦风云一阵欣喜,终于可以开拔了。想想也爽,自己给自己放飞一把,哈哈。他脱下黄色的反光背心,还给老牛,咚咚登上梯子,进入驾驶舱。跟在后头的林机长看得目瞪口呆:自己给自己放行? 天下的怪诞事多,这得算一件。

## 7

雨过天晴。旅客们如打了鸡血,早早用餐,收拾好随身行李,乘车呼啦啦来到客梯下,争先恐后登上飞机。

塔台管制室蛮守信:"准备好了就飞。"

秦风云在机长位置上坐正,扭头对林机长说:"小林子,今天起飞、爬升、巡航都归你,到拉萨那头再换我。"小林子领命,驾机滑行至跑道头,将油门调至"起飞"模式,滑跑、加速、离地、收起落架、爬升,进入巡航高度,潇潇洒洒,一路向西而去。

经过成都平原,进入川西,进入西藏空界。云白、天碧,皑皑的雪山一座连着一座,矗立在高原。这么多的山脉重叠在一起,似乎是造物主有意的眷顾,见到这块心仪之地,浓墨重彩地抹了一把。秦风云多次飞过拉萨,小林子却是头一回来,张大了眼不愿眨一下。他不相信真有童话世界,如果有,这里就是离童话最近的地方。西藏境内,有喜马拉雅、昆仑山、阿尔金山等巨大的山系,5000米以上的峰峦比比皆是。和这些雄奇的山体相比,什么落基山、阿尔卑斯山,还有其他什么山,都只能算小弟弟了。他们的飞机仿佛离山很近,伸把手就能够到,而实际高度却有海拔9000多米。

这是秦风云等最引以为豪的地方,有了航空,山不再高,水不再长,遥远的地方不再遥远,原本的荒蛮之处变成了香饽饽。

临近目的地了。秦风云接过操纵杆,逐渐降低高度。一会,雅鲁藏布江河谷如一副巨画,徐徐展开,水清明如镜,斑斓出五彩。转过了这个弯,贡嘎机场就会露出它特有的峥嵘。

高原的天如恶婆婆的脸,说变就变。从雪山顶上飘来几块厚厚的云,能见度在两分钟内从10公里剧降为500米。藏区幅员辽阔,航线稀少,空域左右腾挪的空间充裕,不像在内地会受那么多限制。秦风云向右轻轻偏出。忽听周围窸窸窣窣一阵响,没等小林子脑袋反应,机身、玻璃上已落下一排冰雹。还好秦风云魔手快,他驾驶的飞机已偏出云区,突发的冰雹只稀稀落落地在飞机屁股上意思了一下。小林子轻轻"啊"了一声,说:"飞机外壳会不会受影响?"秦风云没空搭理,驾机朝跑道方向逼近。

云系飘过,天空重现蓝天。蓦地,飞机右翼如受了什么东西的重击,哗一下倾斜,然后像海中的小舢板,又像天空中的风筝,随风左摇右摆。"啊……"小林子失声喊出,脸颊变成菜色,左膝盖不由自主地发了一阵抖。

"天这么蓝,也会……一定是晴空湍流。"小林子喃喃自语。

秦风云心中坦然,手上脚下本能地发动。他双脚蹬舵,维持机身稳

54

定;手上压杆,使机头上翘,已然化开了晴空湍流对他的骚扰。他飞高原多次,太了解天气的特性了,一会儿雷雨,一会雹子,一会湍流,该有的花样统统研究过,一律的有备份手段,就像一个成熟的拳师,对别人的拳路研究透了,对手无论出什么招,无论从什么方位来,都有应对预案,一旦对方发动,立马随机应变,举重若轻地予以化解。

晴空湍流算什么?毕竟离地有几百米(海拔四、五千米),他遇到过的低空风切变,离地几十米,那才惊险呢,弄不好就栽到沟里。既然来高原,可能出现的状况都要提前预估,时刻预备着,时刻保持战备状态,真来了,也就那么回事。几年前的某日,他飞林芝,降落时遇到高原风和下击暴流的夹击,他微笑着坦然应对,见魔赶魔,见鬼驱鬼,只不过多转了一个圈,照样稳稳落地。

说起高原机场,就一个字,险。不少机场都建在群山环绕的山谷里,四面都是高耸的山尖,飞机拐出第四边才能见到跑道,拐得早会碰到山,拐得迟也会遇到山,又得重新飞一圈。而很多时候山峰躲在云中雾中,弄不好还会近山触警。

记得那次飞墨脱还是啥机场——反正都差不离,跑道窝在两边群山矗立的峡谷中,神神秘秘的。飞机必须在过了某个山峰后,立马转弯才能对准跑道,晚了早了都得重新兜一圈。他就按这个程序飞,整个五边都在山里转来转去"捉迷藏",在飞过那座带有地标性的山峰后立即转弯,刚好看到谷底的跑道,他就手降了下去。事后,他将那个机场的进近称为"闭眼进近",意思是,整个转弯着陆过程是看不见机场和跑道的,相当于闭着眼睛在山里瞎转,只在最后关头,转过某座山峰的瞬间方能看到跑道,这不是"闭眼进近"是什么?

降落贡嘎机场后,小林子的脸色由绿转红,毕竟第一次么。秦风云对他说:60 米以下的风切变才叫惊悚呢,4000 米的风切变哪叫风切变?贡嘎机场海拔 3600 米,比起昌都邦达机场、稻城亚丁机场、康定机场、那曲机场、阿里机场,也没什么牛逼,但也蛮有个性。抬眼远望,贡嘎机场两侧生长着一排排锯齿般的山峰;雅鲁藏布江河谷则是一片沙地,旱季经常出现"高空飞沙",雨季则多发雷暴、冰雹。当地居民戏谑地说:山上的沙子是从河谷里吹起来的,山的棱角是雷劈出、冰雹子砸出来的。

飞机停稳。地面机务弯着腰将轮挡放置在主起落架前后,着手进行航后检查。秦风云不太放心,穿上件反光背心,跟着机务绕机一圈,瞅瞅机体外表有没有地方受损,瞧瞧前挡风玻璃在冰雹偷袭下有没有细微的裂痕,还好,没有,飞机的"皮"厚,一切正常。

首次上西藏,小林子显得欢喜异常,早已褪去了空中的紧张神色。机坪上,他弯下腰去,活动活动筋骨,当抬腰直起时,突觉一阵眩晕——缺氧的眩晕,不得不双脚站成马步,稳直身子,猛吸进几口气,方缓过劲来。

山风一阵强过一阵,小林子站着有些吃力,问秦风云:"是不是我身体不够硬?"

秦风云说:"也不是,高原风大,今天还不算太厉害,遇上大的顺风,人站直都困难;遇着逆风,怕连气都喘不过,站着都要吹倒。"

"那你怎么像没事似的?"

"我么,练过武,体格硬,是'硬货'。哈哈,告诉你,拉萨机场还不是最厉害的,最厉害的亚丁机场 4411 米,那曲机场 4436 米,那才厉害呢。

我国目前有15座高高原机场,其中4000米以上的5座,独步全球,那个,老外机长根本飞不了。"

小林子吐了吐舌头:"还是预估不足,下次再来,有数了。"

秦风云说:"嘿,下次有数? 来过十次,才有数。"

从拉萨返回的当日,秦风云在微信圈晒了篇《论语》解析。"子欲居九夷。或曰:陋,如之何? 子曰:君子居之,何陋之有?"析文之下,配了几张他用手机拍摄的贡嘎机场附近的风景照,张张流光溢彩,通透度逆天。

云霞从朋友圈看到,断定这货没能休息,当替补队员奔西藏了。她在评论栏里逗了他几句开心:小夫子备降拉萨,今天的《论语》臭美得不怎么样,但晒出的照片倒有几份藏味。

秦风云将和她的对话从朋友圈转至私聊模式。朋友圈的对话相当于将二人的言语置于数千人的公共场合,一对一的聊天才私密。她也被迫移至二人模式。

他说今晚在哪浪? 她说,还今晚,这是晚上吗? 才下午,俺在马德里。噢,真是潇洒,在欧洲的中世纪古堡里品着红酒和牛排。她说,嘿,乘务员那几个辛苦钱够瞎折腾么? 同样是飞人,飞行员才是时代的情人,样样政策都向你们倾斜,咱空乘不过是打酱油的。演悲情戏,怎么成了打酱油的? 差距也不至于那么大吧? 是,也不太大,顶多差个零。有那么夸张吗? 搞得你像外星人似的,才晓得? 90年代,飞行空乘差不多,2000年以后,你们成了天之骄子,收入一个劲地往上飙,咱成了被遗弃的人,快二十年了,几乎没涨过啥钱。那咋还有那么多人想当空乘? 你是说咱们贱骨头吧? 是有点贱,明知又苦又累又有风险,还有这么多人前仆后继往上扑,挤的人多,供过于求,收入自然高不了。

她做了个生气的表情包。他无法安抚她,只得转话题,说别叹苦经了,比上永远不足,比下铁定有余,周末有空,请你吃大餐?带上你那口子和小宝宝。真是没空,好不容易换个周末不飞,还不到两家老人处走走?他的心又塌了下去,是啊,周末该去看看小洪的父母。

要结束了,云霞最后一句,伙计好好飞,飞成诗。

哈,将飞机开成诗的意境?也只有她想得出。

哈哈,天空中没有翅膀划下的痕迹,而我已经飞过……

## 8

菊池静子今天飞大阪,到达后,由别的乘务员飞回程,她相当于回家休息了。

刚出候机楼,一个响亮的声音破空穿出:"你好,静子——"

她吓了一跳,朝声音处一瞅,一个中等身材、五官清朗的男孩向她奔来。她嗔怪地说:"山田君,喊这么响干嘛?广播喇叭!"

叫山田的男子挠了挠后脑勺,说:"看到你,不激动吗?情不自禁的,就叫了出来。"说着,伸手去帮她拿行李。菊池蹙了蹙眉,将提着行李箱的手缩回,还是慢了半拍,被对方的手抓住,并且,山田的手覆在了她细嫩的小手上。她像泥鳅一样,将手从他的手下溜了出来。山田提着箱子,和她并肩往外走。

山田扭头瞧了瞧她,真的很动人,在众多的人流中,她似一朵清纯的百合花,淡雅中散射出的艳丽,洇染着四周。他的脸上弥漫着春天般温暖的笑容。

她的眸子黯淡了下来:"怎么知道我飞这个航班?"

山田眨眨眼皮,自鸣得意地说:"山田么,能掐会算,算到你飞这趟航班,果然是,嘿嘿。"

这货,是水泼不进还是装白痴? 暗示过他好几次了:现在飞行忙,没时间和他交往。但他好像阴魂不散,没事似的乐意当跟屁虫。看来得较真,她说:"山田君,以后不用你来接,大阪,我家乡,我认路。"

"别客气,我有空,专门来接你的。"

她狠狠抖了抖睫毛:"你这样做,我更承担不起了,压力山大。"

"一会想吃什么?"瞧着她的冷表情,他热情地说。

"不吃。我要回家,姐姐做了东西等我。"

山田颇为失望,只得顺着她的思路说:"那我送你,车就在外边。"

菊池咬了咬嘴唇,想说不,又不想让他太下不了台,迟疑了下,说:"走吧。"

车出了机场,她鼓起勇气说:"山田君,有件事,我可能还讲得不够彻底,我们两个……"忽后面一辆车刷地从旁边蹿过,差点碰到他们的车,山田一个急刹,才没刮上,谩骂道:"冒失鬼!"她的心也咚咚急跳了几下。

离家 300 米的地方,菊池就编了个不怎么高明的理由,让他早早停下,自己慢慢走回去。

姐姐在家,见她早回,开心地说:"晚饭还早,去骑会儿自行车吧?"

菊池的内心有些沮丧,从机场一路过来,街景颓败,许多建筑的外墙陈腐剥落，这一带二十年来也没新建筑诞生，心中颇有伤感。"姐，忽然间觉得累，不去了，想看会书。"

姐姐奇怪地问："看什么紧要的书？""《西游记》。""我知道，那是中国古代的神话书，假的。"

"故事和人物当然是假的，虚拟的，主要是学点汉语，学点中国的文字。哎，虽然大学里读了好几年中文，以为有几把刷子了，实际和人家一比，还差着呢。"静子说。

姐姐说："那还去不去锻炼啦？""真有些累，还是不去了吧。""真的不去啦？"姐姐看她的眼光有些陌生。"不去了，姐。"

姐姐心里窝火，这个妹妹，出去两年，好像越来越生分了。原来老跟在自己屁股后头，自己去哪里，她也去哪里，自己干活，她也帮着干活，去了上海后，渐渐发生了变化，尤其是最近，忽然不跟自己玩了，显得蛮有主见似的，休息在家，不是看中文图书，就是听中文广播，咳，傻丫头，真想在那干二十年？

"再问一声，去不去骑车？"菊池挤出笑脸："还是累，不去了，对不起呵，姐。""那我去。"姐姐气呼呼地说，"那明天去奈良呢，也不去了？"

菊池做了个尴尬的表情："是的，明天要回飞中国。""回飞？明天不是休息么？""对不起。"菊池说，"航班计划有所微调。"

"你那个工作真的很重要吗？那么忙，连家也不要了。"

"我不是经常在家吗？"她端着笑脸，"现在工作难找，我只是很看重这份劳动。"

姐姐已换好了衣服，要去骑自行车锻炼，边出门边说："死丫头，越来越不听话了。哼哼，你不去，我去了，骑飞车。"

## 三、大 阪 女 孩

## 1

菊池不愿去骑单车,赖在家里看书,还有一个不肯示人的原因,是因为有人对他们那次东南亚航班的投诉。这个心结如在餐饮时吞下的一颗苍蝇,这苍蝇吃进胃里,令人作呕,吐又吐不出,心里感觉越来越难受。

飞了一次东南亚,怎么就遭人投诉?尽管投诉的是她们的团队,不一定针对她个人,但这个团队也包括她。这几天,她一个劲地反忖,自己哪里做得不到位?什么地方有纰漏?自己的送餐动作显慢?一板一眼的程序不适应航班操作?卫生间没打扫干净,客人有不爽?思前想后,思得眩晕,也理不出个因果,只好等公司的核查结论。

第二天飞上海,她尤其谨小慎微,生怕什么地方不对,引起客人不满。这个航班,机长、乘务长都是生面孔,但对她挺友好,尤其是乘务长,左一声菊池,右一声静子,挺亲热,似乎叫她这个名字蛮好听。她按部就班地做着手上的事,心里却在盘忖上次遭投诉航班上的服务,检讨着毛病出在哪,还没整理不出个头绪,飞机就呼呼落地了。

回到公司分配的宿舍，心里总不踏实，结没有解开，做事休息都打不起精神，忽然想起云霞经理，平易近人，一点也不端架子，还愿帮助他人。她是统筹整个客舱服务的，本事大，人缘好，消息灵通，要不再问问她？自己也有她的联络方式，可想想人家比自己忙，说不定现在飞在天上，就是不在天上在地上，在家里，她也有老人小孩，不方便打搅，就犹豫了。

看了会书，几个字不认识，查中日文对照字典。查了两个字，心不在状态，有点烦。扔下书本，打开电视，看了会纪录片，讲西北一座秦岭山脉的，说什么大秦岭在地理上是"中国之中"，在历史上是"定鼎之尊"，是南北气候分界线，珍稀动物园，范围还挺泛，连华山、嵩山都"泛"了进去，好像有点问题……看着的同时，也跟着里面学了几个词汇，再翻书本对照。嗨，实在看不进，就像一根鱼骨头卡在喉咙口，怎么都不舒服。

对自己说：鼓起勇气，打个给云霞经理，勇敢点，加油，打个电话给她，问问情况。如此对自己鼓励了一番，在惶恐的心情中，拨打了云霞的手机，一边拨一边琢磨着怎么把话说得像她那样有技巧。

电话拨通了，心却咯咯地跑着小鹿。还好，对方不在飞行模式，在地面，但会不会不接？会不会正忙，给她添乱？铃响了十来下，没人接，自动挂断了。她鼓起的气又瘪了下去。完了，云经理不接，可能生气了，生我的气。心情灰灰的，倒在床上，重新拾起书本，没看几个字，手机响了起来，一瞅，是云霞来电，她像小松鼠一样从床上蹦起，激动得声音打着颤："您好，云经理。""菊池，刚才打我电话？""是的，经理。""刚在洗澡，没能接着，那个，有事吗？"她用双手捂着手机，似乎这样能让对方听得更清晰:"也没事,就是,就是,上次飞东南亚飞机上的事。""噢,你是指投诉的事。这个么,我是当时的乘务长,会处理,你们不用管。""可是,公司检查有结果吗?不知道我有什么地方不对,需要改进?"菊池抢着把话说,生怕对方随时会挂断电话。云霞嗯嗯了两声:"我知道了,不过,这事不用你们操心,好好做自己的事,其他事我来对付。"

其实,云霞也郁悒。总归是投诉,不是表扬,不是好事。公司核查过了,也没什么结果,因为对方的投诉大而全,似乎样样都有毛病,又似乎样样拿不出死硬的证据。事情发展到这里,她的心里已经有一本账:这人或者是几人的投诉,有点蹊跷,目标不明确,打击一大片,既突不出重点,也不策略,很可能是对某些方面不满,借机撒气。

想到此,云霞细眉一皱,仿佛明白了什么:有人成心想黑她们。她立即行动,利用她的人脉圈,利用她的"魔法",找到几个关系比较铁的金卡、白金卡朋友,设下一个"局"。不到一小时,进"局"的朋友将微信截屏发给她,打开一瞧,真相立即大白。果然是有人对公司取消贵宾卡优惠的某些条款强烈不满,直接将火烧向了乘务组。截屏上可以清晰地看到,某白金卡用户发给某人的文字:投诉基地航空公司的小娘们,记着,打那服务电话没用,直接投给航空公司,如航空公司回复不及时,找国资委纪委投诉该公司官僚主义作风明显。

接下来,截屏上列举了几项投诉重点:广播词,一投一个准;卫生间卫生,一投一个准;滑梯预位、解除,也是一投一个准;还有客舱巡视……公司CC(空乘)不是敌视贵宾卡用户吗?要将服务资源匀给普通用户吗?看他们公司领导是保官位还是保她们咯,哈哈。

此公又补充：继续寻找，罗列其他各种"罪名"，别给 CC 解释的机会……

云霞气得差点喷血，想想，又扑哧笑出了声。不错，客舱部有新规，要将视野放宽，提高对大多数人尤其是经济舱旅客的服务质量，在乘务资源不变的前提下，自然得削减部分贵宾客的服务项目，不料引发某些人的强烈"反弹"。她相信，将这些截屏证据呈给公司层面，公司也定会理解客舱部服务"大多数人"的做法。

但是，这些东西她不可能原原本本告诉一个外籍小乘务员，跟她说不透，也不用说。

过了一天，云霞给菊池去了个电话，说投诉的事，可能有误会，跟底下乘务员无关，请她们好好工作，别再纠结，别自寻烦恼了。

## 2

菊池静子出生于大阪，高中毕业后去东京大东文化大学学外语，学英文、中文和韩语，以英文和中文为主，其次是韩文，四年学下来，中文能简单对话。

毕业那年，听说中国的这家航空公司在当地招聘空姐，充实中日航线的乘务队伍。见班里十几个女生去报名，她也怀着对冲上云霄的向往，懵懵懂懂地去报了名。去现场一看吓一跳，一共招十五名空乘，报名的来了二百多人，竞争异常激烈。她凭着 1.63 的个头，清纯漂亮的五官，不胖不瘦的身材，出色的才艺，在几轮面试中脱颖而出，成为十五名佼佼者之一。

她当时的想法,在国内能找工作当然好,但这些年经济一塌糊涂,年轻人毕业差不多等于待业,不如趁着年轻有资本,走走世界也挺有味,况且,上海离大阪近,两者是姊妹城市,飞的又是中日线,回家方便,也就尽力去拼,全力去投入,终于如愿以偿,加入上海的航空业。

自以为学了四年汉语,能抵挡一阵子,但一旦到了汉语母国,进入岗位、进入生活开始实操,还是远远不够。公司为外籍员工在机场宾馆分配了宿舍,便于上班,也是对外籍人员的额外眷顾。但语言上的不对付,时常困扰着她。

一次,她打车去市里观展。上了出租车对师傅报了个地方,语速快,口齿有些缠夹不清。师傅以为听懂了,呼啦啦将车开到港汇中心停下,说徐家汇到了,这是徐汇商业中心,最闹猛。

她左右环顾,不肯下车,说不对,不是这里。那是哪里?这里是徐家汇最热闹的地方,中心的中心。司机说。她说,我去的地方,是徐汇路,一条路上的一个地方。司机清爽了,你说的是徐家汇路,那是一条路,全上海只有一条,从肇嘉浜路开过去就是。开到路上,她问,这条路很长吗?司机说,很长,具体在哪里?她东张张西望望,对着纸上写的地址,念着,好像后面还有个礼堂?对,应该是大礼堂,我去看展览。司机长年在市区跑,对各种地方都熟悉,忖了忖问,是徐汇礼堂吧?她忙说,对,是那里。为什么开始不将纸头拿出来?司机不解地问。以为我说清楚地方了。司机开了几条马路,将她在徐汇礼堂放下。

回到住处,跟同事一讲。同事说,是出租司机欺负老外吧?她说,也不是,我学了几年中文,一直学着生活,出门就没把地址给司机,用嘴巴讲,可能没讲清楚,司机误解了,都怪我。

## 3

入职不久,她在航班上当实习生,大部分中国乘务员都不愿多搭理她,工作上的联系,也用最简单的一二句话表达,如"你去""送餐"。能两个字说的话绝不用三个字,有时还用肢体语言代替。有时,中国乘务员直接喊她:"日籍,过来下。"

嘿,日籍?难道我没名字么?她马上又为自己找台阶下:可能日本人的名字长、怪,不便记,比如西村晚代、藤本玄森、大喜多纯子、古谷他日香……字多,中文念着拗口。她满是激情热血,对谁都贴着张甜脸,对谁都低头欠腰,希望能多学几句中文,但同事们就是不愿和她多交流。

有一回,她实在憋不住,问一个比她早三年来的日籍乘务前辈:为什么她们不愿和我多说话?那前辈用日语说:还不是你中文不溜!谁愿意花大力和你啰唆这啰唆那,费那么大劲?现代人的时间都金贵。

给前辈这么一说,还真是。她在机上做事,中籍乘务员对她都缺少热情,同事们往往用手一指:餐车。又对她撇撇嘴:你干那个,我做这个。能少说一句就少说一句话。遇见特情,比如机上有人生病啥的,她一个人处理不了,想中国同事帮忙,有人肯来,有人翻白眼。上来的人接过活,和她交流嫌麻烦,干脆将她晾在一旁。只有日籍乘客有所要求,中国乘务员又吃不准时,才发现她的价值,请她来翻译,解决问题。

菊池把自己放在亚洲特别是东亚人来考虑问题,东亚语言和西语不同,和西亚的阿拉伯语系也不同,相互有许多相似处。比如日韩,同为东亚,同为东方语言,受中国语言影响深远,东亚各国在上海工作的人员比较多,如果语言不融入,就会影响到工作和生活。有同事说:要真正上台阶,还得出血本,请外教,打听过了,补习中文,一对一上课,每次600元(人民币)。空乘中,就有日、韩、欧籍的乘务员在请,据说效果不差。她被说得心动,跃跃欲试。

碰到客舱经理云霞,一朵看似永不凋谢的白玫瑰。云霞自揭穿上次有人"作贱式投诉阴谋"后,深得客舱部领导器重,已经是服务示范组的核心成员,肩负着培养和带教广大乘务员的重任,对外籍乘务也比较友善,听说还准备在外籍部多选徒弟呢。每次见到她,菊池总有种发自内心的亲近,也愿意将心中的衷肠吐给她听。

听到菊池的苦经,云霞笑呵呵地说:"你学过四年汉语,应该有基础,不用那么折腾吧。"

菊池说:"同事说,要有大进步,非得请私教。"

云霞用她那双漂亮的眸子瞅了她几秒钟,说:"不用那么麻烦,我们就是你学中文最好的带教。语言是一种刺激和反应,多和我们在一起,业余参加各种集体活动,像春节包饺子,端午裹粽子,中秋做月饼,国庆演节目,——以后这些活动都请外籍乘务参加,平时和中国人在一起的机会多了,听得多说得多了,语言自然就过了关。"

"那个,那些活动,能让我们参加吗?"被她一说,菊池双眼滚热,期待地问。

"欢迎各类员工,包括外籍部的员工参加,前几天,我见到客舱部领导,提过建议,不料和领导的想法不谋而合。外籍乘、外籍飞行人员,也是公司安全与服务的重要力量,这些活动,当然得请你们一块参与喽。"

"嗳,那就太感谢您了。"

"不要谢我,谢客舱部,谢公司领导。我也是乘务员,级别跟你们差不多,只是多干了几年而已。"云霞美眸一扬,"学习中文,平时要多听中文广播,多看电视,多看报纸、杂志,多读书,听、读、说结合起来,几年后,中文说得比我们还溜。"

"听您这么一说,我好有信心。刚才听您说话,似乎就进了那么一小步。"菊池一脸纯真地说。

云霞拍拍对方的小肩说:"我是你们的大姐姐,有困难么,找大姐,别不好意思。"

"您那么忙,怎么好意思打扰?"

"这也是我工作的一部分。和你们在一起,我也很享受。"

菊池紧紧握住对方的手,感动得差点掉下眼泪。

## 4

现代人的生活太丰富,时间就过得飞快,一周又一周。

这天,她在宿舍休息,正在看中文版的《西游记》。她和许多外国人一样,从小对孙悟空大闹天宫、捉妖怪的故事感兴趣。她学习中文,看得最多的书就是《西游记》。自从上次云霞让她多读多听多说之后,她当圣旨一样在落实,一早起来就翻几页。也开始从头学拼音,按中国人的要求学声母和韵母,每天"a、o、e、i、u、v"地念。虽然在日本学过,按中国教材学,又是一码事。

学着学着,又晕了,常常和英文 26 个字母混同、打架。26 对 26,写法相似,读法和用法差异却如云泥。真想放弃从拼音、语法学语言的方式,直接从对话和文字进入。但不认识的字需要查字典,不学拼音还不行,没法子,像啃骨头一样啃,啃下一个是一个,啃下一块是一块。比起学拼音,说话、看书带劲多了,尤其是看书,许多字和日文是意通的。

看了不到半页,有人揿门铃。谁这么早来访? 估计是隔壁的外籍乘员同事,约她上街什么的。她才不想去呢,不如窝在宿舍看会书。

是山田。她刚起床,头发也没梳,就开始翻书,想不到山田来了。她心头咚咚跳了几下:"怎么来上海了?"

见她用手扶着门框,眼波怪怪的。他说:"怎么,不请我进去么?"

"我早上起来,都还没有收拾呢。"她眉头紧锁,将手从门框处慢慢滑落,"请进。屋里没整理,随便。"

在山田眼里,她的素面朝天,也有一种淡雅的清艳。他闪身进了门,东张张西望望:"昨天晚上到的,打了几次电话,不通,只好直接赶过来了,幸亏上次你说过,宿舍是公司分配的,在驻场宾馆。"

"晚上可能关机了。"菊池说。给他泡了一杯前几天刚买的龙井茶:"请喝口茶。山田,你这回是?""为你而来。"他接过热茶。喝了一口,挺烫,赶紧缩了缩舌头,将杯子搁在桌上。"为我而来? 此话怎么解?"她在他对面坐下,满脸茫然。

见她脸色不对,山田摆摆手说:"当然,主要是为我自己,告诉你,我来这里留学读书了。""读书,读什么书?""汉语。我父亲经常出差,跑在两地之间,对上海印象不赖,他希望我学一口纯正的中文。""真准备在华念书? 上什么学校?"

"外国语大学。"山田端起茶杯,在杯口吹了吹,"嘿嘿,学汉语么,简单,汉语哪叫外语?汉字和日字类似,有的字的意思完全重合,语法也差不多,不像学英语,有那么多倒装句,那么多狗重句猫重句,怎么读都别扭。我在学汉语的时候,有一种学母语的感觉。"

"学母语的感觉?"她浅笑一声,"这个比喻靠谱。"

山田瞧了瞧她的房间,简洁、淡雅、温馨,没多少东西,说:"中午请你吃饭,附近的古北新区有正宗的日式料理。"

"哎,不巧。"她甩甩手说,"我可能没法答应你,今天正好有点时间,已计划了去图书馆。"

山田一个激灵:"那太好了,我也想去图书馆,正好跟你认认路,以后一块去借书、查资料。"

她暗暗抽了抽眼角的肌肉:"我约了外籍部的同事去,都是女的,你一个外人夹在中间不方便。既然你决心来这儿念书,就把主要精力放在读书上。"

山田退一步说:"那这样,中午我们古北吃饭,吃完后各干各的,你去图书馆,我回学校,怎么样?"

菊池思虑着用什么话将他堵死,忽而想到他来找她也出于好心,便不忍地说:"也别倒腾了,中午就在宾馆餐厅用餐,我是主人,我做东。"山田不再坚持。二人在她宿舍聊了一会。十点半,菊池早早带他来到一楼的餐厅,开始用套餐。套餐都是酒店预先配好的,有荤素菜肴、点心、水果、主食和饮料,客人一到就能上,上得快,吃得也快。

送走山田,菊池步行至地铁 10 号线站点,刷手机进站。在上海的生活,比以前熟练多了。坐地铁到淮海中路图书馆站下车,走进馆内。其实,她今天没有约人,对山田说的属托辞。

走进图书馆,看见两外国女孩在前面摇晃,即便是背影,也有些眼熟。迎面一照,蓝眼睛黄头发,果然是两个欧籍乘务员,一个是西班牙的加西亚,一个是法国的萝拉。加西亚是个高挑明艳的姑娘,马德里一所大学毕业后来华留学,在北京国际关系学院完成硕士学业,专业为中国与国际关系。萝拉生在巴黎,个子比加西亚还高,怕有 1.74 米,带点法国人的媚,经历和加西亚有所区别,法国一所大学历史系毕业后,专门来上海交大学了三年汉语言,中文水准达到中国人小学四年级水平。同是外籍员工,同住机场宾馆,在公司也有过交集,今天在图书馆偶遇,开心得相拥而笑。

"Hola(欧拉。西班牙语:你好)."加西亚晃了晃菊池的纤手,"来借书?"

菊池说:"嗨,来借本书,也来看会书,这里气氛好。"转而问萝拉:"你呢,萝拉?"

萝拉双手一摊:"我么,来看书,顺便借本书。没办法,要汉语进步,只有多看书,多说话。"

菊池说:"二位都是硕士,比我高一等级,我只是学士,学着进步肯定比我大。"

加西亚摇摇头:"No,你们亚洲人,文字和文化都跟中国有关,学起来当然比我们西半球人容易,难怪公司的日、韩、泰籍员工的汉语比西方籍员工溜,音也咬得准。"

"也不一定。"菊池说,"二位借什么书?"

萝拉抢着说:"我想借本《红楼梦》,中国最有名的一本书,人家推荐的。加西亚想借《西游记》。"

菊池摇着头说："都是中国古代的，特别是《红楼梦》，可难懂了。《西游记》我也在看，孙悟空捉妖怪。"

三人在门口聊了几句，一起进入图书馆深处，分别办理自己有兴趣的业务。

菊池一天都泡在图书馆，回到住处，天已摸黑。

第二天一早，收到一个电话。她看着来电号码有点纳闷，是中国境内的号码。不接，对不熟悉的手机号，她一般都不接，推销、广告、骗子电话一天好几茬。一会，相同号码的来电又响起，嗡嗡地响个不停，像蚊子吟一样，好像主人不接，它会永远响下去。她发了慈悲心，接一接又何妨？大不了是个房屋推销来电，大不了是个骚扰电话。

竟是山田。他在听筒那头兴冲冲地说："静子，这是我申请的新号，中国号，特地告诉你一下，以后有事找我可以打这个号，我二十四小时不关机的。"

哈，又是这个山田。听到他高八度的声音，她就晕菜。"什么事，山田？"

"也没什么事，忽然想起家乡的生鱼片，想问问你周末有没有空，去上次说的古北路吃料理？"

她一边收拾东西，一边说："山田君，知道吗，我早上飞航班，马上要去公司签到，开航前准备会，然后飞名古屋。"

"哦，那周末的事？"

"周末的事再说，也可能在日本。时间紧，不说了，走了，莎悠那拉。"不管对方还在话筒里纠缠，她啪地一下切断了电话。

# 5

她拖着飞行箱,叫了辆出租,到客舱部签到,和机组一起开航前准备会。她和山田说的是实话,今天,她飞名古屋。

菊池飞的日本线,上海至日本各地,南至冲绳,北至北海道,但以大阪为主,在大阪过夜的机会多。

今天的飞机上没有云霞。云霞对她好,二人似乎很投缘,但云霞是公司的主要形象代言人,空乘风云人物,原本是较难同机的。驾驶舱里也没有秦风云机长,那个英朗的极品男人,他主要飞欧洲等长航线,客串短线,自然不易遇上。电脑排班,类似于抽福利彩票,哪么容易和熟人在一班?她的心情稍有失落,但这种心情维持的时间有限,很快,这种失落的心理随风而去,飞机一进入巡航,她立即投入到繁忙的服务中去。

先是送饮料,顺便递餐巾纸,尔后送餐。飞日本航线留空时间不长,送饮料、送餐食的时间显得集中。菊池按她的习惯,将餐盒中的塑料刀叉放在食品上,使旅客一打开餐盒首先看到刀叉,不用从盒底翻上来,这样做,慢是慢了几秒钟,但旅客在狭小的桌板上一打开食盒,就能从上至下动用。送到旅客手上的许多东西,包括纸巾和餐盒,都印有航空公司的标识,她递送之前,总要仔细瞅一眼,将印有标识的正面递给旅客。她走路推车动作轻,说话也轻。她担心中国乘务员又嫌她送东西慢,做事更是轻手轻脚。哎,今天,倒没有中乘怪她慢了——其实也不慢,反有旅客夸她优雅。优雅?她差点脸红,赶紧从那旅客跟前闪过。

"你每次都这么干活?"曲乘务长第二次和她搭机,看她细致地递送每一份餐饮,不禁问。

"是的,乘务长。是不是我有点慢?"她惊讶曲乘务长那双凤眼看得这么远,这么细。

"也不慢。你这样做,有道理,一是出于对旅客的尊敬——将标识的正面对旅客,也间接宣传了公司形象;二是方便了旅客,将刀叉整理在食物的上面,旅客不用在盒子里满地找,打开盒盖就能瞧见。"

她搓了搓自己的小手,不知说什么好。

送完了餐食饮料,她重点关心厕所。有人进去用厕、出来,中间有空当,她总要闪身进去整理一下。她打扫卫生间的速度比别人快,一二分钟时间就能整理一遍,不影响后面乘客的使用,这和送餐的速度迥然不同。如果有人进去时间较长,她判断是大解,门开后,会头一个冲进去,瞧瞧卫生纸够不够用,马桶有没有抽过水。

曲乘务长在远处观察她好几次了。就在她跨出洗手间时,曲乘务长腰身轻扭,闪进了卫生间,发觉她清理过的卫生间干净有序,水池里没有积水,马桶里没有便渍,卫生用纸露头三寸。曲乘务长抿嘴一乐,多了个心眼,故意在镜面上用手指划拉几下,留了几道浅浅的印痕。

一会,有位女客进去用厕,时间稍长。人出来后,菊池见没人使用,又进去捣鼓一会,出来后将门轻轻带上。曲乘务长紧跟着进去,一瞧,原先她故意留在镜面上的几道不甚明显的指痕消失了,明镜中映照出的是她那张笑吟吟的脸蛋。

到达名古屋,下空客。清舱时,曲乘务长将大家召集一起,说,"今天,我建议大家看一看经济舱部的两间厕所,整理得明净整齐,从专业的角度很难挑出毛病。我相信,今天当班的乘务员当中,也有人有这样的能力和吃苦耐劳的精神,有人甚至比这做得还好,但是我要将这班次的表扬留给菊池静子,这位日籍乘务员。"

乘务员们静悄悄的,表情肃穆。有人用奇怪的眼光乜斜了她几眼。在这种刺人的目光下,菊池一阵紧张,期盼着乘务长别点到她了。

曲乘务长当然不会按别人的意思说话,继续她的讲评:"客舱服务不是钟点工活,不是简单的服务,而是有流程讲质量的,今天在岗的乘务员,各有各的拿手活,需要时每人都能亮出几把刷子,但我还是想说一说菊池。"说着她将目光投射到菊池身上。

菊池急忙垂下眼帘,将右手搭在左手上,双手垂在小腹前。众人的目光在她身上、脸上扫来扫去。她浑身不自在,觉得受表扬比挨批评还难受,巴不得自己成为隐身人,如果眼前有缝,真会马上钻进去。

"今天我尤其注意菊池的行为。在她打扫厕所前,我成心进去,在镜面上做了几条并不明显的暗记,但她帮我擦掉了,我可以保证她并不知道是我有意留下的,也不知道我会进去查验,但她做好了。这虽然是一件小事,其他乘务员也能做好,但她精细的作风给我留下了深刻的印象。目前,外籍乘务员在公司的人员多达几百人,飞日本有日籍乘,飞韩国有韩籍乘,飞欧洲有欧乘,引入外籍乘的目的,不是单一的语言因素,更重要的是工作姿态、服务细节上的相互借鉴,相互弥补。此话应该由高层领导说,我说怕不够格,但我上周碰见客舱经理云霞,她也说过类似的话,今天我看见菊池做的事,才有感而发。相信你们会理解我说的话。"

好不容易等乘务长训完话,乘务员们鱼贯下机,打扫卫生的工人鱼贯登机。菊池心里七上八下,对每位都颔首微笑。跟着乘务长最后出舱门,内心还是有些诚惶诚恐。

班机在名古屋过站,两小时后回上海。回程迎好客,菊池瞅着曲乘务长的空当,快步跟到她的旁边,压低了声音说:乘务长,有句话想跟您说。什么话?乘务长问。我工作归工作做,您千万别再表扬我了。为什么?菊池说:我受了表扬,有同事会用别样的眼光看我。乘务长说:还有怕表扬的?怕什么?我也经常表扬别人,受表扬的人高兴都来不及。这个,反正谢谢您,别表扬我。曲乘务长瞧瞧她鸽子一般的模样,轻笑道:我明白你的意思了,好好做事吧,不表扬你了。

这一程的客人,日本人居多。她不再去舱尾的厕所打扫,换了方向,将清洁的重点放在前部两个厕所上。一路上,见她胸牌上写着日本名字,不断有日本观光团的旅客向她问这问那,她穿梭在通道中,用日文为客人们解答着各种问题,无非是到中国要当心什么?那里治安怎么样?小偷多不多?住宾馆需不需要付小费等琐碎事。有的问题她也了解不深,只有尽可能地帮着回答。这一班飞机,她同样将洗手间清洁到位,同样用她的路子送餐饮。同班乘务员敌视般的眼光也还是有,但少了许多。

走下廊桥,经过候机楼进出站连接道,走着的时候,菊池眼角的余光飘过,瞄到了玻璃墙另一面一个颀长的身影,尽管是侧面,还是觉得那人是个熟人。她刷地转过脸去,隔着巨大的玻璃,那边的人果真是秦风云。他拖着飞行箱,步履潇洒地向前迈去,他的步子永远都潇洒。必是去飞新的航程,不知道飞的哪一条线?她想打个招呼,厚厚的隔音玻璃将音量分开,即使高喊也听不见。她想挥下手,肯定也引不来他的目光,擎起的手又犹豫着放下了。

# 6

秦风云失去小洪后,暗自神伤了一阵。时间冲淡了一切,渐渐地,他已从痛失爱人的阴影里顺过气来。他是个飞行者,许多时间待在空中,比别人站得高,看得远,走出哀境的时间也短。

失去了亲密的伴,重新成为单身狗,他有空闲常去图书馆打个卡,翻翻资料,借本书,这是他的时空。

自从超音速协和式客机退出江湖后,人们对未来超音速客机的期待与日俱增。要是协和机在世,将航程延长,中国去北美的时间将缩短一半,中国去南美、南非,也不必中转,轻松直航,遥远的太平洋不再遥远,人更不会有长途飞行的痛苦。但协和机自2001年退役后,新一代超音速客机的研制销声匿迹了超长时间,人类的等待太久长。最近几年,对超音速机研制的消息突然多了起来,网上甚至流传,某某公司已在研制四倍音速的客机,这样,跨太平洋航线只需三四个小时,对于秦风云这样的飞行者,对于普遍旅客,实在是超级利好,是爽翻到天上的美事。但网络盛传往往掺水的成分大,许多消息不是离谱就是子虚乌有,关键的东西还是书上写着靠得住。他今天就想来图书馆翻翻相关的资料,翻书本、翻杂志,找了小半天,也找不到超音速客机的权威资料。

他颇为失望地放下手中的书本,将头往后仰了几仰,轻轻活动脖子,调节下上半身。忽觉一阵清风从旁掠过,余光瞄处,瞥见一件红裙子的摆角。又似乎觉得有人站在身后。他转过头颈,就瞧见了本公司的两位空乘,一位是西班牙籍的加西亚,一位是法籍的萝拉。这阵子,她俩常结伴而出,相伴而归,有点孟不离焦、焦不离孟的味道。见到熟人,他从椅子上立起。

其实,她俩早已发现了他,只在商量着如何过来搭讪。看他站起身来,身材火辣的加西亚笑眼眯眯,夸张地做了个和他拥抱的姿势。这把他吓着了,用手轻轻一挡,轻声说:"别,别——"往后退了小半步,保持在"警戒距离"之外。

萝拉抿嘴道:"秦机长不用紧张呀,加西亚想跟你开个玩笑,这是公众场合,她不会放肆的。"

秦风云释然地说:"这是图书馆,读书学习的场所。"

加西亚轻笑道:"我们马上噤声了,刚才也没发大声,只是——"

秦风云问:"你们来干嘛?"

加西亚说:"当然来看书、借书,每月都来的。"

秦风云多飞欧线,这几个欧籍乘都和他在一块工作过,彼此相识。在飞机上共事,他驾驶,她们做客舱,分工如枝杈,言语有分寸。今天在图书馆碰见,这加西亚也太奔放了。

她们的后面,还有个中国人,盘着大光明头发,才知道她们是一块的。开始以为是这个中国人陪同两个欧洲人来的,倒不是,也是公司的乘务员。这时,她移步上前,轻轻地说:"秦机长好,我叫朴美慧,韩籍空乘。"

秦风云大吃一惊,上下端详了她一番,说:"你是韩国人?怎么你的汉语里连一点外国人的痕迹都没有？藏得这么深？"他连问三个问号。

"秦机长过奖。我在国内学的中文，后又在南开大学汉语言文学系读书，汉语底子比她们二位稍好，但说多了也会露马脚的。"

"不，不，纯正，太纯正了，你的言语里已听不出丁点外国人的口音了。"他原本还想说：太可怕、太可怕了。

后来知道，这朴美慧南开大学毕业后，回到首尔，参加航空公司当年在首尔的空乘招聘，报名 500 人，录取 20 人，她是其中之一。

加西亚接口道："朴小姐是东方人，和中国人长得差不多，她正带我们补习中文呢。"

"你们的中文也很有基础呵。"秦风云对两欧洲人说，"那你们给不给她报酬？"

朴美慧咬了咬唇，浅笑道："当然不用，都是同事。"

萝拉冷不丁地说："朴小姐汉语说得正，人长得也好看，我们劝她加入中国籍算了。"

朴美慧嗔怪地说："以为中国籍这么好入？"

秦风云说："不开玩笑了，这个。"

他从朴美慧的容貌联想到了另一个外国人，嘟哝着脱口道："咦，还有个日本籍的空乘，和朴小姐脸盘有几分像，好像叫什么子的。"

加西亚抢着说："菊池静子。"

秦风云抬了抬眉毛："对，应该是她。"他忽然想起，菊池静子几次进驾驶舱送咖啡，都被他打发了出去，不禁笑笑。

萝拉说："菊池住我隔壁，常有联系。今天她没来，飞去了。"

三位年轻空姐脸上荡漾着旖旎的笑意。

加西亚抬腕看表，说："转眼饭点了，我们人生地不熟，秦机长是不是带我们找家味道好的馆子吃饭？"

萝拉说："最好是路边大排档什么的。"边说边用手比画着。

"可是。"秦风云没这个心理准备，一时舌头打结。

朴美慧那纯正的汉语响起："秦机长放心，咱们 AA 制，决不让您单独破费。"

秦风云像被辣到了眼睛。明知对方激将，也只有上套了，如果不去，会被几个老外小姑娘以为他怕掏腰包。再想到中午确实有空，就答应下来："去附近找家清爽点的餐馆，带你们吃本帮菜。"

加西亚说："我们不要吃本帮菜，不要吃大菜，要去街边吃大排档，哈哈。"

"嘿，怪了。"秦风云咂了咂舌尖说，"附近不一定有大排档。"

萝拉说："我们散散步，走点路，到小马路上找找看。"

朴美慧赞同地说："找有特色的东西尝尝，难得有秦机长引路。"

一行四人步出图书馆，往南边桃江路、东平路等几条马路走去，东找找西觅觅，终于在一家小弄堂里找到一家私人开的餐馆，地方虽然局促，但有腔调，由里向外飘着阵阵异香，光闻着就要流口水。四人点点头：就是这家了，先后走了进去。秦风云拿过菜单，请三个女孩每人点两个热炒，冷菜就免了。一会，香气扑鼻的菜肴端上桌来，热雾袅袅，几人同时伸出筷去。果然味美可口，醇香直抵肺腑，纷纷庆幸找对了地。

菜的温度比较高，秦风云身上的体温更高，一层细密的汗珠从毛孔沁出，布在他的前额。被几个外国美女围着吃喝，表情太不自然了，心底更是跟做贼似的，不时东张张西望望，生怕被熟人瞧见，将消息在外面放大,弄出条花边新闻。眼下是网络时代,微信时代,文字和图片的传播像风一样方便。这一顿饭,他像热锅上的蚂蚁,坐立不宁,好不容易熬到三女吃完,他抢着将账结了,说分头回家。

朴美慧说,不成的,秦机长,说好 AA 制,就一人一份,我们不要占你大男人的便宜。萝拉说,我微信上有零钱,马上转给你。加西亚说,对,一定要转给你,否则下次秦机长不敢带我们玩了。秦风云说,转就转吧,反正我不会收,拜拜。边说边一头钻进旁边的岳阳路,溜走了。

# 7

菊池这班飞大阪,晚上在那过夜。

坐在经济舱第十排过道座位的一位日本小女孩,一登机就瘪着嘴。盘升途中,索性哇哇地哭了起来。到了平飞状态,小女孩还是一把鼻涕一把眼泪,好似受了天大的委屈。旁边的妈妈哄着劝着,终于也没有止住她的哭声。这种啼哭声在空间狭窄的机舱里传播开来,二十排以后的旅客也听得清清爽爽。

菊池等到扣保险带的警示灯一解除,立马从座位上弹起,快步走到存放她飞行箱的行李架前,按下盖板,打开箱子,变魔术似的从中拿出几张折纸,来到小姑娘跟前,朝她晃晃:"小妹妹,看阿姨手中的是什么?"小姑娘的眼睛被漂亮的折纸吸引,小手也不由自主地伸了过来。

菊池将左手的一只折纸送给她,又举起右手的一只在她面前晃荡。小姑娘的注意力完全被引了过来,盈眶的眼泪也倒灌了进去,脸上由雨转晴，竟嘻嘻笑了几声。菊池就手将这一只折纸送了给她。小姑娘一手抓着一只折纸，开始摆弄。周边旅客再也没有听见她的哭声。

菊池十分注意从老乘务员那儿学取经验，这样可以少走许多弯路，在工作中起到实实在在的作用。一次有前辈教她，飞行箱里多装点小东西，占不了多大地方，增不了一斤重量，说不定关键时刻能派上用场。她是个有心人，按前辈吩咐，备了许多不占太多地方的小东西，这次正好用上了。

类似的事往往成双。一位马来西亚小男孩，在位置上耷拉着小脑袋，一副病怏怏的模样。他妈妈用手摸摸他额头，有些发烫，一会又冒起虚汗。妈妈坐不住了，求助乘务长。

在一旁看在眼里的菊池，二话没说跑向她的飞行"百宝箱"，左摸右摸，摸出两张降温贴，交到乘务长手上。乘务长和孩子母亲旋即将降温贴贴上孩子额头。过了约有十来分钟，孩子的头渐渐昂扬，应该是舒服多了。孩子妈朝乘务长连鞠几个躬，乘务长欠欠身说：别谢我，要谢也谢那位菊池阿姨。孩子妈环顾四周，找不见相谢之人。菊池已在厨房间准备餐食。

菊池静子麻利地将一份份热食从烤箱里提出，整齐地摆上推车。将冷食餐盒打开，重新快速整理，将刀叉及纸巾放在冷点及水果上面，方便旅客一打开盒子就手拿到纸巾和刀叉，不用再从底下翻弄上来。但这会牺牲掉少部分时间。

和她一起负责一条通道的乘务员小周是急性子，见菊池事先拨弄餐盒、定要双手递食盒外，连给客人临时送个枕头都要将印有标识的那一头对着旅客，忍不住催她："菊池，这些事可以笼统一点。"菊池"嗯"一声,不为所动,依然我行我素,双手递餐盒,双手送枕头毛毯,将每一件"合格"的产品递给旅客。嘴上对小周说:"对不起,我快一点,快好了,马上完成了。"

小周瞅瞅她腕上的小手表,也慢不了几分钟,半眯着眼,对这位日籍乘同事无可奈何地笑笑。

这架班机落大阪后,菊池回家休息,见过父母和姐姐。姐姐知道她想宅在家里,不约她去骑自行车了。菊池求之不得,躲在家里看她的《西游记》。今天有点累,想早点歇息。

第二天一早,从家赶到机场,照例是开航前准备会,登机检查客舱,迎接旅客登机。但旅客登机过程中,还是发生了一桩事。

有位中国籍男旅客,中年,一边往机上奔,一边擦着汗大声嚷嚷:"请问有没有会日语的?"

小周等几个乘务员旋即将目光聚向菊池。菊池指指自己的鼻尖:"先生您好,我是日本人,会讲日语,请问需要帮助吗?"

"那好,好。"男旅客喘着厚重的粗气,"早上过安检时走得急,不小心掉了手机,登机时才发觉,马上借别人的手机打给机场有关部门,电话在不同的部门中转来转去,一团糟,对方讲日语,有时讲几句英语,彻底听不懂,无法沟通。"

菊池说:"您请别急,我来帮您打,请问是什么样的手机,确定在安检过程遗忘的吗?"

"我用的华为牌手机,定是在安检时落下。"

菊池从兜里摸出自己的机子,在电话目录里翻出大阪机场安检的电话,马上拨过去。电话双方叽里呱啦了一通。菊池放下电话,对这位旅客说:"手机找见了,一会工作人员会送过来。"

男乘客受了感动,恨不得跪下去给她磕个头,情不自禁地拉着她的手说:"谢谢,多谢,没有你帮忙,我手机多数找不回来了。"

菊池听了很受鼓舞。她的母语派上了用场。

## 8

这天,秦风云飞了趟中线,去内蒙古的某机场,任务是带新飞行,重点培养新驾驶的起飞和落地。新驾驶经过飞行学院的学习,教练机的实践,模拟机的复杂培训后,进入航班飞行,先是跟学、跟飞,后来是自己动手操纵,教员机长在旁边观察。老手总是从新手过来的,高手也是低手过渡上来的,这些年,机队年年扩,飞行员年年缺,得加紧带教,尽早放单。

这是夹在远程航线间临时压给他的任务。他年纪轻、技术赞、身体棒,常常有这样的插曲,执行一些临时安排。你不是常标榜自己是"硬材料"吗?那就经常让你特殊些。

许多新的副驾驶都喜欢跟他飞,有人更是私下调了班头跟他飞,主要是他肯放手让副驾驶干,肯让他们练手挑重担。他常说:咱开飞机的,也是手艺人,但手上的活主要靠自己体会和感觉,这种感觉教员没法教,也说不清,只能靠自己一个起落一个起落地积累、体会。但让新人多挑担的时候也会出偏差。要么不让人动,不让人学,长时间当学徒毕不了业;大胆放手,就会带来相应的风险,而学徒在成长的路上必然会遇到许多的沟沟壑壑。

落地机场天气晴好,航班不多。秦风云对史副驾叮嘱了注意事项,让他驾机落地。副驾驶已经具备了落地的资质。

史副驾的心跳恢复正常,手上却还是轻微的抖豁,操作时,松杆的火候拿捏不精,使飞机下降的斜率陡了那么一点点,落地的刹那,飞机的尾巴几乎贴上了跑道端附近的树梢,发动机的强大气流吹落了几片落叶。这一惊非同小事,如果不是树梢,是一座建筑呢?驾驶者的心态就会发生变化,结果可能不是这样简单了。他们开的不是一架模拟机,也不是教练机,而是客机,上面有一百几十号人。

落地后,秦风云还没责备他,史副驾的脸色早成了咸菜色,反复翻着自己的手背手心看,一再地喃喃自语:"怎么就不争气,差那么一点点呢。"

"你落地时动作走形。"秦风云说:"这件事尽管无后果,旅客们甚至不晓得发生了什么,但我想主动报告,无后果差错报告。你有什么想法?"

"秦机长,能不能先不报告,让我自己吸取教训?"史副驾目光散淡,咸菜色的脸转成青紫色。"那怎么行?我是为我带教出的差错报告,要扣也扣罚我的绩效。""那样的话,我更无地自容了。我手上哆嗦出的漏洞,怎么要您补呢。""我该反思,副驾驶出了差池,教员机长自然应该连带,否则我就不是秦风云了。"

回到家的当晚,秦风云正要洗漱,有人敲门,打开一看,是史副驾那张猪肝似的脸。"你怎么知道我的住所?"史副驾抹了抹额上的汗:"找了五个同事,才打听到,能让我进去五分钟吗?"秦风云将门敞开。史副驾弓着腰像老鼠一样溜了进去,双手递上厚厚的一只牛皮纸文件袋,里面装了几沓百元大钞。

史副驾似小学生面对威严的老师，卑恭地说："这是我的一点心意。您已替我共同承担了责任，这扣款的钱，千万请收下，徒弟的责任，怎么让师傅代过呢。"

秦风云捧起牛皮信封，塞在他手里："说什么呢？快收回去，徒不精，师之故，我甘愿认罚。现在，许多单位的下属出问题，上级负领导责任，处理起来一大串，我们搞技术的也一样，责任必须连带。今天这件事，处不处理由公司定。"

史副驾叽叽歪歪说了一大通，硬要将信封留下。秦风云黑下脸说："再这么说，你就是个不受欢迎的人了。"史副驾没招了。这么硬来肯定不成，还是以后找机会再答谢。又坐了会，谈些飞行上的技术技巧，揣着那个原封不动的信封，告辞出去。

史副驾的身影消失了好长时间，秦风云还在思虑带新驾的事。优良的飞行人员在全球范围都是稀缺资源，时代的宠儿，也从侧面反映了飞行难学，成熟更不易。由此想到内蒙古那档事，起飞、降落是飞行的重点环节，也是出事概率最高的飞行阶段，如何防范重点环节的事故或不安全事件，事关方除了飞行员还有指挥员（管制员）。管理层之间，空地安全的协调会定期在开，但他还是想和管制员私下多沟通，一线人员之间的沟通更直接，对问题的把握也更具体。

想法一旦成形，就打个电话给校友、管制员方向准，说想请他喝杯咖啡，无论如何抽空出来一趟，当面坐坐。

方向准很忙，说无缘无故的喝什么咖啡？你小子肠子有几个弯我还不知道？哼，不会这么简单的，说，到底有什么事？秦风云说，嘿嘿，也没啥大事,就是想兄弟了,碰个面说会话。少来! 大家都穷忙,有话就说,有屁就放,没事就过段时间再见。秦风云没辙,只得将发生在内蒙古的事说了。

"没听说呀。"方向准一愣,果真那样,倒是个事,还不是小事。

秦风云咳了一声:"公司内部事,哪能随便往外报呀。要是外面都晓得了,不影响公司形象吗?"

"你这么一说,我们不就晓得啦?"

"谁叫咱们是铁杆兄弟呢? 相信你也不会到处乱传。不过,话说回来,因为事情没造成什么后果,系统内扩散一下,也不算个啥事。"

方向准歪着脑袋一忖,说:"这倒是和工作相关,再忙也得挤点时间给你。嘿嘿,你们飞行员收入高,可得选个上档次的地方坐坐。"

"方兄有什么好地方?"听对方答应,秦风云松了一口气。

"既然你请,就敲你一下,不敲白不敲。"方向准说,"太古路不新开了家咖啡展示店吗? 听说场地超大,东西新,人气旺,真没去过,就去那?"

秦风云说:"这个太没问题了。不过,这个,既然谈飞行和管制的题,尤其是起飞和降落阶段的话题,最好也带上个塔台管制员。"

"条件还挺多,还顺带个塔管,以为管制员是你家养的,说来就来?"方向准揶揄道。

秦风云笑道:"哎哎,方兄提醒的对,要带就带个角色。唉,那个学妹何雨丝怎么样? 对你有意思的。"

"少放屁,要喊你喊,你的事,我不管。"

"好,我打,我打,你支持就行,我来打电话。"

对方不反对，事情好办。秦风云当即打给民航大校友何雨丝，她现在当塔台管制员。听了秦风云的来意，何雨丝支支吾吾了一顿，说最近事多，不一定走得开。她不想和飞行员走得太近，管制员和飞行员类似于裁判员和运动员的关系，也像警察和驾驶员的角色，如果关系太热乎，会惹麻烦。当航班延误时，飞行人员有时会找熟悉的管制员，放自己的飞机先走，但一名普通管制员真还没有那个权利和能力。诸如此类，尽是麻烦事。但听秦风云说，方向准去，她立马一百八十度转弯，改口答应下来。

秦风云、方向准带着个小美女来到星巴克太古店，倒也时尚。何雨丝眼尖，找了个靠窗的位置坐下。一名飞行员和一名进近管制员、一名塔台管制员，围绕飞行起降的技术风险聊了一个多小时，话题一个接着一个，咖啡加了一道又一道，不是吹的，写篇技术论文的素材已经足够。

何雨丝推了推咖啡杯，说不喝了，喝不动了，再喝晚上睡不着觉。秦风云说，才几点？就想着睡觉的事。瞟一眼和她对坐的方向准，知道出言不妥，容易误会，但已收不回口。果然，何雨丝白了他一眼。

秦风云的目光定格在门口。外籍部的菊池、加西亚、萝拉肩并肩走进店里，她们边走边找地方，找到了他们坐的这个角落。加西亚头一个发现秦风云："Hola a todos（西班牙语，大家好）。咦，秦机长怎么在这儿?"

其实，菊池眼最尖，最先瞄到他们，嘴上不说，无意间将加西亚她们导引了过来。

"奇怪，你们能来，我就不能在这?"秦风云说着，将二位管制员介绍给她们,"都是平时指挥我们的,他们在地上动动嘴,咱们在天上抖三抖。"

何雨丝抿嘴一笑:"别说得那么可怕好不好?"

萝拉轻轻拍下手:"哇,厉害了,还有这么年轻的小姐管制员。"

加西亚指指面前三人,表情惊奇地说:"你们,怎么混在一起了?"

秦风云制止她:"中文表达不准确,怎么叫'混'在一起? 我们是碰在一起,这个,也不是,今天是约在一起,谈与工作相关的事。"

萝拉说:"秦机长说不准确肯定不准确了。"

菊池捂嘴,轻轻一笑,不说什么。

加西亚不再争辩,瞧瞧秦风云,又回头瞧瞧方向准,发现后者的头发往上往右梳去,很时尚的模样,问:"我们可以在一起吗?"说着,指指双方。

秦风云说:"我们谈正事。"

加西亚耸耸肩膀:"我们也搞飞行,也希望听听,带着耳朵听听。"

秦风云听了,好笑地说:"你们也搞飞行? 不错,你们也飞在空中,但更多的工作是服务,并不是开飞机。"

方向准动了恻隐之心,说:"也别打击人家积极性。"

何雨丝说:"你们是学中文吧? 听说外籍乘有人在外面请人家教中文,一次 600 元。如果几位光坐着听,少讲话,也不是不可以考虑。"

秦风云见何雨丝首肯,不再反对,做了个"请"的动作,毕竟都是单位同事。

服务员上来将桌子重新整理一下,三人变成六人。坐下时,菊池正好对秦风云,方向准和何雨丝相对,两个欧洲女郎面对面。

秦风云想和方向准换位。方向准不想挪,用沪语方言说,对老外有恐惧? 秦风云说,我有点"吓"日本人,可能抗战剧看多了。方向准还是不想动。秦风云急地起身,说去方便下。对加西亚说,你坐进去,我喜欢靠过道,腿伸得开。坐过道? 以为乘飞机。加西亚往里挪了挪屁股,坐下了,和菊池静子相对。秦风云回来后,和法国女萝拉对应,萝拉很兴奋。菊池暗了下脸,很快又恢复正常。

又聊了会飞行的事,谈到微信。加西亚说,有秦机长的微信,但《论语》太难,不懂。方向准说,外国人,慢慢来,别急。萝拉说,古文,真的不懂。何雨丝说,后面不有注析吗? 萝拉说,前面有的字不熟,不认识,后面更没信心了。

又绕到和飞行有关的话题。

加西亚对两管制员说:"终于当面见到中国管制员的风采了,男管,还有女管,真的很漂亮。"

秦风云扑哧笑道:"准确地说,女的叫漂亮,男的一般不叫漂亮。"

萝拉问:"那叫什么?"

方向准说:"比如,可以称英俊,帅,好看。"

加西亚端详了一番,说:"秦机长和方先生就很英俊,很帅。"

"不过。"萝拉说,"女的也可以叫好看。"

萝拉顺口说:"何小姐就很好看。"

何雨丝瞧瞧对面俊朗的方向准,小脸腾起两朵红晕:"可别拿我说事。"

一直不响的菊池突然张口道:"不光好看,管制员还很厉害,指挥天上这么多飞机。"

秦风云说:"他们在看不见的战线,是幕后战士。"

"美誉。"何雨丝转而不屑地说:"塔台管制员不算个啥,只管起飞和降落,方向准才结棍呢。告诉你们,进近范围是最难指挥的空域。"

萝拉像捉到了什么把柄:"哎,什么叫结棍呀?"

秦风云说:"不懂了吧? 也是厉害的意思。"

秦风云说:"雨丝小姐谦虚了,塔台也很不容易,弄不好就发生跑道入侵了。"

菊池乘机学着说:"何小姐是结棍的塔台管制员。"

"我不是。"

"怎么不是呢,在高高的塔台上,指挥那么多飞机起起落落。"加西亚艳羡地说。

"你们离天的距离才近呢,伸手可摘星星,可揽日月。"何雨丝动了动红唇,转而道,"不晓得吧? 说到管制界,方先生可是行内骁勇善战的大拿,进近管制室的超级猛将,我和他比,一个在山脚,一个在山尖。"

秦风云说:"方先生不光长相俊,业务精,还是空管系统第一批形象大使,在行业内大大有名。当时,在全系统选拔空管形象大使,初次选拔,自然要求多把关严,经过层层推荐和评比,全国范围内筛选出了两男两女第一批共四名形象大使,其中一位男士就是我们眼前的方先生。"

"啊,原来我们跟明星坐在一起!"加西亚高声道。

萝拉拍手道:"方先生太了不起了——"

方向准打断他们,瞧了瞧周围:"哎哎,你们再说这个,我先走了。"说着,就要站起身。

"别、别，咱们不说就是了。"秦风云忙说。

菊池用手捂住小嘴，嗤嗤轻笑。

两个男人的气场很强大，将四个女人都笼罩住了。

方向准说："咱们谈事，别说个人了。"虽然说着，脸上还是绽开了灿然的笑意，被人捧还是受用。

# 四、三 边 之 王

## 1

"嗯,看不见的战线。"何雨丝凝眉抬头,望望天花板,忽然说:"进近,进来的进,远近的近,是航空管制员口中的一个专业名词。什么叫进近,知道吗?"

秦风云一怔,没想到她问这个问题。他当然知道,但不知如何回答更恰当些。

见无人应答,何雨丝说:"那是飞机起飞后到航路之前,或者从航路下降高度到落地之前的中间地带,最难搞的一个地方。"

菊池、萝拉、加西亚做空乘多年,也飞在天上,对空中交通管制工作也了解一二,但跟秦风云驾驶飞机还是有天大的区别。三个女孩将目光不约而同地投射到他身上。

秦风云啜口咖啡,干咳两声:"告诉你们,管制指挥按高度可分塔台、进近、区域三个层级,建在机场制高点的塔台只负责飞机的起飞和落地,进入航路(约6000米以上)主要处于平飞阶段的飞机归口区域管制室指挥,而中间这一段就叫进近。这块空域的高度,各地的规定有所不同,大约在 600 至 6000 米之间。在这个范围,起飞的飞机经过穿越、转弯、上升至各自的航路;从四面八方赶来的飞机得在空中排好队,沿着跑道的延长线——长五边编成队,交由塔台管制员指挥落地。"

方向准弯着头说:"不愧为优秀机长,将我干的活说对了。"

不料何雨丝说:"话虽不错,但是从书上搬来的,不知三位空姐听懂了没有?"

三空乘被点到名,面面相觑,相互间咬耳私语。方向准又将目光旋转到何雨丝脸上。

何雨丝眼中波光盈盈,不慌不忙地说:"我不是搞进近的,说得也不一定通俗,但可以打个比方,如果将天上的航路比作地上的公路,进近这一段,就是高速路出来,到车站之间的那条弯来弯去小路。不同的是,汽车在地面,飞机在空中,速度快、立体运动,难度不是地面交通警所能想象。"

秦风云竖了竖他的长眉:"嗯,这个比喻,入调。"

"什么叫入调?"加西亚问。

何雨丝说:"学到中文了吧? 就是靠谱的意思。今天,'空地对对碰',效果不一般。"

"进近在塔台和区域之间,夹在中间,就是受夹板气的意思。"方向准眯眯他的细长凤眼,"在塔台、区域管制室,有一定比例的女生,进近则少或没有,主要是工作强度高、难度大,女人当悍男用,男人当机器用,女人吃不消,只好逃。记得刚开始时,也分来几个女管,随着飞行量逐年增加,都吓跑了,改去塔台和其他岗位了。"

何雨丝笑道:"你是在挤对我吧。"

方向准说:"我没有这个意思。"

秦风云忽然问三个空乘:"不知道三位明白了没有?"

加西亚带头说:"基本上、听懂了,就是,方先生的工作比何小姐的工作难。"

"哈哈,那也不一定。"方向准说,"只是分工不同。"

方向准伸了个懒腰,瞄了瞄手机上显示的时间:"差不多了,一会要接班去,回吧。"

"回吧。"何雨丝拎起包包,看看座位上有没有东西落下,说,"喝了这么多咖啡,晚上不要失眠才好。"

萝拉说:"不会不会,现在还早。"

欧洲人当然不会,壮实如牛,喝十杯也不会醉。何雨丝想。

秦风云立起身的同时,口中念念有词:"钱包、钥匙、登机牌。"

菊池抿嘴轻笑道:"秦机长……"

秦风云反应过来:"哦,对不起,习惯用语了,以为去上班登机。"

## 2

方向准戴上耳机,接过话筒。刚上班,幺蛾子已在等他。

雷达屏上,一架沙特G公司的公务机在塔台的指挥下,脱离跑道,冲上天空,进入了他管辖的进近高度。公务机机型小、速度快、转弯灵活,稍不留神,容易突破管制指令。

机场上空,是一个长方形的空域,其中,跑道两端的两条边比较短,为二边和四边,和跑道平行的那一边叫三边——不论飞机左转还是右转，转到和跑道平行的那一边，都叫三边。在进场或出场过程中，三边是重中之重，三边上可做的文章最多，把三边利用活了，指挥效率自会大大提高，所以有"得三边者得天下"之说。

"阿拉伯土豪，今天回去了。"旁边监控席的刘副班说。

在公务机指挥上，管制员"吃过不少药"，教训忒多。按理，公务机应该去通航机场，但我国通航机场不足，只好混在繁忙的航班队伍里，和航班抢大型枢纽机场有限的时刻和空域。

"这不是要点，废话不说。"方向准应付了刘副班半句话，视线聚焦在屏幕上。

公务机拉升速度快，一起飞就转弯进入三边，瞧猛烈的架势，准备从这儿直穿航路。

"1500米，保持。"方向准对公务机发着指令。

他撸了撸袖子，一只眼不离公务机，一只眼指挥进港的另一架航班下降高度，计划从三边转四边到五边。

老刘说得不错，中东土豪的公务机崭新锃亮，第一个坡度就上了1400米、1500米，仍有直接上冲的架势。

对于这些牛气冲天的机型，方向准历来多留个心眼。果然，公务机到了1500米高度，没有收住脚步，仍在直接上蹿，如果那样，和正下降的另一架班机有危险接近的可能。

旁边的老刘正憋着一口气，极细声地说："需不需要让下降的航班先兜一圈？"

"不用，中间有10秒钟的时间窗口，足够了。"

方向准倏地立起。作为一名管制高手，对各种情况提前有预案。

他压着心头的火,对着话筒厉声道:"给我停住,1500 米保持,如果直接往上,有和落地飞机潜在冲突的可能。"

"哦。"公务机机长不以为然地答应一声,速度不减,姿势不改,已越过 1500 米,往 1600、1700 而去。

哼! 土豪,二货,敢向俺宣战? 他的火气蹭蹭蹭地往上冒,握住话筒,狠戾地说:"你机已偏离管制指令,将在此留下不良记录! 如果不听指令,再往上一步,让你永远不能踏入中国领空!"

哼,这是中国领空,以为在中东沙漠开赛车哪。

被他义正词严一声吼,公务机长如遭当头一棒,立马收杆,将机头压平,摇摆着,不太情愿地回到 1500 米保持。方向准同时指挥下降航班压慢速度,留出了中间的 8 秒钟,让公务机乖乖地从航班下方 300 米处穿插了过去。

年龄比他大九岁的刘副班滚了滚喉结,抑制住心跳,提气地说:"果断! 也就几秒钟的空当,要不是提前发令,土豪机那嘚瑟劲,真有可能直接蹿上去。"

"他在挑战我的耐心。"方向准说,"这些驾驶员不正常。"

刘副班咽了咽口水,无比羡慕地说:"这么细巧的活,也只有方老弟能做。"

"没办法,空域这么窄,省一点是一点。"


## 3


语音未落,临近市区上空一架英国 WK 航空公司的班机突然紧急呼叫:"Mayday、Mayday."

方向准冷眉一扬,用英语问:"什么情况?"

外航机长火急火燎地说:"哎哎,一发故障,单发行进,要求优先降落。"

他注意到,该航班正准备转弯经过市区,向机场方向进近。

"确定一台发动机已关闭?"

"是的,一发已关,现在单发运行。"机长有些抖豁。

"别慌,稳住了。"他对外航机客气地说。

方向准在学校学过飞机的基本知识,晓得航空器的安全性是加了多重保险的,即便装有几台发动机的飞机,只要有一台正常工作,也能安全落地。

副班老刘咂了咂舌:"今天什么日子,尽是歪门子事。"

方向准沉思。又是单发,近期发动机事多,一会冒烟,一会鸟击,一会儿单发,一月多起,还 GE、罗罗大公司技术好、实力强,是全球最牛的发动机生产商,还不他姥姥的经常冒泡?

"可以安排你直飞。"方向准笃定地说。

指令发出。方向准请老刘及后面的值班主任协调其他航班先避一避,让单发机先行通过。老刘对着屏幕立即忙碌起来。值班主任则用电话和几方面展开协调,保证紧急呼叫的飞机先行落地。

英国机长心焦,不停地报告状况,连续地报,弄得管制员也心堵。

"情况清楚了,已为你机单独安排路径,照你那个方向直接飞过来,到了机场上空切入三边,拐一个弯,就可以落地了。"

"可是我还想再快一点。"那机长粘粘乎乎地说。

方向准隐忍着火气："单发进场没有问题,稳住,别自乱阵脚!"

"报告进近。"对方还是不放心,"我想降低高度,更快一些到达。"

方向准冷哼一声："已经是最近的路线了,从图上看,按目前的路径和斜率过来,最为理想。"

对方磨磨唧唧,一根筋地说："可是,我想再降下来,离地越近,心底越安。"

今天邪了,遇上个菜鸟机长? 飞国际航班的怎么可能是菜鸟? 真想爆粗口,但想想人家可能真是头一遭遇到单发运行,便原谅他了。

"给你 1800 米高度,从市区直穿。"方向准说,"按指令做,别啰唆,我手上还有十多架飞机要照应,不光你一架机。"

"可是我还想再下一点。"机长不依不饶。

真想骂一句:英国佬,脑残片吃多了,知不知道市区是禁飞区? 市中心全是高层建筑,以为这是雾都伦敦? 让你直插不错了,还得寸进尺! 但还是耐着性子解释一句:"市区 1800 米以下是禁飞区! 禁飞区,不能降高度,明白吗?"

"破例一次不成吗? 我是紧急情况。"

"告诉你,不行,一米也别想下! 市中心有一千万人口,知道吗?"

"真的,没余地?"英国人还在讨价还价。

"丁点余地也甭想!"每天指挥这么多外航机起降,个个像你,屁话连篇,活别干了。

说完,觉得语气有点粗重,吁出一口气,补充道:"请淡定,单发运行没问题,只要按规定程序操作,别说飞这么一段,就是飞一个航程,照样能安全落地。"

对方的声音还有点颤："哎,哎,过市区,过市区了。"

几十公里路,汽车需要开一会儿,飞机在空中,翅膀一闪就过来了。穿越市中心后,方向准指挥该机降低高度,逼近机场。飞机从西向东飞来,和跑道呈九十度角,正好是狭长的三边方向。方向准指挥其提前转一个弯,进入跑道延长线的上空——长五边,交给塔台,安排其直接落地。

他紧绷着的脸上的肌肉渐渐松弛。

两小时过得飞快,中间接班的管制员已站在身后。按操作规定,管制员精力太集中,责任太大,中间每隔两小时换一次班,下去喝杯饮料,保持有更充沛的精力承接后面的工作。

新上来的副班管制员说："今天方兄有什么杰作?"

"杰作? 都是苦作、劳作。还真有事,先是一架沙特公务机不听指令被我骂,刚才是一个英国航班单发落地,机长唧唧歪歪像个婆娘,被我训,都是强烈考验咱耐心的。"

"嗨,那是对咱们的工作性质不了解,有必要请内航、外航的飞行员来这儿瞧瞧,瞧咱们的难度到底有多大。"

"这么多飞行员,邀请得过来?"他转身离开,"飞行人员还想请咱们上机去看看呢,瞧他们在天上有多么的不容易!"

## 4

第二天,原本挨到方向准他们这个班头休息,但单位要组织学习,又赶到单位。塔台、进近、区域的许多不当班的管制员都来了。

中间休息时,塔台女管制员何雨丝喊住他:"师兄。"她心中惦记这个学长,有事没事的找他。

"有事吗?"他回眸望她。

"都在传,你昨天指挥公务机和单发航班直飞,处置特情超赞。那天的副班老刘说,没有你在,可能危险接近呢。"

"唉,这个事。没有我在,其他人当班,也一样行的。"

"大伙都说你脑子灵光,反应快,指挥贼精,既要保安全,又将每架飞机的编队缩小到前后六、七公里,真是见缝插针。"

见旁边没人,他环抱双手,感慨地说:"进近这活和塔台不同,和进入航路飞行的区域管制也不同,是螺蛳壳里做大道场。我常说,干我们这一行,要学会当一名高级棋手,下一步棋的同时,要考虑清楚后面三步怎么下,下完一步,后面几步的应对方案要预先在脑袋瓜里想好,尤其是面对突发情况,想一步走一步的做法是要挨打的。"

"你做的,那是女人绣花穿针的活,太细巧了。"

瞧他马上想溜开的样子,她说:"啥时再去喝咖啡或喝茶?"

他心不在焉地说:"最近怕没功夫。"

何雨丝弯着头瞧他的凤眼,嬉笑道:"我看你恍恍惚惚的,是不是在想前些天的那次咖啡?是不是对那几个洋姐有兴趣?"

方向准怼道:"对你才有兴趣。"话一出口,才感到不是那意思,赶紧收口,转移话题,"真的建议给公务机公司下个文,对违章操作、不严格听咱指挥的,从重处罚,以儆效尤!"

何雨丝眉眼弯弯:"我看,太有必要了。"

他瞧了瞧何雨丝那可爱的模样,尴尬地笑笑:"去下洗手间。"

他的心里，本有另外一盏灯，但那盏灯从未亮过。这是他藏在心灵深处的一个秘密，从未公开过。他一直对机场从事安检工作的欧丽亚小姐暗暗倾慕。他和她在一次联谊活动中相识，出差时偶尔也在安检口碰见她，她那双亮晶晶的眼睛，工作时与众不同的手势，都使他倾倒。后来，他暗中打听到，欧丽亚是安检部门的典型、模范人物，多次出镜上镜，为机场争得诸多荣誉。在个人感情方面，她和本系统气象中心的一名预报员好着，经常出双入对，好像快要定终身了。方向准望而兴叹，被迫放弃了。

从洗手间出来，昨天和他搭班的老刘将他搜至一角落。老刘比他大许多，按辈分是他师兄，因业务不如他精，对他挺客气。

老刘说："小方兄，管制员碰到一起不容易，课余，大伙都在议论，管制员苦点累点不算啥，可是上头不信任咱，工作场所，包括塔台、区域、进近、流量室，监视器、摄像头装得他妈到处都是，连挥下手，打个呵欠都能被监控到。"

方向准是学过管理学的，管理者和被管理者是天生的逆反体，尽管他也是个被管理者。他说："现在不强调人防、机防、制度防吗？这就是机器防和制度防的手段。也不是不信任咱，监控到位，万一有人不专心、开小差、晚上睡觉，都有记录、存档，这就是证据，说得清，处理下去，违章的人也服气。"

"这样一来，一点自由都没有了，多了冰冷的机器，少了人文关怀。面对黑森森的摄像头，没有一点死角，感觉像做犯人似的。"老刘说。

"胡说了吧，什么叫像犯人，叫失去自由？上班又不是旅游，要什么自由？"方向准说，"你做好了，当它不存在。每个超市里遍布摄像头，难道进去的都是贼？"

老刘晃了晃脑袋说："这样，一点隐私都没有了。"

方向准笑道："上班要什么隐私？工作场所，一切光明正大，又不是男女幽会，还需要保留点啥秘密？"

"哎，本来你技术好——领导总喜欢业务尖子，就像老师喜欢好学生一样，请你为兄弟们说道说道，工作环境弄宽松点，比如谷歌公司，上下班都不考勤，不也蛮好？"老刘干笑道。

方向准拍拍对方的肩膀说："老兄，两种性质的工作，能一样吗？如果我们用谷歌一样的纲纪，飞机就会同地上的汽车一样，动不动就追尾，撞上了。"

老刘瞧瞧周边无人，怨气地说："现在领导的管理手段，简单粗暴，心中只有处罚，只要出现一点瑕疵，比如晚上打个眯眼，就开罚单，对管制员，就一个字，罚、罚、罚，罚你没商量。"

"管理学的本质就是这样，做得对是应该的，也是你正常收入和绩效的所在；对于违反制度的，只有处罚了。当然，最理想的情况是文化管理，那是根植于每个人内心的自觉，是管理的最高境界，但现在不是，火候未到，得慢慢过渡。"

方向准是一名优秀管制员，业务型专才，不属于管理者，但他对民航界的形势是清楚的，对上级的管理路子是熟悉的。自从近几年发生几起不安全事件以来，上级对制度的修订到了极为苛刻的程度，对每个岗位上的违章行为，制定了严厉的扣款标准，非常具体，非常细微，一时上下关系比较紧张，但这是从工作出发，是严管厚爱。

见他沉思着，老刘以为说得他动了心，几乎凑到他的耳朵旁说："人家说制定政策的人像博古,书呆子。博古长征那会才二十四岁,讲话从不用打草稿,秘书记录下来就是一篇呱呱叫的文章,天才,但处理实际问题死搬死套,本本主义。咱现在的头就是这样,以前在机关干,没有从基层一步步升上来,对一线人员疑神疑鬼,不信任,有官僚主义习气。"

"这话不对。"方向准说,"人家可能缺少基层经历,但也是学管制出身,对专业了解,制定的政策也是经过多方讨论、会议决定的,怎么变成官僚主义啦?别乱扣帽子。"

"嘿嘿,他的那套东西是照抄老外的,纯西方的东西搬来中国,水土必定不服。"

"这些制度是引入了一些西方的壳子,但也不全是机械照搬,还有一些方法是从国情、地区情出发的。"

"那方老弟是赞成这样做了?"老刘说,"老弟放心,这不是给你挖坑,是好些管制员的想法。"

"但我总体觉得没啥不好,个别地方可以再商榷。"方向准忽然反问道,"哎,你啥意思?是想让我做出头鸟,推翻时下偏紧的管理方式?嘿嘿,我哪有这种本事?再说,我也不会去说。"

老刘浑身的不自在,赌气地说:"哎,你小子,恃才傲物,怪!当我没说,没说。"

方向准笑道:"咱既无才,也不傲物,只是规规矩矩地遵章做事。"

过了几天,方向准自忖,老刘说的虽然有些偏激,但也反映了下面一部分人的心态。冰冷的制度,还得加上火热的人心。既然搬抄西方,人家最有名的东西是大棒加胡萝卜,挥舞大棒的同时,还要扔出胡萝卜,硬软平衡。他找到了科室主任,将一部分人的心理疙瘩作了反映。科室主任亦有同感,亲自带他到上级领导那儿,一块进行了汇报。班子成员对来自一线的意见非常重视,专门开三次会分析员工的思想动态,决心在强化规章的同时,抓好队伍的思想工作,坚持两手抓、两手硬。

方向准暗叹一声:现在当头不易,出色的领导容易被曲解成坏人。

## 5

别看方向准年轻,已带了四个徒弟。每个放单的徒弟,都得了他的某些真传,斩获了他的一些技能。

这天上午,淮河流域积累了一条长长的雨带,并在空中停留了两个多小时,天上的飞机进不来也出不去。方向准的徒弟小南当主班,他当监控副班。

两小时后,淮河雨带减弱,停场机群呼呼地起飞,北方的大批航班从不同的航路密密麻麻地压过来。

小南喘着粗气,声音有些颤抖,憋出了一句话:"师傅,要不要流量控制,控一下节奏?"

屏幕显示,北方大批机群在南下途中,周边几个机场的航班也在不停地往外派发,一派大干快上、热火朝天的景象。

方向准吸了吸鼻子,从弟子手中接过话筒:"流控?发什么流控?动不动就对外发流控,是缺乏能力和信心的表现,不发!"又说,"让塔台放,尽管放,只要上天的,再拥挤,也要安排出去。"

他脑子骨碌一转,紧紧盯住屏幕,嘴上不停地发着指令,升的升,降的降,转弯的转弯,盘的盘。他十分清楚眼下的局面:地上大批积压的飞机要起来,外面大量受限的飞机要进来,航班量比平时暴增一倍多,两头的飞机集中涌到他管的这条"小路"上。按某些人的话说,活是干不完的,发流控也正常,慢慢放,慢慢接,管他娘的,一小时的活分一个半小时做,安全压力小,人又轻松。

小南在进近室干了多年,当然清楚进近在管制中的分量。进近难在排队,尤其对下降进场的飞机,都有个"五边转进"的过程,当天的跑道不管从南而北,还是自北而南开放,从一边至五边,都要转四次弯,当然,实际操作中,也有直接从最顺当的某一边切入进来的。指挥飞机下降高度转至五边的过程枯燥又吃力,这个过程中,重点是三边——与跑道平行的左边或右边,这条边比较长,既有飞机盘旋下降,也有起飞的飞机盘升或转弯,上下飞机在此危险交汇的几率大,指挥员得神经崩溃症的几率也最高。

小南被师傅甩到了监控席,也在跟着学技术。像这种大流量的放飞和接收,最能考验管制员的心智。管制室里弥漫着紧张的气氛。

方向准摸了摸下巴,已从座位上立起,眼盯荧屏,手握鼠标,嘴巴有节奏地翕动着,口中念念有词。随着从他嘴里吐出的气流,一条又一条中文或英文的指令传向空中的航班,对国内航班发中文,对外航飞机说英文。这些指令通过震荡的电波传进飞行员的耳膜,又转化为他们的操控行为。在他的指令下,不同的航班展开翅膀,有序地完成着上升、下降、转弯、盘升等动作,在直径100公里的空中跳着各自不同的舞蹈。

小南最清楚不过了,方师傅说的不流控,就是要将满天的飞机接收下来;将滑行道上排队等起飞的飞机放出去,交给 6000 米以上的区域管制员。在满天满地的飞机面前,方向准不想流控,要效率。

小南一时屏息。乖乖不得了。经过三边转四边,切进五边准备降落的飞机一长溜,如一条链上的珍珠,串成一串,前后已有十几架飞机排成一条直线,齐刷刷地将机头对准跑道,队伍的尾巴已经甩到了长江对岸,苏北上空。十多架飞机排成一线的队伍里,有客机、有货机,有重型机、有公务机,有国内航班,也有国际航班,都张着翅膀,打着前照灯,依次逼近跑道。

小南已是放单的管制员,从业多年,和不少老管制员搭过班,也处理过大面积延误后大流量放飞的案例,但从未遇见过今天这般的阵势,从未见过这么长的"尾巴",似乎也没听说过一下在五边排十几架飞机的先例,今天真算开了眼——前无来者的盛况,可惜他不是摄像家,要是提前知晓,在某个地方架部摄像机,摄下的场景必定极具震撼力。

小南曾多次听师傅说过,进港盘旋转进五边排序,和跑道平行的"三边"是重中之重,是关键节点。安排大流量飞机盘旋落地,通过提前预判,在合适的时机发布及时的指令,将三边方面的问题料理停当了,每架飞机就能节省出几秒钟的排序时间——可别小看这几秒钟,半天下来,差不多可以挤出几十架飞机甚至上百架飞机的容量,这对大型枢纽机场而言,是天大的时间资源。

可以想象,在尤为繁忙的十字路口,交警的指挥水平不同,疏导车流通行的能力自然不同。同理,管制员之间水平的差异,也会导致指挥效率的迥异。

今天，集中航班波的接收和排放，方向准坚持不流控，以超密集的队形，将一大批积压在场的飞机拨拉出去，又将几个方向来的一百多架飞机接了下来。经过两个多小时的苦战，摆平了天上地面一大摊子。等后面的管制员上来换班时，方向准才感到嗓音嘶哑，后背酸胀。小南随手递上一瓶农夫山泉。

在管制员换班休息室，小南像发现了新大陆，激灵地说："不得了，师傅，今天大开眼界、大开眼界。师傅通过三边的快进快出，长五边上连续将十几架飞机甩成一直线，如果拍成片，怎么也是大片，好莱坞的导演肯定也想不出这一出。师傅在三边将活做得这么绝，打磨得这么细，像个绣娘，堪称'三边之王'呢。"

"也不光我一个，其他高手也行，这个，过几年，你也可以了。"

"我再过十年二十年，也是做不到的。"小南又递一杯冲好的速溶咖啡过去，赞道："您是大伙的标杆，进近中的王者。"

方向准活动了下疲惫的躯体："你小子想捧煞我呀，把我捧上月球，摔下来成齑粉。嘿，少拍马屁少溜须，高峰过了，后一场你上去指挥。"

小南还沉浸在刚才的思绪中，惊艳在欣赏空中舞蹈般的表演中。忽然，小南闪巴着眼问："队伍如此密集，几乎突破极限，师傅怎么敢这么干？"

"天下有一定之规，却无绝对之事。"方向准揉了揉酸麻的后背，"真的不知道？"

"不知。"小南眨了眨双眼皮，半脸的茫然。

方向准咕噜咕噜喝了几口水，嗓子舒服多了。他说："先问你个问题，今天吹的什么风？"

小南愕然,以为要考他什么问题,吹的什么风? 这个风,是指风气,风向?

"今天刮的什么风?"方向准努努嘴,重复道。

"噢,今天由北向南落地,刮的南风。"

"废话! 说专业点。"

"哦,哦。"小南回忆起一小时前的资料,"准确的说,是东南风。"

方向准问:"也就是侧风,角度多大? 风力大不大?"

"有七八十度,有一定风力。"

方向准分别向左右轻轻转了转脖颈,说:"告诉你个秘密,关于侧风的秘密。"

"侧风秘密?"

方向准深沉地说:"这是我数年的研究成果,因为是一个初步的东西,还不能精确到每分每秒、几度几分,所以还不敢拿出来瞎推广,但具体用下来,几乎屡试不爽。"

小南伸长了脖子,凝息倾听,生怕师傅将秘密收了回去,不愿分享:"呃?"

"侧风时,可以将落地的队形压密,一般情况下,不必考虑尾流间隔。"

"师傅,这好像有问题。"小南摸了摸鼻子,"侧风不是危险吗? 飞机容易摇晃,接地要力求平稳。"

"危险与不危险是相对的,看似有危险的因素,利用好了,就是宝贝疙瘩。"

小南向师傅投去炙热的目光:"您是说,利用侧风、横风对抗飞机的

109

尾流？"

"差不多是这意思,适当的侧风可以吹散部分尾流。"方向准沉吟了下,"今天的侧风超过 $70°$,风力不大不小,正适合用来对冲尾流。只要不是 A380 等超大家伙,像这样的侧风或横风,基本可以忽略尾流的因素。"

小南茅塞顿开:"难怪今天师傅将排队进入五边的飞机的间隔缩至六公里不到,最小的差不多为五公里多,已经是极限的极限了,几乎不留余地,我在旁边为师傅捏着两把汗呢。"

"不是没有余地,余量在我心中。"方向准对他的爱徒说,"我已经捣鼓出了一个计算公式,通过公式可以预估出飞机在侧风、横风条件下的最小间隔。"

小南闪闪目光,心中升起一团火:"师傅了不得,快公布出来,去申请专利啊。"

"少放屁。"方向准勾了勾唇角,"现在还在论证中,不便公开。"

"对,对,先保密,保密。"小南压低声音说。

"到公开的时候自然会公开,这是我工作中摸索出来的,也是大伙共有的。"

"那怎么行？ 是您的知识产权。"小南想想都热血。

"不唠这茬了。"方向准在手机屏上翻了翻,"淮河雨带虽然减弱,但云系集中向长江方向游动,部分航班的延误在所难免了。"

小南瞧了瞧表:"时间真快,从指缝里溜走,又该接班了,接下来我主班,师傅在旁掠阵指挥？"

方向准冷哼一声:"算了,还是我主你副,我想再摸点情况,你帮我监控。"

说着,二人起身,从休息室走向管制大厅,将手机存放在统一的柜子里。管制员在班上,要聚精会神,可不能撇开屏幕刷手机,干脆规定不能随身带,集中保管。

经此一役,方向准名声大震,额外得了个"三边之王"的头衔。

# 6

同一天,秦风云提前两个多小时开车到飞行部,花了十分钟,千辛万苦找到个停车位,将车泊好。今天他飞巴塞罗那,到飞行部做早准备。

看过气象资料和航班信息,暗自叹息:早了,得等,先喝杯东西吧。将飞行箱放旁边,在大厅的椅子上坐定,翻了会儿手机信息。一会,站起来,走到自动售货机旁,动手按了几个键,取下一杯珍珠奶茶,边喝边继续看微信里的时文。手机上的文和图片铺天盖地,随时在更新,方便之余也使人类莫名其妙地忙碌起来。永远有看不完的文字、图片和视频,有读不完和发不完的帖子。他拉开订阅号菜单,快速浏览下感兴趣的几个公众号,点开了南海岛礁建设进展的一片微文,读着。他飞掠南海多次,三亚空管区朝外,分别由越南和马来西亚等国指挥,大把的航路费也收进了越猴们的腰包。哪一天,等永暑岛、美济岛、渚碧岛上建了管制中心,听到咱中国管制员的声音,南海上空都是俺家说了算,那心里才惬意舒坦。

破空传来一个声音:"秦机长,早!"他拧眉抬头,见是今天和他一起去西班牙的宋副驾驶,他也回一声:"早。"宋副驾蹭过来,拖了把椅子挨着他坐下:"今天航路上多地有雷雨带,情况不太妙。"

秦风云喝口奶茶,笃悠悠地说:"瞧这架势,得在飞行部多待会儿,一时半会走不了。"宋副驾翻着手机上的气象图说:"贵人出门多风云。看来,咱都是大贵人哪。"秦风云嘲了他一句:"嘿,那贵人也太不值钱了!"

正说话间,有人亮嗓子喊他们:"秦机长,准备一下,上车去候机楼。"

他们疑惑地抬起头:搞错了吧,淮河雨带,大拦路虎,还在南移,这么多航班积压,少说也得等一二个小时。宋副驾立起身,向喊声那人望去,想探个究竟。

通知的那人声音更洪亮了,使劲摆动着他的右臂:"大伙儿准备下,快登车了,空管那边有消息,下午的航班正常走。"

飞行人员纷纷从椅子上起身,拉上拉杆箱,准备登上等在外面的考斯特,赶去机场。

秦风云环顾四周,似乎在寻找什么。宋副驾说:"今天咱们飞长航线,还有一位机长,是老外。"

"勒特机长,美国人,老'同志'了。"秦风云说。

宋副驾踮起脚翘望:"咦,听说他从不迟到的,是不是下雨天,堵车了?"

看见门口进来一个胖乎乎的外国人,穿着本公司的机长制服,拎着行李箱,一脚跨进玻璃自动门。秦风云说:"他来了。"

勒特机长五十开外,两鬓的头发有点白,胖胖的身材,圆鼓的脸盘,寸头短发,一双眼睛发着蓝色的光焰,外表充满北欧人的特征。勒特走至二人跟前,早早伸出大手,和秦风云重重握上,使劲摇一摇。

"Hello,勒特机长。"秦风云说。对方朗声笑道:"Hi,秦机长,很高兴和你共飞。""客气客气,这位是宋副驾驶。"秦风云说。勒特又和宋副驾驶握一把,照样摇一摇。"今天天气有点情况?"勒特说。秦风云朝门口指一下手:"无大碍,已经在催发车了。"勒特说:"拦了半小时,才等到一辆出租车,真怕赶不上。"秦风云说:"走吧。"勒特说:"还有位副驾驶呢?"宋副驾说:"比我们还早,已经在前面登车了。"勒特用他那粗壮的手指摸摸稀疏的小胡子:"那走,走了,上车。"

飞行部的中巴车开至机场。机组从工作人员专用通道过安检。

秦风云伸长了脖子,毫不吝啬自己的目光,将几个安检通道扫了又扫,多么想瞧一瞧欧丽亚。即便不打招呼,在旁边瞅一眼也成,可是,她不在,既不在头等舱安检口,也不在工作人员安检口,也许人家今天休息。

见他东张西望的样子,勒特说:"秦机长在找什么人吗?"

秦风云心头一跳,敛回扩散的目光:"不找人,走,过安检,进场。"快进场时,忽然对勒特说:"嘿嘿,还有点时间,你们先进去,我看见个熟人,过去打个照面。"

他在几个安检通道口走了走,对穿着黑色制服的安检人员看一遍,也没有发现欧丽亚的影子。有几个小姑娘个头、身材和她有些近似,等稍微走近点瞧,显然不是她。他装作随便晃悠的模样,又踅到她经常出现的头等舱安检口。两男一女在值班,工作节奏超快,也不见她的芳迹。

他有些败气，也有些沮丧，迈着小方步往前走，眼光仍在一排排安检通道间穿梭。

"先生，有事吗？"见他穿着整齐的机长制服，一位安检的小姑娘问他。他环顾前后左右，确定女孩是对他问时，说："也没事。""是不是找人？"她或许正好有空，好奇地问。

他将头摇成拨浪鼓："进去有点早，溜一圈，对付点时间。"

等一会？不会在机组休息室，却在嘈杂的安检通道旁遛弯？骗鬼吧。想到此，这位爱管闲事的小姑娘嗤地一声笑道："你是不是找欧丽亚美女？"

秦风云脖根一红，竟然有人猜到了他的用意。他以前也来此转悠过，从侧面瞧过欧丽亚的脸，瞧她工作的场所，瞧过她工作的手法。也可能以前来时，被这女孩撞见，在她的脑海里留下了记印，今天赶巧碰见，被她一声喝了出来。

见他未置可否的样子，女孩又说："长得漂亮的美眉就好，即便不是好朋友，甚至不认识，慕名而来随便瞧瞧的也多。有意无意间来的人，大多是系统内的，有机场的，空管的，也有航空公司的，她在这儿，带来超级人气，安检部要不出名都难呵。"

心思被人家点破，他脸上挂不住，也不言语，蹭蹭蹭地快步离开，从内部工作人员通道经过安全检查，进入隔离区内。

给他安检的也是一个小姑娘，挺可爱，动作也娴熟，现在安检工作的小姑娘居多了。由她想到欧丽亚，她给人安检，先是双手从对方双臂（自小臂而大臂）划过，通过一个漂亮的弧度到腰间及脚，虽然快速，但不放过每个细节，整套动作连贯有序，一气呵成。看她安检，好像看艺术表演,动作流畅独到,但脸上始终挂着一丝隐隐的笑意。制度铁冷,却面含笑意。他忽然省悟,那点洋溢在脸上的隐隐的笑意,难道就是大家喜爱她的源泉?似乎又不是。

"Hi,秦机长,好久不见。"一个声音从背后传来。

他转身过来,见是台湾籍的一名机长,姓羊,的确有一年多没碰面了。羊机长右手拖着一大行李箱,左手提个飞行包,慢吞吞地往前拱。

"你这是回去探亲?大包小包的。"

"哪里。都是家里头和亲戚朋友托买的,有吃的,有用的。"羊机长停下步子说,"大家晓得我在大陆工作,通过各种渠道托过来,买这买那的,我就成了搬运工,每次飞台北带一点。"

"那你要比较选购,很吃力呀。"

"嘿,都是网购,从淘宝上淘的,有空就淘一点,快递送上门,我只要在家打成包就行了,东西又便宜又好,真的很实惠。"羊机长喘了口气,"嘿,也不能老这样了,人家以为我在做生意。"

"不会不会,带点日用品很正常,你是正常买卖,又不是走私。"他笑道,"这是消费,帮当地拉动经济,好事。"

"是吗?嘿嘿,同事们理解就好。"羊机长也嘿嘿笑了。

秦风云忽而忆起,菊池、萝拉这些外籍乘,也是隔三岔五地推个大行李箱回国,女孩子的东西不便多问,现在谜底解开了,估计也是从淘宝、京东上淘的又便宜又好的网货。嘿嘿,这些贼老外。

勒特机长和二位副驾还在登机口歇着,见他进来,站起身来说:"秦机长。"秦风云收拾完情绪,问:"还没有开始登机?"勒特说:"等你呢。"秦风云说:"飞行部急急送我们来,心情可以理解,现在虽然机场太阳露眼,但航路天气没有好转,还是不顶用。"

两副驾驶围上来,机组比旅客们更急。宋副驾说:"'航旅纵横'和'非常准'都显示,现在进来和出去的飞机数量增加了。"丙副驾驶抱拳道:"还早,还早,三位在此稍息,我再去买点饮料,几位喝什么?咖啡、奶茶、碳酸饮?"秦风云说:"我不用。"勒特机长说:"我要可乐。"

丙副驾应声而去。刚走出两分钟,工作人员通知机组可以上机了。宋副驾拨电话给去买饮料的丙副驾,丙副驾也收到了手机提示,半道折回。四人汇齐,拉起飞行箱,登上飞机,进入驾驶舱,检查仪器仪表,进行航前飞行准备。

飞机肚子底下不断有叮铃哐啷的响声传来,那是工人们在装卸行李和食品。

约莫过了半个多小时,空管流量室给出了飞机的起飞时间,旅客们约在十五分钟后登机。自从华东地区启用协同决策系统后,全地区各大机场的航班放行统一由流量室根据电脑排定,避免了以前经常发生的旅客登机后在机上长时间等待的情况。

丙副驾不相信地说:"航路天气这么差,难道管制员将时间抢了些回来?"宋副驾说:"今天是管制发力,咱们乘轿子。"

勒特机长指了指塔台说:"也可能今天神管值班,呼啦啦一下,将天上地上全部摆平了。"

秦风云心里也在纳闷。按天气状况,说不定还得等一个多小时才能挨到他们飞,现在这么快就准备走,管制方面似有神助。至于高人值守,也是有的,塔台、进近、区域的管制员中都有高人,今天将那么多飞机弄回来、放出去,定是高手所为,但进近是要点,是一条管制链上的锁眼。

宋副驾凑上前来问道:"秦机长,进近拿话筒的谁啊?这么牛。"

秦风云心里似有感应,咧嘴一笑:"不知。"

轮到他们滑出了。塔台波道里传来清晰的女声,普通话蛮标准,带点北方腔音,但显然不是何雨丝那甜糯的音质。秦风云答应一声,驾机往前。人真是奇怪的动物,喜欢熟人,即便不见面,听听声音也过瘾。

滑跑起飞后,进近管制室接过了指挥权。一个略带嘶哑的男声喊他:"起飞后左转,从三边上 1800 米。"

听,是方向准的声音!这小子,果真是他当班。一团热气呼地从丹田腾起,这家伙,是进近管制室年轻人中骁勇善战的标杆,难不成今天这么多飞机都是他划拉出去划拉进来的? 真是神了。

"明白,转三边,上 1800 米。"

秦风云复述一遍,忽然想到应该向他致句简单的问候,但这会对方太忙了,波道太繁忙了,即便有一秒钟的空当,马上被其他机组的对话打断,实在插不进去,只得按指令,通过三边,往上拉了个圆润的弧线,升至 1800 米,等待下一步的指令。

## 7

下班时,方向准感到骨头架子都快散了。管制员既是脑力劳动,也是体力劳动,是脑体融合度超高的岗位。

小南也后背酸胀。突然心血来潮,非要请师傅去喝杯啤酒解解乏。

方向准被他拗不过。想想自己也是单身狗，反正要吃饭，就跟着去了。半路上，小南神秘兮兮地说："也叫了何雨丝和另一个女管。""叫她们干嘛？"方向准道。小南嘿嘿笑两声："男女搭配，喝酒不醉。"方向准骂道："你小子，尽歪点子！"小南不以为然地说："师傅，这叫生活。"方向准横了他一眼："你是说我不会生活？""不是不是。"

方向准就想起了安检部的那个欧丽亚，都是朋友，如果有空，不妨也来喝一杯？好久不联系了，拾起手机，翻出她的号码，想按出去，放弃了，第二次想按下去，又犹豫了。想到人家已是名花有主，干嘛还去打扰？可是，不做爱人，做朋友不行吗？念头及此，第三次终于按了下去。没声音。一会，无线电传来语音提示：您所呼叫的用户不在服务区内。难道在电梯里？现代建筑的电梯还有无线信号不覆盖的？有些老式小区就有。既然如此，那是上帝让你别再滋扰她了。

何雨丝穿的细花裙子很耀眼。她和另一个女管小谈比他们早到，找好四人座位等他们。他们一到，何雨丝起身款款一笑：方哥好。小南指指她的裙子说：新裙子很吸引眼球么。她瞪他一眼：少拍马屁！小南说：这么凶干嘛，想吃人？何雨丝平时说话比较刁钻，许多管制员怕她。小谈扑哧一笑：请坐，二位请坐。

何雨丝请方向准靠窗坐，方向准依言入座，她也跟着坐下了，由于坐得急，差点靠在他腿上。他一呆，赶紧往旁边缩进去10公分。她被他男性特有的清冽气息侵入，不自觉地又向他移近了几公分。他又缩进去一点。她嘿嘿笑笑用手指指：小南坐里面，和你师傅面对面。我和小谈相对。转而对方向准莞尔道：这样总可以吧，方哥？她的脾气只对他好。小谈挨着小南坐，和她对面。

方向准点点头，对徒弟说："简单点，我只喝一杯子扎啤，解解乏。"小南说："点什么听迷妹的。"小谈说："买单听迷哥的。"何雨丝对小谈说："多点点，点好点，难得宰一次，捡贵的上。"何雨丝笑容涟滟地瞧瞧身旁的方向准："给方哥补补，今天辛苦啊。"转而对小谈："难得逮着一回，让小南放把血。"小南狂拍胸脯："这，太不成问题了，就你们几个，小嘴巴小胃的，能吃多少？"方向准对小谈小何说："简单点，今天刀下狠，没下次了。"小谈说："有数有数。"

小南瞭了瞭眼前两位美人，亮声说："都说咱管制员工作单调，生活闭塞，看看，不照样阳光灿烂？那个，艳阳高照？"何雨丝笑道："你还有啥词，兜底翻出来。"

酒菜上来，小南给每人杯中倒上啤酒，四人碰一下杯，喝一大口。小南朗声说："师傅这次太威风了，将进近的光芒映到了极致。"

"还极地呢。"方向准说。

"师兄一战成名。"何雨丝娇糯地说，"可不是么？今天方师兄的事，已传遍江湖，民航微信圈几乎爆屏。"

"太夸张！要有，也在管制员群里瞎传几句。"方向准说。

小谈是区域管制员，猎奇地问："方师兄，都传出来了，说你发现了啥秘密？"

"拉倒吧。"方向准说，"对，我是发现了秘密，叫葵花宝典。"

小谈说："不是不是，那是金大侠虚编出来的，我们不是想就地取经，学习学习吗？"

方向准瞥了眼两位女管："你们一个在区调，一个在塔台，不同的管制区域，在这里瞎凑什么热闹？"

小南说:"师傅的发明是保密的,哪儿这么容易说给你们听?"

小谈说:"说不定过一段,我们也调去进近室工作了呢。"

小南惊奇地说:"你们调来进近,是体验生活还是来受苦受难?"

"小谈不过开句玩笑话,八抬大轿来请还不想去呢,咱又不想当花木兰。"何雨丝撩了撩额前的一缕秀发,"既然是师兄发掘的秘密,那还是不说的好。"

方向准不理会两个女管的一唱一和,端起啤酒喝下一大口,顿觉一股气泡上蹿。他说:"我花了几年的工夫,差不多将三边盘活了。也就是说,在进近的关键环节,我几乎将余量用足,甚至去触摸安全的边界,但这个边界控制在可靠范围之内、负面清单之外,这是前提。"

说着,方向准从桌上拿起了一张餐巾纸,折成长方形的条状说:"这是跑道,在航空器降落的转弯盘低过程中,三边其实有两条边,而不是一条。"

他指着长方形狭长的两条对边说:"和跑道平行的两条边都叫三边,飞机无论左起落还是右起落,长的那条边始终是三边。三边有两条,又比较长,在它上面做文章的机会就多,将三边挪活了,可以大大提升效率,再多的飞机也接得住。"

小谈疑惑地说:"这个情况,人家难道不晓得吗?"

"怎么会呢。"方向准说,"大家都明白,一定也有许多人在探求,只不过我年轻力壮,初生牛犊,胆子粗些罢了。"

何雨丝怡悦地说:"所以,方师兄的成果就登场了,三边之王就这么忽地一下诞生了。"

"别吹我。"方向准瞪了她一眼,"实际操作要复杂得多,分正常、侧风、横侧风等多种情况,有点走钢丝的感觉,需要区别对待。"

小南说:"师傅还有公式呢,我劝师傅去申请科技成果。"

何雨丝拍着手说:"知识产权,必须去申请。"

方向准说:"我重实操,不善数据概括和理论总结。"

何雨丝巴不得地说:"我负责整理,提升,成果上报,当然,以方向准的名义。"

"可我不会同意。"方向准说,"即使归纳总结,以后要对外发表研讨文章,也是以团队的形式。"

何雨丝柳眉轻皱,不忍心地说:"那怎么行呢? 不干。"

"这又不是你的事。"方向准说。

小谈瞧了瞧她,眨眨眼。何雨丝像察觉到了什么,耳根一红,吐了吐粉舌。

方向准端起杯子,和三人一碰:"喝酒,喝酒。"

小南大声吆喝道:"大家一起,走一个,走一个。"四人一饮而尽。

何雨丝给每人添上黑啤:"我敬伟大师兄一个,三边之王。"

方向准说:"别胡说,传出去,别人咒死我。"

小谈也端起杯:"我们共同敬你,方师兄超级酷炫! 其实,说白了,也没啥,朋友圈都炸开了,三边之王有啥不好? 说不准以后涨话筒费呢。"

何雨丝说:"是啊,江湖哪个不晓得师兄方向准的名头?"

"又八卦了。"方向准说,"咱们不在江湖,在航空界,管制界。"

何雨丝蔫儿了,说:"是,是,我说错了,罚酒,自罚一杯。"说完,仰起脖子,将一大杯啤酒朝喉咙灌了下去。

小南暗笑。何雨丝这朵刺玫瑰,平时对人说话刁蛮,也只有方向准能镇住她,这叫一物降一物。

8

同一天,菊池静子一落地,将手机打开。

一个电话不失时机地钻了进来。是山田的中国号码。本不打算理会,还是不由自主地接了起来:"快说,山田,我还要干活。"

山田说:"那我长话短说,续上次约,今晚请你在古北吃饭?你答应过的。""我答应过吗?""是,在驻场宾馆那儿。"

她细眉轻蹙:"我都累死了,不去了呗,或者等下次。"

"不用下次了,中国人说择日不如撞日,就今天吧。我过几天要回日本一趟,想在一块儿坐坐。"

菊池轻轻啐了一口,马上要送客,清理机舱了。边说边挂机:"那好吧。"

山田带她来到古北那家日本料理店。古北居住着大量的欧美日韩人士,随之而起的料理店一家挨着一家。

店里的食材新鲜,刺身三文鱼、北极贝、粗壮的甜虾……

山田指着菜单上的图片说:"这是黑毛猪肉,专门从大别山区运来的。"

她轻轻哼一声:"怎么,日式料理也卖黑毛猪肉?不中不日。"

"兼顾多方客人吧。"他耐心地赔着笑。

她慵懒地说:"哎,料理店生的东西太多,有点反胃。"

山田惊愕地说:“怎么啦？这些东西在日本不从小就吃吗？你今天是不是胃不舒服?”

她左右瞅了瞅,疏离地说:“人有点多,突然不想吃了,走,换地方。”说着,已抬脚跨出店门。

山田不知所措地跟上,结巴地说:“那,那,换地方,去哪?”

“附近找家中餐馆,吃点热的。”她噘噘嘴,“走吧。”

隔壁就有家大型的中餐厅：鲜墙房,上世纪的西式老建筑,古朴典雅,和现代化的古北新区交相辉映。

“就是这里了。”菊池喃喃地说。走进去,选了个靠墙的位置坐定,山田立马在她对面落座。

“哇,时空倒转,似乎回到了传说中的民国时代,这才是从前的上海。”她感慨地说。

山田唯唯诺诺:“那,点点什么?”

“点什么？随便,比如红烧肉。”她一皱柳眉,“都行,请服务员随便配几个菜好了。”

山田按她要求,点了个红烧肉,酱鸭,清蒸鱼,以及两个炒蔬。

瞧瞧古色古香的环境,她说:“吃什么不重要,地方最重要。”

“是,地方重要。”山田附和着,“喝点红酒吗?”

“不,喝杯啤酒可以了。”

“知道我为什么选这儿吗?”她瞧着窗外两座大厦上闪耀的灯火说,“坐这儿,正好能看见虹桥开发区的幢幢高厦,这儿可是上海最早的开发区。我这人有点怪,就喜欢看高厦,高厦有未来感、科幻感,高厦在哪儿？全世界的高楼大厦数上海最密、最高、最亮。”

山田眯了眯双眼,不知如何回答。

菜很快上来,啤酒也满杯。两人轻轻一碰。山田说:时间快,一晃,咱俩中学毕业六七年了。她说:大学毕业也三年多了。想想当年在日本,中学时代,多么天真、浪漫、有趣。山田。她说:也别总为往事干杯了,怎么样?中文学习有困难吗?山田说:学了才知道困难不是一般的大,汉语终究也是外语。她笑道:原来谁说的,汉语也算外语?掴耳光了吧。他说:小子错估自己,自罚一杯。满满喝下一杯,又给自己倒上,说:你怎样?汉语进步比我快多了。她说:本身基础不同,现在我是在这儿工作,周围多是中国人,接触多了,总归有进步。

两人东扯一句西搭一句,山田想将话题引到他们在日本的中学时代,菊池则将话把子扳回到学中文上,两人似在玩跷跷板。她对吃饭的兴致不高,几次想把话挑明:咱们只做普通朋友,不做"那种"朋友,让他及早断了其他念头。碍于他的热情,几次说不出口,吞下了。还是以后留在电话里"断"吧,隔着音筒,隔着无线距离,不面对面,容易说得出口。

一顿饭吃完,山田结完账,要打车送她。她说不用,坐地铁10号线方便,劝他也坐地铁回学校。她说:能省即省,别打车,坐地铁不用堵,上海地铁车辆新,车站新,干净、舒服,换乘方便。

山田说服不了她,两人一起步行至地铁站,从相反方向乘地铁,背道而去。

# 五、欧 洲 路 上

## 1

话说秦风云驾驶着重型客机闪闪翅膀,向西飞去。

负责航路指挥的区域管制室管制员呼叫他:"前方航路拥挤,控制速度。"

他松下油门,飞机的时速由 950 公里下降到 850 公里,高度不变。他即使看不到,也能感觉到,他的前后上下都是匆匆赶路的航班。

这条路,他太熟悉了,从上海出发,经 R343 航路至合肥,转 B208 航路至中南局的郑州,继而往北进入山西,过太原,入内蒙,出外蒙,经俄罗斯至中西欧。R343 和 B208 是我国境内的国际航路,宽 20 公里,供中外客货机通行。但这两条空中"高速公路"又是令人生畏的天路,尤其是R343,东头连合肥,西头至郑州。合肥、郑州可是全国排名最拥挤的两个米字型空中孔道端,每天经过两个节点的班机达 1500 架之多,扣除半夜时段,平均每小时 150 架,每分钟 2.5 架。地面铁路,郑州是南北东西大动脉的交汇点,而今的航空时代,郑州以他独特的"十字星"地理位置,守住了空中枢纽的地位,但屈居第二,最繁忙交点的桂冠被合肥摘得。合肥、郑州、桐庐这些名字,可是航空人眼中赫赫有名的热爆词。

虽然飞行是立体的,空中有十几个高度层,但这些高度按计划分配,不是哪架飞机想飞就能飞的。从上海自东往西至郑州,可用的只有9200米和10400米两个高度,其他的高度统统另有他用。秦风云航程远,飞得高,用的是10400米的高度。高度高,相对比较平稳。

航路上天气好转,天上的飞机更多了。管制员又来指令:再慢点。他答应一声,用食指摁摁前额,将时速调减至800公里。他飞的宽体客机,航程远,引擎马力大,将速度调低,反而耗油耗机器。好比在高速公路上行驶的汽车,标准时速120公里,硬要降到100公里以下,既不科学也不经济,驾车者有说不出的别扭。但这些憋屈只能藏在心里,不能说出口,以免影响其他驾驶人员的情绪,尤其是驾驶舱里还有个外籍机长勒特。

出了华东,进入中南空管的领空。负责中南高空区的管制员告知:前面路上的飞机流量过于密集,飞行速度还得再压。他继续松减油门,将时速调减至750公里。过了几分钟,又按要求调至700公里。他挠挠头皮,慢吞吞地往前开。再慢,也比开汽车、火车强很多。坐在右方的宋副驾和坐在后排的丙副驾瞅着仪表盘上的速度计,皱着眉头,默不作声。

接近郑州了。一旦过了郑州,B208航路将折向西北,进入华北区域,由山西插入蒙古。中南区域管制员发来指令:郑州附近空中拥堵,准备盘旋等待。

宋副驾急得跺跺脚:"哎,不想发生的事情还是发生了,为什么又拥堵了呢?"

管制员当然不会告诉你为什么,他们只让你怎么做,不会告诉你为什么这样做。地面上的交警封道,难道会跟每一位司机解释为什么这里会封道?对此,秦风云是有心理准备的。按理说。今天这样的状况,他得往后排一个多小时以后才挨到升空,在管制部门的协调下,实际上等于提前起飞了。各地起来的飞机多,叠加到航路上,自然密密麻麻,让少数飞机降点速度,适当等一等无可厚非。

秦风云边往前飞,边等待地面进一步的指令,准备飞往空中等待区。扭头瞅一眼勒特机长,一副气定神闲的状态,毕竟是老江湖,场面见多了。

倒是宋副驾性子躁,按捺不住,叽叽咕咕开始嘀咕:唉,也不知咋的,一听等待就晕圈。丙副驾说:还没开转就晕菜?宋副驾说:有点,真转起来还要晕。秦风云说:对我们来说,在哪飞还不是飞?怎么飞都是飞,走,准备开路,去等待区域晕几圈。语音一落,刚要偏出航路,管制员发来新的指令:向右偏 15 公里,走临时航线,穿插到太原,再回到 B208 主航路。

秦风云窃喜。哈,走临时航线的意思,是不用盘旋等待了。

临时航线他走过不少,但这一条从未走过,必是军方临时支援的。他不问也想得到。这些年,军、民航飞行增长火爆,但部队方面显得更困难,黄海、东海、南海、台海风高浪急,动不动有情况,经常需要出勤,加上平时训练任务重,压力比泰山还大,但在关键时刻,军方总是将困难留给自己,常常开放临时航线给民航。秦风云驾机向右倾一下翅膀,轻飘飘地向前方闪出,而后加足油门,提起速度,绕过了郑州这个头疼的大堵区,沿北向太原上空飞去。

飞长航线,配的双机长,双副驾驶,途中轮流操控,换着飞。类似于管制员中途两小时一换班。本来,今天飞这条线是位欧籍机长,休年假了,抽勒特来顶替,他特乐意干这些事。这几年,引进的外籍机长多了起来,有的民营公司,聘请的外籍机长已达160人,有三十多个国家的机长在此扎堆,快成小联合国了。起飞至今,两套机组四个人都还窝在驾驶室。

飞过郑州,秦风云说:"勒特机长,先去后舱歇会?"

勒特两手一摊,爽朗地说:"秦机长先去休息,我来开吧。"

第一次和他搭班,秦风云就欣赏对方开朗的性格。他说:"没事的,您年长,先休息吧。"

勒特耸耸肩膀,笑道:"我年纪大点,但身体棒得像头牛,没事。哎,不,出来飞行,我懂规矩。"

"规矩,什么规矩?"秦风云说。

"这个,一切听秦机长吩咐,秦机长为第一机长,我为第二机长。"勒特中文不太好,用的英文,怕秦风云不明白,又用双手打着丰富的手势。

"你错了,勒特机长,本公司不同于贵国,等级森严,内外有别,这儿讲究平等、民主协商。"秦风云被他逗笑了,"我俩都是机长,是同事,同级别,不分彼此,遇事商量着来,咱们可是中外合璧呢。"毕竟人家年长自己二十多岁,飞过大西洋,横跨太平洋,经历甚丰。

## 2

别看勒特机长谦虚爽朗,却是位拉风炫酷的网红外籍机长。

勒特机长于 1983 年学飞,在美国开过小飞机、大飞机、飞过货机、客机,飞过螺旋桨、喷气机,飞过麦道、波音、空客,从 DC9 到 B767,从 A320 到 A330。二十多年的飞行累计,从机长飞到总飞行师,成为业务上响当当的专才。但天有难测风云,经营潮涨潮落,2012 年,他所在的 RAG 公司在激烈的市场倾轧中轰然破产,虽然贵为业内顶级人才,但在这巨大的变迁中也不可避免地沦为一个失业者。

　　在美利坚,不管你是资深机长,还是总飞行师,失业后就是一个失业者,要去另外的新公司,必须重新从二副(第二副驾驶)做起,同岗同酬,当场气死你。失业后,勒特开始满世界找工作,从国内找到海外,包括日、韩、越南等国,也包括中国的国有、民营公司,最终选择了位于大商口的这家基地公司做重点面试。他最后在美国飞的是 A330,公司就按 330 的标准让他体检,对他进行理论考试、模拟机评估,最终同意录取了他。不过,中国公司同意录用他并不等于马上可以工作,他还必须通过中国飞行执照的考试,才能成为一名正式机长。在这里,以前飞行的重要经历,可以作为以后工作的重要依据。进公司后他开始飞熟悉的 A330,现在改飞 B777。

　　有原先同事问他:"为什么不远万里飞去东方?"

　　他实在地说:"当下事难找,东方人给的待遇比在西方还高,又有什么理由不去呢? 况且,这几年在东方上班的西方人越来越多。"

　　那人狡黠地说:"在那边,习惯吗?"

　　"哪有不习惯的。飞行者,就是漂泊者,本来也在大西洋、太平洋上飘,在西东方之间荡,现在在太平洋、欧亚大陆上空飘,在东西方之间游,有什么区别? 哈哈,飞行者属于世界,飞往中国未尝不可。"

他憨厚地笑笑，"这里的航空公司都是年轻人，包括这座城市，走在街上、过马路，遇见的人都比我年轻，哈哈，跟他们在一起，自己也变得年轻，好像不会老了。"

勒特的家在纽约，来中国后，主要飞上海至纽约航线。为照顾外籍人员的生活，公司飞行部倒着排班，相当于以纽约为基地飞上海，来回途中的飞行和在上海的停留都算工作时间，这样，他每月飞行执勤时间（包括在上海）为14天，余下的16天留在纽约和家人团聚。每念及此，他都会立起大拇指："来中国公司做事，太爽啦！"偶尔，公司需要的时候，他会飞欧洲，甚至中国国内的某些航次。这次，欧洲籍的几位机长休假，飞行部缺乏人手，他被临时抽来补充欧线力量。

勒特为北欧后裔，对中国历史情有独钟。十年前，他还在美国工作期间，就通过中国政府有关部门，从云南某孤儿院领养了一名中国女孩，现已上学，他自己有一个儿子，已长大成人。来中国后，常常掏出手机，翻出里面女儿的照片给大家看，给自己看，说这是他的中国女儿。

今天登机前，机组成员说到天气。宋副驾说："中国的夏天，尤其是南方为雷雨季节，航班延误是常态，情况比美国复杂。"

"No，No。"勒特连连摆头，跟国内机长的说法不同。他说："中国的天气比美国好许多，遇天气延误的比例不算高，哪像美国，常发生贯穿整个国境的暴风雨，季节性特征也十分明显，夏天龙卷风，冬天暴风雪，机场一关一整天。相对来说，中国的天气现象不算太极端，即便关机场，顶多大半天。"

丙副驾不相信地问："你是说，中国的飞行条件比美国好？"

"我是说天气条件比美国好。"勒特说，"不过，遇到大延误，美国旅

130

客的素质比较高一点,他们会选择在座位上静等,不会在候机楼或飞机上和工作人员大吵大闹,因为他们明白,航空工作人员比他们更心焦,更想早点将旅客放出去。"

宋副驾舔了舔牙齿:"现在的国内旅客,也不大闹事了。"

勒特机长过了知天命之年,爽朗大方,脸上写满笑容,有点出尘脱世的感觉。但在他内心深处,也常起冲突。他飞的大多数为国际航线,横跨太平洋,配置两个机长,两个副驾,论资历、论阅历、论年龄、论技术,都应该他排在前,其他人排在后,但他是外来工,一般只能是第二机长,很可能永远是第二机长,尽管这句话谁也没有说过。从总飞行师到第二机长,开始不习惯,飞着飞着,慢慢习惯了。几年飞过来,同事们都友善,从未脸红耳赤过,才感到中国人的礼仪是几千年传承,植根于骨子里的。习惯了就好,就开心,今天飞欧洲,没人明说,大家心知肚明,第一机长是秦,比他小二十多岁。

秦风云的心情也是百味杂陈的,毕竟勒特多飞他二十年,当过总飞行师,什么样的飞机没开过? 从A330到B777。大西洋、太平洋不知道跑了多少来回,飞行界的前辈,走过的桥比他走过的路多,吃过的盐都比他吃过的饭多,但是勒特只能做第二机长,他秦风云对整架飞机才有最后的决策权,遇难事、险事、大事,他是最终拍板的那个人,勒特可以提建议,也只能是建议。秦风云尊重前辈,遇事讲究民主决策,有事好商量,不会武断,这么说也是这么做的。谁叫咱们是礼仪之邦,有几千年历史呢,人家1776年建国,才几年? 不过人家科技厉害,集现代科技精华的飞机的源头,就是1903年莱特兄弟在北卡罗莱纳州的那片寒冷的海滩上冲上天空的。自古能者为师,得尊重人家的优势。

"勒特机长是飞行界大拿,要多多向你学习。"秦风云说。

"No,秦机长才是公司五大魔手之一,而且是最年轻的魔手呢。"勒特翘着大拇指说。

"那是江湖传言,勒特机长千万别信。"秦风云说,"就技术而论,勒特机长和2009年1月成功迫降哈德逊河面的萨利机长同一级别。"

"哈哈,秦机长太过奖了。"勒特满面红光。

"勒特先生,你我跨国共事,也是有缘,按现在时髦的话说,叫同频共振,凡事商量着来。"秦风云诚意地说。

凡事商量着做。他们商量着开始轮流执飞。

秦风云离开机长位,勒特跨前一步,坐上去,扣下保险带。丙副驾坐右手席。勒特晃动下手腕,他腕上的表已调至马德里时间。秦风云的表还是北京时间,他总是说:今天向东,明天向西,时差来不及倒,干脆一律用北京时间、母国时间。有人说他怪。他说一点不怪,就这样挺好。

秦风云和勒特将两块表晃晃,相视笑笑。秦风云说:"去后舱了。"勒特说:"秦机长请便,这段我驾驶。"宋副驾说:"秦机长练太极的,机舱里也可以站混元桩呀。"秦风云说:"你小子尽出馊主意,让人把我当笑话瞧呀。"

3

秦风云走出驾驶舱,一眼就瞧见了菊池静子。咦,她怎么在机上?登机时没留意,匆匆走进驾驶舱检查设备,和外籍机长聊些飞行方面的业务,没顾及每个乘务员,只晓得这次的乘务经理是云霞,他的老相识。因为是延误了一会的航班,上机后机组和乘务员各忙各的,出得驾驶舱,想去碰碰云霞,不料先撞见了她。

菊池老早就留心到他了,他一踏出驾驶舱门,就开始鞠躬:"秦机长好。"

正面相对,仔细一端详,才发现她真是蛮标准的日式东方美人。菊池柳眉轻转,猜到他想问什么,坦白告诉他:一直飞日本线,前段时间表现可以,得了几次表扬,外籍部奖励她飞回欧洲长航线,在西班牙停一晚,能在街头走走,看看欧洲的古城。已经是第二次被奖励了,上次是东南亚,恰巧也是秦机长的航班。

"好。"他干咳一声,朝云霞方向走去。

云霞脸上笑容妍妍,永远一副天下春的模样。他们是远程机、重型机,近三百个客人,配了十几个乘务员,云霞为客舱经理,下面还有两个乘务长,共同负责本次航班的乘务工作。

他和云霞相视一笑,两人的眼波里有许多东西,只有他们明白。但也不能不说话。他说:这么快共机了。她说:你不如先去横躺会,商务舱还有空位,可以用,让老外先飞着,勒特机长一身发达肌肉,空着也浪费,单独飞来回都没问题。他拍了拍结实的胸脯:我这身板,单独飞来回难道有问题?她嗔道:时间长着呢,先去歇会儿吧。

不用,站会挺好,怎么,带"洋徒弟"啦?他朝菊池她们撇撇嘴。她说:真还被你看出来了,云燕工作室扩展了,作为一种服务品牌推广,我也选几个外籍乘带带,先选了外籍的菊池,也在考虑西班牙的加西亚和特蕾莎、法国的萝拉及卡米尔、意大利的露琪亚和马日蒂。他摸了摸鼻子:别说下去了,这么多名字,听得人都懵圈了。他又说:这次估计是调班飞西班牙吧,否则不会这么巧又碰上了。她说:这也难说,可能三年不共机,也可能过一月又飞在一块了。他说:你选几朵"洋金花"做徒弟,是不是顺便教他们中文?嘿嘿,也可以这么说,顺道传播下咱家博大精深的文化么。

两人站在乘务工作区说话,不断有乘务员进进出出。她说:我去巡下后面,前面商务舱多出好几个空位,你去横一会吧。他说:嗯,先去眯会。

厨房间,菊池热火朝天地忙碌着。她将冷餐盒重新打开整理,又从烤箱抽出一盒一盒热食,和餐盒一起放置餐车上,供其他乘务员推出去分发。细细的汗珠从她额头爬出,她顾不得擦一把,开始倒腾冰柜里的东西。

云霞见菊池在叮铃哐啷折腾冰块,不禁问:"菊池在干嘛呢?"

菊池别过头来,顺手擦把额上的汗珠子:"在做冰镇啤酒。"

"冰镇啤酒?原来不都放好了吗?"

"是放好的。"她腼腆地笑笑,"好像有点问题。"

"你说啤酒质量有问题?是过期了还是冒泡了?"

"嗯,这个,好像是冰镇的问题。"菊池嗫嚅着说。

"冰镇出了问题?"

云霞弯下腰,瞧了瞧冰柜。里面,啤酒和冰块放在一起,柜子打开时,还在往外冒着丝丝冷气。她清楚,国际航班路途远,旅客多,配的食物和饮类品种比较丰富,还针对外国旅客喜欢喝冰饮的习惯,新制作了冰镇的啤酒、可乐等。

134

乘务员小言一阵风似的蹾进来,对菊池说:"客人要两瓶冰啤。"看到云霞,笑道:"云经理好。"云霞直起腰,对她笑笑。菊池答应一声,将冰块翻来翻去,似乎在寻觅什么。

"上面不是有吗?快拿两瓶来,别磨叽了。"小言催她。

"马上来。"说着,菊池将上面的冰轻轻拨开,从冰块下抽出两瓶啤酒,摸了摸,递给小言,惋惜地说:"刚放下去不久,不知入不入味。"

小言白了她一眼,提上啤酒送出去了。

待小言走远,云霞问她:"刚才你说的冰镇啤酒有问题,指什么?"

菊池将冰柜门开大些,让云霞能看到全部。她指着里面的冰块说:"大多数情况,工作人员将啤酒直接放在冰块上面,过一段时间,冰块的冷气传到啤酒瓶下面,再从外面传导给瓶里的啤酒,当然也算冰啤酒,总归和冰在一起。"

说着,她将冰块拨拉几下,将尚在上面的两瓶啤酒翻到底下,再用冰块覆盖上去。她说:"同样是冰镇,如果将啤酒放在下面,将冰块覆在上面,把两者的位置交换一下,效果就不同,喝到嘴里的啤酒味道也不一样。"

"你是说,这样做的啤酒才算真正的冰镇啤酒?"

菊池合上冰柜门,双手环在胸前,勾了勾唇角,不吱声。不吱声的意思,就是默认。

半晌,云霞说:"我想,你这种方法是地道的,也许在日本,有些精细的店家就是这么做的。好的东西需要吸收,我要跟乘务员们讲一下,以后做冰镇的东西,要求将饮品放下面,将冰块敷上面。"

"有道理。"不知啥时候,秦风云出现在她们身后,对菊池的做法点了点头。

菊池望着秦风云,晕红了双耳。转而翕动下唇,对云霞说:"经理,可别说是我要这样做的,怕有人嫌我。"

云霞拍拍她的小肩:"这个,就不用你担心了。"

"谢谢云经理。"她习惯性地鞠了一躬。又转向秦风云鞠一躬:"多谢秦机长。"

云霞回眸笑道:"菊池的汉语讲得不错了。"

云霞回到前舱,摸出她的小本子,在上面刷刷记了几行字,将冰镇啤酒这码事记下了。收好小本本,发了两分钟呆,直到有乘务员喊。

## 4

云霞一愣,回头见是加西亚。

这趟飞巴塞罗那的航班,有三个外籍空乘,除了日籍的菊池静子外,还有西班牙籍的加西亚和另一名西籍的新乘古斯曼。

中国乘务员年轻,普遍有一定的英语沟通能力,用英语交流困难不大,但会小语种的人不多,这些年来,业大家大的各航空公司陆续从欧洲诸国和日、韩、泰等国招了一批又一批空乘,投放在不同的航线上。除美、英航线,中日、中韩、中法、中德、中意、中西、中荷(兰)以及中国与东南亚等主要国际航班上都配有对方国籍的空乘。和外航不同,中国招收的外籍乘,需要的是年轻貌美的空姐,而不是年长的大妈、大婶。这里是中国,就得按中国的道道来。

"你好,加西亚,累不累?"云霞问。

加西亚眼中绿光盈盈："人不累，嘴累。"

"哈，你比较热情，喜欢与人交流。"

"不停地说话，说了几小时了。"加西亚说，"机上西班牙人多，欧洲人多，不断有人问这问那，我就不停地回答这，回答那，嘴巴都干死了。"

云霞递给她一瓶矿泉水，她不要，换了瓶可乐。云霞说："你人长得漂亮，所以有那么多人找你说话。机舱里空间狭小，干涩，很需要你这样热情的乘务员。"

加西亚激动地说："嘿嘿，云经理是在夸我？"

云霞说："夸你？这个词用得好，工作在中国，和中国人说得多了，汉语进步会奇快。"

"是的，汉语词汇很富有。"

"噢，这个词有点问题，应该说丰富。"云霞纠正她，"中国是文明古国，文字尤其丰富，同样的意思，可以用不同的语言文字来表达，一个词语，同义词、近义词几十个，看得你眼花缭乱。汉字是方块字，不管笔划有多少，一个字就是一个方块，大小、长短一致，不像你们西文，用的字母，左右排列，一个词长的长、短的短。汉字很齐整，有时一句话七个字就七个字，五个字就五个字，上下对齐，不会多也不会少，一个字一个音，如：文章千古事，得失寸心知。这在西文里是做不到的。还有像有的语言，用字用句十分讲究，排列也整齐，比如：天，无非阴晴；地，无非高低；人，无非聚散……"

加西亚竖了竖耳朵说："很好听，但、听不懂。"

菊池说："很美，韵味美。唉，这个，翻成西文就不美了。"

云霞还想说，咱中华文明几千年，是当今世界唯一没有断流的，你们欧洲也有古文明,像古希腊和古罗马,但最后被基督文明碾压,中间被切断了。这些话,她以后慢慢会说。

"时间长了,慢慢会懂的,你们欧籍乘不少是硕士,学历比我高。当然,欧洲的文字也很发达。"云霞忽地指指外面一个新乘说,"加西亚也带徒弟啦?"

加西亚说:"古斯曼,小姑娘,今年新招来的,中文不行,今天跟着我学习做事情。"

"中文不强,西文强,也是特长。好好干,有困难,来找我。"

加西亚开心地说:"没有太多困难。"

云霞这次飞西班牙等地,带有考察和调研性质,想将外籍乘的情况再摸一摸。从加西亚的工作状态看,她十分热爱自己的岗位,她执飞西班牙至上海航线,排班也是倒着来,飞到西班牙休息两晚,第三天再飞上海,在西班牙的时间比在上海的时间富裕,回家的机会也多。外籍乘大多是这种情况。

欧洲五国(德、法、意、西、荷)在公司的外籍乘不少,日、韩、泰等国的乘务人数也多。这次在飞的加西亚,硕士学位,会讲西班牙语、英语、法语,中文也有一定基础。从学历上讲,外籍乘普遍高,国内乘务员一般为大专、本科,少数的研究生,外籍乘普遍的本科学士、硕士研究生。外籍乘体力比较强,多在舱里走动,和外国乘客聊这聊那。旅客们乘机寂寞,找她们聊天,她们也乐意接受对聊。

实习生古斯曼刚进公司不久,今天是第三次飞航班,一切都觉得新奇,不停地送这送那。遇到中国乘客,能说:"你好""谢谢"等简单的词汇。对西班牙籍及欧洲乘客,用西班牙语或英文打着招呼,不厌其烦地问乘客们需不需要点什么？也和他们侃各种话题。

云霞走到乘务工作区一瞧，小言等五六个乘务员在歇脚，有的相互打趣，有的在养神。她目光到处，不怒自威。让外籍乘在外面跑来跑去，你们在此侃大山，真的以为你们成了"师姐"，她们成了"师妹"啦？这帮小蹄子！她刚想发话，几个乘务员从养神或聊天状态中回过神来，发现了身后的她，尴尬地笑笑。

小言端了个托盘，说："冲茶去了。"

另一空乘扭扭腰肢，提起咖啡壶说："出去瞧瞧，看看啥人需要续咖啡。"

又一空乘说："到时间了，再检查遍卫生间。"

云霞想：也还算拎得清，没等我开口，哼。

## 5

云霞巡视后舱。

大部分乘客用过餐、喝过饮料后开始打瞌睡。乘务员们第二次送过饮料后，也松软下来，三三两两相机去工作间休息，留下几个在客舱里巡视，看看客人们有什么需要。毕竟旅客坐着，她们站着、走着、跑着，做着这么多事。

轮到小言值班，她在过道里走来走去。西班牙籍实习生古斯曼不想休息，精神十足地在另一条通道里巡着，不时微笑着问不想睡觉的旅客需要不需要啥帮助。这种话，今天她说了不下几十遍。有的男乘客趁机和她调侃几句。她来者不拒，将聊侃当作工作的一部分。小言在对过乜斜了她几眼,她毫无察觉,继续她热心的"对话"。

一会,闲不住的菊池也来巡舱,东瞧瞧西瞧瞧。远远地看见小言朝她招手,她向招手的地方急去。

小言的身旁,有位无人陪伴儿童,是位七八岁的小女孩,脖子上吊着块牌子,牌子上写着她的名字和一些其他信息。不知道咋回事,小孩童低声哽咽着,一副委屈的模样。小言估计她一个人孤单,从中国去西班牙找大人,万里迢迢,时间一长,悲从中来,就呜呜呜哭了起来。小言哄了她几句,小姑娘还是低声啜泣。正好有旅客请她倒杯热茶,她看见菊池探头探脑的找活干,巴不得地让她过来,吱声说:"菊池,过来帮一下。""好,我来处理。"菊池答应一声。

菊池在小姑娘跟前蹲下来:"你好,小朋友。"小姑娘望望她,眼泪还是从眶中滴滴答答地涌出。

菊池和她交换几句,变戏法似的从身上摸出一只玩具小狗狗,朝女孩眼前晃了几晃。小女孩的目光被这只简单的小玩具吸引,渐渐止了哭声,两个人你一言我一语地交流起来。菊池说的汉语句子比较短,蛮滑稽,和小女孩的语言正好合拍,说着说着,小女孩破涕为笑了。

小言端了咖啡给旅客送过去,经过时,见菊池正在耐心地帮小女孩梳头,扎小辫子,并将她脸上的泪痕擦拭干净,还不停地问这问那。

小言回到工作间,将所见说了给其他乘务员听。一乘务员说:"有空!"小言说:"也可能利用一切机会学汉语,包括和小孩说话,小孩子的用词比较单一,正好和她对应。"另一乘务员说:"不可能吧,小女孩的词汇也太贫乏了吧。"小言说:"也有可能。"

云霞从后面进来,听见了她们说的,黑着脸说:"你们都有闲,嚼什么舌头呢?"

众人一惊,立马闭嘴,垂头看地下。小言说:"我去送杯饮料,有旅客按铃。"另一乘务员说:"我去清厕所。"

一会,菊池回到工作间。云霞说:"小孩的事忙完啦?"菊池说:"是的,现在她的情绪稳定,也不哭了。"云霞忖了忖,说:"你去趟驾驶舱,送点喝的给他们。"

菊池往后退了小半步,连连摆头:"秦机长在里边,不太敢进去。"

"碰过壁就不敢再碰啦? 他又不是毒蛇,怕啥?"

菊池将双手往后缩,扭捏地说:"他,喜欢中国乘务员去送东西,不喜欢外国人。"

"事不过三,人是会变的。"她为她提气,"试试吧,还是要和各种各样的人打交道,也是能力的提升。"

菊池脑子没转过弯,紧张地吐了吐舌头,迟疑着。

## 6

班机在俄罗斯境内飞行。翼下,黛青色的原野,土地荒袤,少有村落,偶尔出现星星点点的湖泊,显得单调而苍凉。

秦风云替换下勒特机长,请他去后舱休息,和丙副驾接手驾机。在平飞的巡航阶段,在俄罗斯广阔的天空里飞翔,无需上升或下降,又没有特殊天气,他们将飞机置于自动驾驶模式,人的心情无比惬意。

丙副驾和他熟稔,搭过多次机,虽然是副驾驶,但开起玩笑来从不脸红。见外籍机长走出驾驶舱,丙副驾说:"秦机长东来西往,踩着欧亚大陆跑，一定阅人无数。"

"阅人无数，不如高人指路。"秦风云用食指摁了摁前额，"你想说什么？"

丙副驾朝后努了努嘴，弱声说："后面乘务员，清一色的佳丽，还有几个外乘，其中两位西班牙女郎，眼睛蓝得滴水，靓得扎眼。哎，现在不时兴中外联姻么，有没有中意的？"

秦风云了解丙副驾的德性，屁股一撅，就知道往哪头放屁。他嗯哼一声："这话应该问你。"

丙副驾摸摸下巴："听云霞姐说，老辣一点的叫加西亚，能讲中文，新来的，叫、叫那个古斯曼，都是从几十比一的比例中挑出来的，性价比不低呢。"

"可以呀你，连名字都记这么清楚，还性价比呢，将人比商品哪？"

丙副驾一甩下巴："是我说错了，咱回到现实中。秦机长觉得外国妞怎样？"

"西方女不如东方女，两个女人眼下看苗条、晃眼，一旦结婚生子，身材立马膨胀，变成大妈。"

"这倒也是。像我们现在飞经的俄罗斯、乌克兰都盛产美女，但花期短，一结婚生娃，形态立变，哪像云霞姐，即使到七十，也是美人胚子一枚。"忽然，丙副驾鬼鬼祟祟地说，"机上还有个东方女，也是老外，日本妞，人称大阪之花，叫菊池静子，人如其名，宁静得像菊花，清纯娇俏，颇有几分古典韵味，细看近瞅，越看越有味。"

秦风云不想再听下去，叱责道："开你的飞机。"

丙副驾身子一缩，将话匣子收住。他晓得秦风云喜欢天上的妹子，喜欢空空恋。坊间传言，秦风云从学生时代就暗恋云霞，但水转，山不转，云霞走的空地恋的路子，对他无动于衷，他也就死了这个念头。后来，在她撮合下，秦风云和另一空乘小洪坠入爱河，可惜小洪命不够硬，走了。直至今日，秦风云还单着，孤家寡人一枚，也许还在思恋云霞，可惜人家的孩子都会写字了。但丙副驾不知，秦风云还暗恋安检女神欧丽亚，可惜人家……

"咚咚咚。"舱门敲了三响，有节奏的。丙副驾见是乘务员，将门打开。

是菊池静子。她蹑手蹑脚地走进驾驶舱，先是朝他们鞠了一躬，脸上溢着笑意，却挂着一缕不甚明显的窘迫与不安。

丙副驾眼睛一亮："你好，菊池小姐。"

她不敢再上前，脖颈子上早涌起丝丝潮红，楚楚可怜地望着秦风云，连呼吸都偃息着，怕他拧眉一怒，又将她"轰"了出去，换中国空乘来。她已吃过几回瘪了。

秦风云的头没转动，仍透着挡风玻璃，凝视着远方，从牙缝里挤出几个字："进来吧。"

菊池深深吁出一口气，如获大赦似的浑身轻松，给每人递上一份饮品。就在她递送杯子的瞬间，菊池的脸离他的脸不到十公分，他忽然间闻到了她身上传出的一股淡淡的幽香，似乎还夹着一丝甜，虽然只是一阵风似的飘过。他的嗅觉比狗还灵敏，丙副驾嗅不到，他却捕捉到了，百分之百地捕捉到了。他的内心微微一颤：这不是香水，是少女的纯香，真的清香哟。

不禁扭头望她一眼，清妍明丽，婉约娉婷。两人目光在空中交汇，她脸上一热,刷地低下头去。

完成任务的菊池退至舱门,朝他俩又一鞠躬:"秦机长,没其他的事,我先出去了。"

秦风云保持着惯有的表情,从鼻孔里"嗯"了一声。

待她走出驾驶室,丙副驾喃喃地说:"东瀛女,真的很细腻哦。"

秦风云朝他"哼"了一鼻子。

# 7

负责经济舱的斯乘务长火急火燎地跑来,见到云霞,欲言又止,露出左右为难的神色。

凡飞欧美等地的远程宽体机,配两套机组,十几名乘务员,客舱经理下面还有乘务长,各管一摊,现在来找她的斯乘务长,分管经济舱。斯乘务长四十出头,已是两个孩子的母亲,身材仍保持得苗条。

"有什么话就说,斯大姐,跟我用得着吞吞吐吐吗?"云霞笑着先开了腔。斯乘务长喘了口气,急急巴巴地说:"后面一对夫妻,吵了起来,女的又哭又骂,旁边一对同伴劝了不听,乘务员去劝,也不听,女人大吼大叫,不好控制。"云霞说:"夫妻间的事,旁人是比较难做工作。"

"是老夫少妻,也不算太老太少,男的七十多,女的四十多,只差三十来岁。和他们同行的,好像是男旅客的朋友。夫妻俩不知为啥事生争执,妇女的声音歇斯底里,又俗又爆,乘务员将情况告我,我过去调解一番也还是不成,只好汇报到您这儿了。"

"听起来,这事真有点麻烦。""大伙合计着,只有请您出马,或许有办法。"斯乘务长说,"关键时刻,还得请大师出场。""哈,还您呀,大师呀,你斯姐将我当外人了是不是? 你都没招,我还有什么法子?"云霞说。"不一样,不一样,我和你不是一个等级的,你是乘务员中的智多星,诸葛亮,什么疑难困情,到了你手里,总有法子化的,大伙都佩服得不行。"

云霞哈哈一笑:"你就捧吧,早点把我捧死! 捧得越高,跌得越狠,到了哪一天我摔成豆腐渣了,你们可以不理我了。""云霞,不说笑话了,这个情况的确有点严重。"斯乘务长说,"恐怕得你亲自去才有解。""到底怎么回事? 你这一说,我觉得事情有点大,但又不知道具体什么原因。""夫妻间的许多事,我们外人不便问,但他们这么吵吵闹闹,哭哭啼啼,已经影响周边了。"

听说旅客的行为已经影响周围旅客,影响到机舱环境,云霞待不住了,不管都不行。对比她大十几岁的斯乘务长说:"走,先过去瞧瞧。"斯乘务长如释重负,忙走前面带路。

见客舱经理和乘务长到来,正帮着做工作的乘务员小曹马上闪在一旁。云霞瞧了瞧架势,中间一排坐着四人,左边一对,就是斯大姐说的老夫少妻。看外表,七十多岁的长者是退休老干部,那个少妻倒像个农村上来的阿姨。他们的旁边,是另一对老夫妻,夫妻俩的年龄和老夫少妻的男人差不多。一眼瞄过,她已猜到个大概。这时,老夫满脸愁痕,愤愤地生着气。"少妻"哇哇地哭叫,指手画脚地骂着老夫。前后旅客投来鄙夷的目光。

斯乘务长刚想说什么,云霞制止了她,扁声说:"我想先请他们旁边的那位老先生聊聊。"斯乘务长说:"你是说先不找夫妻本人,而是将他

145

们的朋友先找过来？"云霞说："是这意思。兵法有说，'知己知彼，百战不殆'。现在我们情况都没摸清楚，贸然出言相劝，不但达不到目的，弄不好反而火上浇油。"

斯乘务长刚才已和他们交谈过，彼此有印象。她附身在那位老者的耳畔说："先生，能不能出来一下，我们客舱经理有事找您。"

老先生往后一瞅，云霞正对他微笑，一种可以信赖的笑意。老先生和自己的老伴耳语一句，从位置上立起，跟着云霞走了。

云霞对斯乘务长说："你先在这儿照顾下几位，我们去去就来。"斯乘务长和小曹乘务员留下，继续规劝老夫少妻声音轻点，有事好商量，别打扰到人家。不料那"少妻"泼妇似的一声吼："关你们啥事体！"吓得小曹瞳孔一缩。

云霞将老人家带到乘务区，问："老先生是离退休干部吧？""我姓杨。"老先生笑笑，"是退休，不是离休，小姑娘眼光真好。""瞧老先生气质就知道是当干部的。"云霞笑眯眯地说，"我想了解一下您旁边那对夫妻的情况，我想你们应该是朋友，一块出来旅游的吧？不瞒您说，他们的行为不但粗俗无礼，而且影响到客舱其他旅客的心情了。""可不是吗？"老杨猛拍大腿，气呼呼地说，"在家吵，到外头还吵，无休止地吵！本来想带他们出来散散心，缓解一下家庭矛盾，想不到上了飞机为一件破事又争了起来，鸡飞狗跳，乡下女人，就是素质低！"

"您是说，那个女的是乡下女人？现在改革开放，经济发展，农村、城市没多少区别，农村人变城里人也是分分秒秒的事。"她马上将话切入主题，"您和那位先生是好朋友吧，一定清楚他们家的底细。"

"我和老蒋是战友，我营长，他副营长，当年同困一条壕，同吃一锅饭,同立二等功,从部队转业到地方,虽然不在一个单位,但经常在一起喝个二两。十五年前二人先后退休,本来好好的,后来老蒋老伴去世,几年后,请了个阿姨帮忙……"

说着,老先生一五一十地将老蒋家的事说了给她听。

原来,老蒋的老伴离世五年后,儿女都长大,分别出去工作,身边无人照顾,请家政公司物色了个阿姨来帮忙。阿姨是山里人,长得还算标致,但新婚不久,命运和她开了个天大的玩笑,丈夫骑摩托车从山崖摔下,当场死亡,她成了新寡。悲愤之下,出来打工,给人做家政,就被介绍到了蒋家。

阿姨来蒋家后,年纪轻,体力强,每日打扫卫生,买菜做饭,深得主人赏识。老蒋几千元的打工费付得值得。冬去春来,几年过去,一老一少朝夕相处,多少擦出点火花,在老杨的百般撮合下,年龄相差三十岁的两人走到了一起。但事情的发展往往出人意料。

结婚之前彼此身份明确,雇佣双方礼数往来,言行得体,一旦拜堂成亲,阿姨变成了主妇,睡到一张床上,原来那种客气劲儿不见了。过了不到一年,妇人对老蒋百般地不耐烦。

老蒋七十五了,当年战场受伤留下了后遗症,腿脚不便,行动迟缓,经常口角流涎,丢三落四。妇人一天到晚唠唠叨叨,看这不顺眼,那也不对劲,没有一天不唠叨。老蒋痛苦万分,悔不该当初领一纸婚书,现在离也不是,不离也不是。

老杨闻讯前来,拿出看家本领,多次对战友夫人做思想工作:老蒋是革命军人,你能照顾老蒋,是光荣和自豪的事。妇人说:我天天倒尿倒屎,烦得要死,你来光荣下试试? 老杨又说:老蒋当年战场挨过弹片,是革命军人。妇人声音比他还响:弹片又不是我扔的。老杨多次做工作,妇人油盐不进,他也束手无策,这次带他们出国,就是想让这妇人见见世面,变化下环境,改善关系,不料一上飞机就恶吵。

说到这儿,云霞做了个手势:"杨先生别往下说了,我已了解事情的原委。对人,就像开锁,得一把钥匙开一把锁,钥匙不对,用再大的力气也枉然。"她在地上踱了几步,忽然细眉一拧,计上心来,又对老杨说:"走。"

这时,菊池,加西亚等几个来工作间,也想跟着云霞去处理事。云霞说:"你们几个不用去,忙自己的;你们去了,也帮不上啥忙。"

来到那对夫妇处,云霞请老蒋坐到老杨的位置上,她和妇人挨着坐。云霞说:"我是本次航班的经理,要跟你谈谈。"

妇人一愣:"跟我谈什么?""谈谈老蒋。""这有什么好谈的!"妇人一脸的怨气,"又是老杨一样做说服的,来讲大道理。"

"我讲的可是小道理。"云霞说,"你在农村时一个月挣多少钱?"

"农村里能挣几个钱?"妇人说,"两三千吧。"

"来老蒋家做保姆呢,一个月给你多少?"

"一月六千,包吃住。"妇人厌烦地说。

"我说你个傻女人,跟白痴差不多,连这么简单的账都不会算!"云霞冷不丁亮开嗓门,骂起来,"按老蒋现在的收入,每月一万五,平均一天五百元,他的钱也是你的钱,相当于你每天一睁开眼就有五百元钱从天上飘下来。你这样天天跟他吵跟他闹,假若有一天老蒋被你唠叨死了,或者被你吵烦了,真跟你离了,你就得滚回老家当农民,别说五百元,每天一百元都没有,这损失有多大,你晓不晓得?!"

被她一番训，妇人如梦初醒，恍然大悟："哎，哎，你娃说得对，这个账我咋忘了呢？啥都不用讲了，不用讲了，我知错了。我回去后，还当自己是个保姆，还像保姆一样对他还不行吗？"

事情解决完，斯乘务长叹一口气："我真服了你了，小姑奶奶，红颜一骂，五分钟解决战斗，这么难的题都给你点了穴，化了解。让我怎么夸你好呢。"

<br>

8

<br>

脱离巡航飞行、下降前，机组轮流去趟洗手间，排除大小便，轻装上阵。

其他三位先后用过洗手间，进入驾驶舱工作。宋副驾原本不打算如厕，心理作祟，想三位机长方便过了，离落地还有近个把小时，还是去解决一下保险，万一遇啥特殊情况，滞空时间延宕，憋着难受。

他来到驾驶舱隔壁的洗手间。这间洗手间除头等舱客人外，机组、乘务组人员用得比较多。

洗手间开着一条缝，没有关严，可以看见一位空姐在对着镜子补妆。见外面有人影晃动，里面的空姐小言扭了扭小蛮腰转过身来将门砰地一声闭上，上锁。

宋副驾能理解。今晚夜宿巴塞罗那，小姑娘们会结伴逛个街啥的，落地前化化妆、收拾下形象也有必要。他就在前台的厨房间候等。

三分钟过去，五分钟过去，十分钟过去了，空乘的妆还没有补好。他耐着性子又等了五分钟，心中的火腾腾地往上冒：如果再不出来，飞

149

机将要下降，他得进驾驶舱去，难道她不知道吗？明明瞄到有人等在外面。等到十五分钟时，门才啪地打开，走出浓妆的空乘小言。

宋副驾再也忍不住心中的火气，当她的前脚一踏出卫生间，就劈头盖脸地将话递了上去："你真会选时间！建议你以后在机组出驾驶舱用厕时，不要在里面长时间补妆。"

被他呛住，小言的眸光一黯，脸上明显挂不住。

宋副驾寒着脸补充道："要是短程航班遇到两人机组，我们出驾驶舱的时间是有限制的，如果卫生间被长时间占用，更不好说了。"

小言浑身不自在，又不敢吭声，垂着头大步溜掉。她幽暗的目光在他脑海中打了个结。

进驾驶舱后，宋副驾多了个心眼，通过摄像头多瞧瞧外头的情况。平时机组忙于驾驶，一般不太看摄像头，今天因为有气，多看了几眼，无意中瞅见刚才的乘务员小言单独在厨房间。也许其他乘务员巡舱去了，她留在这值班。但令人意想不到的情景发生了。

小言环顾左右无人，干咳两声，用她的小脚蹬蹬地踢了踢机载水壶，又拎起机组的水杯子，做了个使劲往下砸的动作，做一次觉得不过瘾，反复"砸"了三次才解气。

宋副驾内心一震。小姑娘心眼这么窄，怼了她几句——原本是她的不是，就开始报复，真是"锱铢必较"啊。

他如同吞下了腐物，满肚子的恶心。思忖着要不要将这件事告诉机长，告诉云霞客舱经理。如果报告上去，够这小妮子喝一壶的；如果不报告上去，对她没有震慑作用，她下次还会犯类似的错误。想想左右两难。

# 9

十多小时的欧洲航程,说长长,说短也短。在两台发动机的连续轰鸣声中,十五分钟后,将开始下降高度,进入巴塞罗那进近管制区。下降前,两名机长、两位副驾全体进入驾驶舱。

秦风云问:"勒特机长以前飞过巴塞罗那?"

勒特说:"在原来公司,经常跨大西洋,包括巴塞罗那。"

"来本公司后呢?"

"头一次,平常都飞纽约线。"勒特说,"很荣幸和'魔手'机长同机,学到很多。"勒特说的英文,基本不懂中文。

"在上海的生活习惯吗?"秦风云一般的英文对话也没有障碍。飞国际航线,各国通用英语。

"来了几年,长了五斤。"勒特拍拍胖胖的肚子,"如果公司需要,我想干到 65 岁。"

勒特说话如此爽直。但这不在他的权限范围,他只是一名机长,只得说:"凭勒特先生的身体,超一流的技艺,飞到 75 岁也没问题。"

"哈哈,秦机长夸我。听说秦机长是武术高手,从小练太极拳,身体更棒了。"

"我练拳,主要是锻炼,跟真正的武术,和人对抗,还有点距离。"秦风云说,"这个,巴塞罗那就在眼前了,大家准备好。"

勒特眼中含着激动:"巴塞罗那,十年了,今天又来了——"

忽然,宋副驾驶打断说:"秦机长,我想驾机进近和降落。"

丙副驾嗫嚅着说:"其实,我也想进近和降落,多上上手,既然宋副驾说在前,就算了。"

勒特从进近和降落两个词汇中,大概听懂了两名副驾驶的意思。实际上,他刚才说了前半句,后半句没来得及说,被两个副驾驶打横插断。他的后半句,其实和两个副驾是同一句话:想驾机降落。

秦风云毕竟是秦风云,颇解风情,问勒特说:"勒特机长是不是想重温旧梦,十年后重新降落在巴塞罗那?"

话音一落,宋、丙两位副驾驶同时别转头,将视线齐刷刷地投向勒特机长。

勒特机长如芒刺在背,整张脸都火辣辣的,忙说:"No,No,我不要,请秦机长决定,我不开,我不降落。"

勒特心中五味杂陈。十年了,好不容易来次西班牙,机会就在眼前,总想亲手降下去,过把瘾。来中国上班后,他基本飞沪纽线,也飞沪芝(芝加哥)线,但不飞欧线,这次是作为替补队员临时补上的。下次,如果还有替补,不一定来欧洲,也可能去非洲、澳洲,即便来欧洲,也不一定来西班牙,更不一定是巴塞罗那,也许巴黎,也许伦敦,也许罗马,也许雅典,也许就没有下一次。

但是,他是机长,是外籍机长,不可能跟两个副驾驶去争取进近、降落权。此前,秦机长请他落地,那是礼貌,眼下,他的心迹被秦风云轻轻点破,他更不可能和两位副驾抢风头。

秦风云的话响起:"既然手艺超一流的勒特机长发扬风格,那么就由二位副驾的其中一位执飞。宋副驾说在前,丙副驾随后,如果按先后次序,应该由宋副驾驾驶,但丙副驾的飞行小时少,需要多上手——尽管二位都具备一般条件下的降落资格,看看宋副驾是不是一定想坚持落地?"

秦风云说话的口气是商量,实际柔中有刚,是决定。宋副驾哪有听不出来的,当即表示让丙副驾操纵。秦风云反过来征求勒特的意见,勒特说:"秦机长说得对,请丙副驾进近、落地。"

丙副驾受宠若惊,跨到前排,坐在秦风云的右手位,接过操纵杆。

听到巴塞罗那进近管制员的声音,指示他们下降高度,向五边方向转进。西班牙英语和勒特的英语口音也有差别,听起来还是勒特的美式英语正宗。欧洲各国既不像英国音,也不像美国音,是杂七杂八的别国英语。也许欧洲各国压根儿就不想说英语,这儿有法、德、意、西、荷等各国语言,历史悠久,骨子里对英语有抵触,只不过国际民航规定英语为标准语言,没辙子。

在进近管制员的指挥下,丙副驾驾机转了几个弯,进入长五边,切入盲降信号,边接近边下降,跟在一架 B777 的后面,平稳落地。丙副驾的体会:主轮落地时的感觉,好像是屁股也着地了。

## 10

当晚,他们降落在西班牙的古城巴塞罗那,机组和乘务员住进公司的订制酒店。

菊池静子还没安顿好,山田的电话不远万里追了上来。

"静子,这几天我又要回日本了,你要带什么东西吗?"山田在那头兴致勃勃地说。

真是醉了,山田要回日本,问她有没有东西要带。哈,她飞的日本线,三天两头回日本,在日本的时间比在中国的还多,还需要人家帮带东西?

"山田,知道我在哪吗? 今天飞的西班牙,刚落地。"她说。

"怎么飞西班牙啦? 是不是遇到什么情况,有麻烦,公司调整了你的工作?"

"我飞了十几个小时,很累,需要休息,不跟你说了。"

"哎哎,别挂机,是不是有困难?"山田急吼吼地说。

有什么困难? 没有,飞西班牙是因为表现优,奖励的,人家想飞还轮不到呢。可她不想说这个。沉吟了半晌,她说:"山田,有句话,我想还是早点说清楚的好,咱们是好朋友,但情感问题桥归桥、路归路,希望你能理解。"

"我不理解,我一直不理解。"山田在那头叫了起来,"我想跟你说,这几年,你变了。"

"我是变了,是不是变坏了,变拧、变倔、变拽了?"

对方敛起笑容,严肃起来:"不,你变得越来越不认识了,原来那个清纯得像月光一样的大阪姑娘不见了。"

"我知道你想说什么。"她狠狠心地说,"大阪和上海是姊妹城市,上海是有魔性、有魔力的地方,我在这里入了魔,中了魔性,满意了吧? 请你以后少打扰我,我忙得要死,没时间接待你,包括电话,莎悠那拉!"

不等对方说话,啪地一下切断了。

# 六、浮世职场

## 1

菊池静子常和中国人在一块工作、娱乐,读中文书报,观中文影视,汉语学习渐入佳境。

学习越深,越是觉得汉语名堂经多,容易闹糊涂,容易进入胡同拐不出来。机舱里经常用到的"厕所"二字,似乎简单无比,看着清晰,听着明白,但细究下去,却是学问无数,深不及底。有人将之称为厕所,有人称为盥洗室,有人称为卫生间,有人称为洗手间。洗手间?那是洗手的房间,但人家去上洗手间,其实不是弄脏了去洗手,而是上厕所。

有上海本地人说去马桶间,也是去办这件事。有的书上用词比较雅致,称为解手,或叫如厕。她还在一本书上看到"茅房""茅坑"等字眼,指的也是厕所。也有人说的话跟厕所一点边都不搭,说去"方便一下",方便的含义也是用厕。有人喜欢幽默,说去"唱歌",也是那个意思。有的文人雅士更是将之装饰化、美化,男用的称为观瀑台,女用的称之为听雨轩。有个寺庙甚至将卫生间冠上一个素称,为"净心阁"。如此寻章摘句,也不知道哪里是头。唉,光"厕所"两字,她就被弄得晕头转向,找不见北南。这就是汉语。

这天,菊池在航班上就遇到了用厕问题。

一个男人用完洗手间出来,她想进去打扫下,但一名中年妇女可能内急,抢着跨了进去,狠狠地将门反锁。这一进去不得了,过了二十分钟还不见动静。菊池等着心焦,竖着耳朵倾听里面响声,想等那妇女出来后立马进去清理。左等右等,只见进去,不见出来。近半个小时过去了,期盼中的那特有的真空抽水的声音始终没有响起。恐有什么意外,菊池将身体靠近洗手间的门,听听里面有啥动静时,突然"哐当"一声,那妇女大力将门推开。要不是逃得快,她几乎被门撞倒。她骇了一大跳,又退后一步。那妇女斜她一眼,眼望天花板,大摇大摆地走了。

菊池侧身进入,拿眼瞧去,地上一片狼藉,抽水马桶里满是卫生纸。她用劲按动蓝色的冲水钮,真空压力"咕啦咕啦"响了两次,没有反应,马桶里的污纸如同生了根的树,纹丝不动。很明显,马桶被纸张和其他物品堵死了。她来回试了多次,仍旧冲不开便池,一定是有什么硬货卡住了。必是刚才的妇女所为,不可能发生在她之前,否则她早嗷嗷叫了。但即便找到她,也不会认账,洗手间内没有摄像头,搜不到现行的证据。凭菊池的本领,一时半会解决不了问题,非得请相关技术人员来助阵才行。无奈之下,她锁起这间洗手间,请旅客们去其他区域方便。

她的小脸爆红,怀着忐忑的心情,报告了乘务长。柳乘务长打量了她几眼,不说什么。菊池垂着眉说:是我没处理好,扣我绩效吧。乘务长说:满飞机人,总有个别素质低下的,也不能怪你。菊池脸上绷紧的弧度缓了几分:总归在我辖区,我应该担责。这柳乘务长对她不太熟悉,说:这事先记下,回头再说。

菊池想想都要酩酊一场。昨天在查阅洗手间的汉语多样性,今天就来这么一道,活生生的教材。原来做乘务工作真没这么简单,绝不是递递茶端端水,还要有各方面的几把刷子。如果她懂得修理厕所堵塞故障,眼下的问题也不用麻烦别人了,可是她不会,估计许多乘务员都不会。

云霞经理呢,她会不会?她即使自己不会,也有别的办法。在乘务员心中,云霞是超人一样的存在,一切疑难杂题,到了她手上,如同儿戏般简单。想起她,菊池的心中暖洋洋的,也不知这会她飞哪儿?

## 2

一名日本男子,观察菊池很久了。

见她又从身旁经过,那男人用日语说:菊池小姐,你好。

她愣了愣,也用日语回答:先生,您好。她知道对方从她的胸牌处记下了她的名字。这种情况常有。

男子上下端详了她一番。她脸庞精致秀俏,水蛇般的腰身,来来往往端水送茶时的嫣然一笑,如樱花般灿烂,便趁机和她聊了起来。男子喋喋不休,她厌倦,不愿长待在某个旅客旁,还需要做其他工作,便打断对方,抓紧寻脱身之辞:先生还需要什么?男子温暖笑笑,虔诚地说:我需要你的电话号码,以便回日本后方便联系。她骇然:我们素昧平生,何必要留联系方式?男人慢条斯理地说:那不一样,这一聊,相见恨晚,现在不成朋友了吗?菊池眸光一沉,肃然道:先生,我在工作,请别这样打趣了。说完,便想拔脚溜走。

嘿嘿嘿,请留步。男子阴恻恻地干笑几声,拿他的三角眼朝前面的洗手间瞅瞅,狡黠地说:是的,你在工作,但我刚才看见你的工作了,现在洗手间坏了,我想使用,你怎么说?麻烦你去后面的洗手间。她说。男人蛮横地说:我完全可以投诉你,因为你工作的失误,带来旅客的不便!她黛眉深锁,细声说:我可以解释,这里面的情况比较复杂。哼,你相信旅客们有耐心听你毫无根据的解释吗?那是你一厢情愿!说着,男人忽然嘿嘿一笑,软下声调说:我只是留个联系方式,并无恶意,也许日后会用,也许永远都不会用,对你又没有什么损害,完全是出于对菊池小姐的敬重么。

被他这么又硬又软的一掰扯,菊池满头雾水。想想对方是日本同胞,就给了他个微信号,那种"LINE"的微信号,没给中国的微信号。男人还索要手机号,菊池说:我经常飞航班,电话难打,还是微信便当,有信息自然会回。Line的微信和腾讯的微信不同,只能在日本国内用,和腾讯也不兼容。

飞机降落日本。当晚,航班上要了微信的男子迫不及待地发信息给她,言词殷勤。已是晚上十点钟了,她想休息,面对他连发几条微信,出于礼貌,和他随意聊了几句。不料对方得寸进尺,说了许多肉麻的话。最后,他说:从第一面见到她,就心驰神醉,实在喜欢她的美貌和礼仪,咱们交朋友吧。

她开始不耐烦。如果不是白天在飞机上那样一个特殊的职业环境,又恰逢厕所故障那一杠子事,怎么可能随便给一个路人联系方式?对方又不是木村拓哉、金成武那样的帅爷。现在回想起来,对方长什么样都记不清了。想到这儿,她不再回复。但男人毫不气馁,似有无穷的精力,也有超级厚的脸皮,不厌其烦地编织漂亮的词句,种种诱惑的语言通过电波传送过来。

躺在属于她私人的香喷喷的小床上,辗转反侧。下了决心,刷地将对方拉黑。

第三天回中国后,将此事和当值的柳乘务长报告了。柳乘务长说:目前还没有收到哪个旅客的投诉,尤其是日本旅客的投诉,该怎么工作还怎么工作吧。

她又将事情告诉了云霞乘务经理。云霞听了,一笑了之,打趣地说:谁让你有一张妖精似的脸呢,被吸引的男人有坏料的,自然想吃"豆腐"。

吃我豆腐? 她惊奇地说。云霞说:不懂了吧? 就是想占你便宜的意思。这就是汉语的丰富性。她望着云霞风韵十足的迷人神态,一本正经地说:可是,我和师傅您一比,是小鸡比凤凰,差得太远了。云霞说:大阪女人和上海女人一样,都有水汪汪的特质。菊池娇嗔一声:师傅,我都难为情死了,快别嘲我了。云霞说:这个词用得好,新潮;这种事,你才遇到,以后还会有,要习惯。

云霞咳了声:没办法,人在江湖,许多事情由不得自己。一架飞机就是一个江湖,社会是大江湖,飞机是小江湖,总归都是江湖。


## 3


公司计划在东方绿舟举办龙舟赛,请各口子的年轻人参加。

乘务部负责文化活动的凌大姐找上了菊池静子:"这是一个太好的

机会,你是个实诚的姑娘,工作中一直受表扬奖励,大姐预先给你留了个名额。"

菊池近期被"厕所门"弄得伤脑筋,又遭到一位日籍中年男子的骚扰,情绪有些低沉,就向凌大姐鞠了一躬,垂头丧气地说:"谢谢凌大姐,我最近事情多,可能没有时间参加训练。"

凌大姐说:"不用多训练,只是友谊赛,一项文化娱乐活动,重在参与,人多热闹,图个气氛。"

她轻轻抖了抖眼睫毛,细声细气地说:"对不起,我可能真的去不成,将机会让给别的同事吧。"

凌大姐前脚离开,云霞后脚就到。菊池好奇地问:"师傅怎么来啦?"云燕组的核心人物,前段时间云霞又收了几个徒弟,其中就有外籍乘菊池静子。其实,菊池早些时候就叫她"师傅""老师"了。

"凌大姐请不动,只好我出马。"云霞随口说着,"不过,业余活动,去不去全在自愿,谁也没有强制的意思。"

"师傅,这段时间,我的时间紧,恐怕力不从心。"她嗫嚅着说。

"倒也是,你最近遇事稍多了点,需要收拾心情。"云霞嘻嘻说着,忽而话锋一转,"不过么,这次龙舟赛,实际是联谊赛,除了乘务员,还有机务、地服、飞行员,此外,还邀请了机场、空管的年轻人参加,蛮热闹,你实在没有精力参与,有人巴不得你高风亮节。据我所知,报名参加此次活动的外籍人士,队伍可以排到古北的黄金城道。"

菊池听到有飞行员、管制员等人参与,没留意后面的话,心脏就怦怦怦快跳了起来:"那个,您的意见是对的,既然师傅都去,我必须得去学习学习。"

"千万不要勉强。"云霞话锋一转,"外籍部是公司的一个部门,外籍员工,也是公司的重要成员,一些活动,如果少了你们的身影,就显得不那么完整。"

菊池唯唯诺诺。后来她得知,加西亚等实力型空乘宁可换了班头,也主动要求去,并且得到批准,参加了。

如云霞所言,因是业余活动,时间紧,参加人都有工作,不可能组织大规模训练,只是象征性地搞了一次集训,主要是教他们如何上船下船、怎么摇橹、怎么变方向等要领。

过了两周,联谊赛正式开始。一共三条船,每条船 20 人,经过筛选的参赛队员共 60 人,加上相关单位负责人,和凑热闹的各方啦啦队,有200 多人参加。现场彩旗飘扬,人头攒动,恍如过节。

三条赛船,每条船上男女比例一致,几家单位人员混合搭配,具体人员随机抽取,真正的联谊赛,谁胜谁负,都有不同单位的人在上面。输赢只在三条船之间,不在单位,参与单位都是赢家,又都是输家,比赛没有开始,结果已经出现:和局。

上船时,菊池瞥见秦风云也在,上的另一条船,和本公司的几名空乘和飞行员,还有其他不认识的十几个年轻人。她的船上都是生面孔,有飞行员、空乘,也有空管方面的管制员、机场的安检员等,几乎都没照过面。大家在自家单位的制服外面套上黄色的救生马甲,男的卷起袖子,女的盘起头发,相互间挥挥手。同一条船上的选手,笑一笑便成熟人,笑两笑已是"战友"。

菊池的目光不断地瞟向另一条船,眼巴巴地瞧着秦风云和别的漂亮男女混搭一起配合,没能抽到签和他在一个队,鼻头竟莫名其妙地涌起一抹酸涩。

开赛前,负责人讲了:"几家单位混搭,让彼此不熟悉的人在一块摇橹,在一块破浪,在一块冲刺,就是要体验随机团队的默契程度,也借机增进大民航系统单位与单位间的交流融通。"

龙舟赛结束了,在船上人员奋力摇桨、汗流浃背中结束,在岸边人员的疯狂叫喊声中落幕。秦风云所在队第一名,菊池的队第二名,加西亚的船第三名。其实,第一和第三只相差两米。众人对赛事的结果没多少感觉,兴趣全在活动本身。

比赛结束,活动并非结束,许多平时不易碰面的熟人忙着相互问候,脸上满是乐呵呵的表情。刚刚认识的青年人抓紧搭讪,相互扫着微信,交换着名片,方便以后联络。

菊池在人群中挤来挤去,无意中在寻找秦风云他们。远远看见他了,他已脱掉黄背心,穿着飞行白衬衫,正和一名着机场安检服的姑娘聊得起劲。她又走近几步,但不敢太上前,怯生生地在人群里瞧着他们绵绵细语。

"看什么呢?"菊池的后背被人一捅,惊回身看,是云霞。

她吓得一跳,脖根微红,忙说:"没什么。"

"偷看秦风云和别的姑娘说话?"

"明明不是这个样子。"她从脖颈红到小脸。

"告诉你,那姑娘是安检的欧丽亚,那可是个名人,经常上电视上报纸的,她安检的手法独树一帜,既严格准确,又柔情高效。"

"他们好像很熟悉。"她不自然地说。

"你怎么知道?"

"从秦机长脸上的表情看。"

"观察挺仔细,是的,他们是好朋友,挺谈得来。"

听说秦风云和欧丽亚是好朋友,挺谈得来,菊池的心咯噔一下揪紧,青了脸不吭气。

"静子是不是对秦风云有点意思?"

菊池的脖根更红了:"师傅怎么能这么说呢,没有的事。"

"那怎么对他那么上心?"她弯了弯眉毛,"嘿嘿,你那点心思哪能逃得过师傅的法眼。"

忽然,菊池傻乎乎地说:"我看秦机长的眼神,对欧小姐有意思。"

"嘿嘿,有意思又怎样? 大家可以同台竞争么,你也可以参加,就像龙舟赛,相互争个名次。"

"啊!"菊池脸色由青转红,"师傅,不开这种玩笑了。"

"这样,我们一块'围猎'秦风云,也好让那姑娘早点离开。"

"这个,不可以的。"

"我和风云是铁杆朋友,死党,没有什么不可以的,一块过去吧。"

菊池的双脚像钉子一样钉在地上,连连摇头:"不,不,不过去,改日,改日。"

云霞嘻嘻轻笑:"告诉你,傻丫头,秦风云即便喜欢她,但他们是没有可能的,只能是好朋友。"

"为什么?"她呼吸一窒。

"没有为什么,就像他和我一样。走吧。"云霞拽了下她的衣摆。

菊池愣住,木讷地跟着走了。

云霞咬着她耳朵说:"欧丽亚人长得美,名人,盯她的男人多,不但有飞行员和机务员,也有管制员和气象员,不过么,安检工作整天摸来摸去,单调、枯燥,哪有静子在天上威风呀。"

菊池的脖颈又开始涌起新的红晕:"师傅……"

# 4

加西亚从后面拍下她的肩膀,她又惊了一跳。"干嘛,加西亚?"她回头说。

"Profesora(布萝飞索勒,西班牙语,老师。)."加西亚对云霞招呼。

"注意,说中文。"云霞指指几个外籍乘。

"是,云经理好,大家好。"加西亚奔放地说。

"你们好,大家好。"另一个德国籍乘务员说。

云霞表扬道:"说对了,你们好! 不是你好! 你是一个人,你们是几个人,很多人,复数。"

加西亚食指一指:"我看见秦机长了,我们过去一下?"说着,大大方方走过去,大声打趣。

见几个外籍乘围上来,秦风云有意在欧丽亚她们面前卖弄几句,宏声问她们:"今天你们来参加赛舟,可知道它的来历吗?"

加西亚举手道:"我在网上查过,是纪念屈原先生开展的活动。"

"加西亚说得对极了。"秦风云说,"龙舟赛起源于我国古代的楚国。当时,楚国被秦国战败,屈原不甘屈辱,怀石投进汨罗江,许多人舍不得这位贤臣投江,纷纷驾船追赶寻觅,一直追至洞庭湖,仍不见踪迹,才确认他已亡。以后的每年农历初五端午节,南方各地都以划龙舟来纪念这位楚国忠臣。"

加西亚说:"屈原还是位诗人,好像写了很多老诗。"

"是古诗,加西亚了不起。"秦风云说,"屈原是我国浪漫主义文学的先驱,创作了《离骚》《天问》《九歌》等名篇。"

一个德籍乘说:"听说很出名,秦机长能不能读几句?"

"嗯,这个么,读了估计你们也不懂。比如,'青春受谢,白日昭只。'什么意思?"

几个外籍乘摇摇头,一脸困惑。云霞说:"我也不懂,只有你喜欢诸子百家的小夫子懂。"

"这是屈原作品中的语言,意思是春季来临,万物复苏。知道吗?哈哈。"秦风云说,"其实,纪念屈原的活动有两项,今天的龙舟赛只是其中之一,还有一项,就是包粽子、吃粽子了。"

欧丽亚见秦风云和几个乘务员说话,想走了。他有些败兴,回头对她说:"我送你回去吧?"欧丽亚说:"不用,你还有同事在,我也有同事,我搭单位的中巴回去。"伸出手和他握了握。秦风云受宠若惊,说:"再见,谢谢。"加西亚等几个外籍乘热情地和欧丽亚道别。

云霞说:"同为外籍乘,欧洲和亚洲人还是不一样,比如加西亚和菊池,一个爽朗,一个矜持,两种风格。"

加西亚问:"什么叫矜持?"

"就是含蓄的意思。"云霞说,"通俗点,就是比较稳重的意思。"

加西亚说:"有点懂了,云经理说我不够稳重。"

云霞说:"不是说你,也不是说欧洲人不够稳重,而是你们欧洲人的性格比较爽朗。"

"云经理是说我不够爽朗。"菊池幽幽地说。

"哈。"云霞笑道,"你们几个老外都钻牛角尖吧。"

菊池看着前面另有几个外籍空乘、机长穿梭在人群中,忽然问:"师傅,公司有多少外国人在工作?"

"这个么,大概数知道,至少六、七百人朝上吧。"

"啊,这么多? 以为只有一二百人呢。"菊池张了张嘴巴。

"我也是听机关的同事说的。你们经常在飞,外籍人士之间也不容易碰面。"云霞悄悄对菊池说,"还去不去跟秦风云聊聊? 或者待会晚上吃个饭什么的?"

菊池的脸颊复又泛上红霞:"师傅,我先走了,回去还有事。"说话间,秦风云和她们几个空乘挥挥手,登上飞行部的考斯特走了。菊池对云霞说:"师傅,您和我一块走吧?"

"你先走,我再看会。那边还有几个熟人,都是平时难得见面的,过去搭几句。"

云霞瞧着菊池俏丽的背影,归自笑笑。

## 5

秦风云参加完龙舟联谊赛,赶回家,匆匆收拾行装再出发。

白天好好的天空,傍晚却飘起了雨星,入夜,雨势渐强。今晚,他飞德国,同行的还有一位德籍的乔纳斯机长。

过安检时,来回走了遍,没有见着欧丽亚。今天白天龙舟赛上见过,光站着瞎聊一通,也没问她晚上值不值班。虽然晓得她心有所属,也总想碰碰面聊聊啥的。既然今天不在岗,等有机会再约,喝个茶、聊会天总不犯规吧。

飞机撤下轮挡,缓缓滑出。滑行道至起飞跑道间,准备升空的飞机一架连着一架,蔚为壮观。

听出声音了,今天塔台指挥起降的管制员是何雨丝,她的声音如天上飘下的雨丝,清脆柔和,给远道而来的男飞行员带去丝丝清润。

何雨丝在波道里对所有准备起飞的机长说:"天气中雨,空中不限,走不走请机组决定。"她用中文说一遍,又改用英文对外航机组重复一遍。

乔纳斯竖起耳朵听,从何雨丝第二遍英文指令中听懂了意思,双手一摊:"秦机长,你决定吧。"

秦风云征求他意见:"如果你来飞呢?"乔纳斯不愿正面回答,打趣说:"秦机长是公司有名的魔手,手艺了得,您的决定也是我的决定。"两名中籍副驾驶在旁轻笑。

"乔纳斯机长太幽默了,我们都是机长,一架飞机上的,级别一样,不存在上下关系。"秦风云扬了扬眉毛,"你们的加盟,增强了咱们的力量,包括人员和技术。"

秦风云驾机向前滑行,窗外的雨滴渐渐沥沥地滑过。他淡定地说:"乔纳斯机长,今天这情况,有飞机走的,也有飞机调头回去的,我觉得从雨和风的数据看,应该可以起飞,你觉得呢?"

乔纳斯细细地查阅了仪表盘上的数字,又望望窗外的雨势,颔首道:"我也觉得没问题。"

"OK,英雄所见略同,咱们起飞。"秦风云提起速度开到跑道端,将机头对准跑道中心线,加大油门至起飞模式,轰鸣着向前滑跑,起飞。在秦风云的手上,这架重型客机身轻如燕,轻飘飘地刺破云雨,向上攀升。

上了巡航高度,区域管制室的管制员发出指令:"沿航路左侧5公里前行。"秦风云驾机向左偏出,和航路保持5公里的距离向前。

乔纳斯像发现新大陆似的,终于忍不住了:"秦机长,为什么一飞入中国境内,许多时候要偏出航路几公里行驶? 有时向左偏,有时向右偏?"乔纳斯来中国飞行多年,有和其他机长同飞,也有作为责任机长单独和副驾飞过中短航线,经常遇见左偏、右偏航线的情况,碍于自己是外国人,不便问东问西,今天又遇见了,而且秦风云是个年轻开朗的机长,不禁好奇地问。

秦风云微皱了皱眉:"你遇到过几次?""数不清,遇到过好多次了。"乔纳斯说。"想听实话还是虚话?"秦风云慢条斯理地说。"当然是实话比较好。"

"那是因为中国人口多,而且集中在东部区域,准确地讲,是在黑龙江黑河和云南腾冲的连线以东,与之相对应,'黑腾线'东部地区的机场多,航路航线也密集。天路有限,许多还是单向的,空间不够,有时不得不向外偏开几公里,提高安全余度。如果在西部的新疆、西藏等地,航线比较稀疏,就不存在这些情况了。"

"哦,这好像有道理。"

秦风云用食指轻抠了抠前额:"我国和西方发达国家不同,你们的航班量基本平稳,而中国至今每年增长两位数,基数大,成长快,又是连续高速增长,一些保障手段暂时跟不上。"

"每家有每家的难处,贵国是发展中的状况,乘轿子的苦恼,西方各国眼馋都来不及。据空中客车公司预测,你们改革开放后一路狂跑,将在2022年左右成为全球第一航空大国。如果西方的航空市场有那么争气,我们也不用出来打工了。"乔纳斯说,

"乔纳斯机长,纠正你了,你们不是来打工,是来工作,你这样经验丰富的技术尖子,是我们引进的人才。"

"哈哈哈,人才引进? 秦机长这么说,是看得起我们,我太开心了。"乔纳斯爽朗地笑笑,"中国指挥官的水平不错啦,我们飞在航路上,前后已缩到十多公里的间距了。"

不知不觉飞了几个小时,秦风云扭了扭脖子,"乔机长,你来开,我去后舱。"

出了驾驶室,去乘务处喝点水,和乘务长及几个小空乘聊了几句。这班机上的乘务长及空乘大都是新面孔,包括一位德籍乘务员。最近,秦风云觉得有点乏,不知咋的,身体乏、心乏,铁硬的身板也觉得乏,真想去休几天假,已经五年没公休过了,想去附近的森林里、水岸边发几天呆。在国内,即使在附近,在长三角,美景胜景多得数不过来,许多地方都不曾到过。工作是做不完的,航班是飞不完的,今天结束了明天又开始,今年过去了明年复又来,为什么不去放松一下呢。

6

菊池静子今天不飞,休息在驻场宾馆。难得一天的余暇,在宿舍内习中文。

看了会中文版的《西游记》,觉得孙悟空了不起,腾云驾雾,一个跟斗翻了十万八千里。眼下,飞机日行万里,神话已走进了现实。《西游记》是她最喜看的一本书,来来回回看了好几遍,不识的字通过查字典,作标注,渐渐不陌生了。字里行间的意思,通过自学和请教同事,也明白了个十之六七。

下午,云霞老师召集她们几个外乘,一起集体辅导中文。这是云霞乘务经理答应他们的,每月无偿教一次中文,并解答她们提出的一些疑难问题。

这次,云霞亮出一本薄薄的书,名曰《三字经》。她给在座的几位每人赠一本。菊池双手接过,拿在手上,也有人忙不迭地打开翻看。云霞扬扬书的封面,中气十足地说:“学习中国的文字和文化,《三字经》是本启蒙的好教材,三个字一句话,共五十句,一千五百字,浅显易懂,朗朗上口,又有故事性,内容包含文学、哲学、历史、地理、天文、教育、人伦、道德以及一些民间传说。读下来,弄弄懂,受益无穷。”

云霞顿了一顿说:“我虽然没有秦风云机长那点古文底子,人家毕竟在复旦读过几年诸子百家的,喜欢跟‘之乎者也’打交道,但我真的喜欢《三字经》的故事性和知识性。这本书一千多个字,分为六个部分,每一部分都围绕一个中心,娓娓道来,十分有趣。这里,我随便抽几句出来念念:‘玉不琢,不成器。……犬守夜,鸡司晨。……头悬梁,锥刺股。彼不教,自勤苦。……蚕吐丝,蜂酿蜜。人不学,不如物。’听,形象生动,言简意赅。”

她饶有兴趣地沉思片刻。忽然,又接着念了几句:“养不教,父之故。教不严,师之惰……”并对几句话的意思作了解析,看大家的反应。

菊池眨了眨眼皮："三个字一句话,将道理讲清了,真的很神奇。可是,理解有点难。"

加西亚是西方人,对中国古诗文的理解毕竟隔着几座山,她跟着云霞的节奏,对几句话反复诵读几遍,对照云霞的解释,还是一知半解。她叹息着说："唉,好是好,还是难,这种书适合菊池读,也许不大适合我读。"

法籍乘务员萝拉前后翻了几页,差不多有五分之一的字不认识,如果没人解释,字面的意思就更不明白了。她闪了闪长长的眼睫毛说:"好像是压缩过的句子,比读《西游记》难。"

菊池抿嘴一笑:"我也很困难,如果没有师傅讲解,自己读,最多明白十分之一,但我觉得文句整齐,语言优美,西方文字可能无法做到。"

云霞端起茶杯,轻轻啜了口茶水:"毕竟是古代诗文,别说你们,就是我,拿到书本读起来,也觉得深奥,其中的含义也只能理解一半,后来对应着书本的注释和白话翻译,才慢慢弄明白。所以,我也是边学边卖弄"

菊池说:"秦机长读古书,可能水平高一些。"

云霞说:"可不是吗?他除了飞行,就是老子孔子、之乎者也了,按他的话说,《三字经》大开大阖,精巧深远,名堂经多了去。"

加西亚笑着摇摇头:"《三字经》,难,难懂。"

云霞仰了抑细脖子,温和地说:"不必害怕。文字相通,大道相近,认真去读,反复去读,就读得进去。你们今天能懂个十分之一,读着读着,可能明白了九分之一,读着读着,又明白了八分之一,过了一年,也许能明白五分之一,过了两年,明白了二分之一,三年后,也许全明白了。"

171

加西亚和萝拉等面面相觑，相视微笑。

过了几天，秦风云听到云霞教学《三字经》的消息，惊讶得下巴都快掉下来，说："这些老夫子教的课，你来教，还教老外？"

云霞淡淡地说："我不是专业人士，但至少算国内中等以上文化人士吧，如果连我都不能读，不能学，《三字经》还有它的价值吗？"

他摇摇头，又点点头："你这么回答，我无话可说了。"

7

云霞说的是宋代的《三字经》，自然宏丽，又饶有风骨，影响久远。公司从中得到启示，编了个现代客舱部版的"三字经"口诀，印成卡片，中英文对照，发下来了，既发给中国员工，也发给外籍员工。中外一视同仁。

相比正规的《三字经》，公司客舱部编的"三字经"，以打油调的形式，将员工的职业道德、个人品德、社会公道、家庭美德等几个方面，以三个字一句话的形式进行了编排，文字浅显，通俗易懂，既没有《三字经》那厚重的历史，也没有外国人不熟知的典故，通篇和员工的工作相关联，都是讲如何做人做事的。

菊池拿到印制在油光彩纸上的"三字经"口诀卡片，读了几遍，虽没有正本《三字经》的博大精深，却也朗朗上口，其中的意思能明白五六成。

她想，是不是和云霞经理有关？她教她们读《三字经》学中文，由此联想到为公司、为客舱部编部小"三字经"，易学易记。

很快有机会碰上了云经理。菊池嗫嚅着问:"师傅,公司的'三字经'是不是您创作的?"

云霞说:"跟我没半分钱的关系,我教你们读《三字经》,是帮助你们学汉语、学历史。"

菊池奇怪地问:"为什么您教我们学习《三字经》,公司就出台了新的'三字经'?"

云霞说:"世界上的巧事多了去,哪止一件? 公司能人多了,有领导,有机关工作人员,有一线员工,编点东西不是小菜一碟?"

菊池疑窦丛生地说:"真不是您编写的?"

云霞笑道:"不是不是,机关里编的,不骗你。"

秦风云偶然间看到客舱部编的"三字经",正反面瞧了两遍,想:倒是个不错的做法,许多想说的要做的东西,编在一张卡片上,随便翻翻,也有记忆,也有理解,时间长了,潜移默化渗入心和脑,也算"古为今用"了。仔细一瞧,觉得有些粗浅,有些直白,跟真《三字经》一比,技术含量差了十万八千里。前者一千多字,后者一百多字,土丘比昆仑。

乘务员培训日。精明能干的客舱服务部司马女总经理说:"新'三字经'口诀,是客舱部今年推出的一项文化创意活动,是基层和机关工作人员集体创作的结晶,虽然不是特别艺术,更不能和气势磅礴的大《三字经》相比,但接地气,贴近我们服务行业的主题。经过培训和学习,客舱部要进行考试,每个人要参加,考试成绩和个人的年度绩效挂钩。"

司马总经理瞧着台下黑黑黄黄的人头,里面既有中籍员工,也有外籍员工。她轻咳了一声,接着说:"考虑到做乘务工作的员工成分比较复杂,中籍乘务员主要考笔试,闭卷,外籍乘务员笔试内容占40%,口试占 60%，这个，中外有个区别，以后再慢慢考虑融合统一。"

语音一落，底下开始叽叽喳喳。有人小声嚷嚷政策不对称，不合理，有人交头接耳，相互嘀嘀咕咕。

司马干咳两声："既然是创意，难免有合情不合理的地方，或者有合理不合情的地方，大家如果有不同意见，可以当场提，我听听，便于下一步吸收改进，但有一点得申明，总体思路经过客舱部班子集体讨论决定，轻易不会再改变。"

一名近五十岁的老乘务长举手道："这次考试执行的双轨制，外籍乘简单、中籍乘务复杂——对不起，我绝对没有排外的意思，既然同工同酬，不，外籍乘待遇比我们高，为啥标准不一样？中籍乘要背诵，外籍乘只要朗读加理解？要不我们也朗读？整天飞，飞得云翻雾覆，晕头晕脑，回家还要洗衣做饭，侍候大人小孩，哪有啥工夫背书?"

"是啊，我们也想朗读，不想背诵。"有几个人附和。

"说得好，我估计这位乘务长的话代表了相当一部分人的想法，这些情况我们都事先研究过。"司马挥了下手，笃定地说，"但这样做不行，中外必须有别，否则拿你们和外籍乘比英语，同一条件下考英语，你们又要叫了。"

那乘务长说："我希望上面综合考虑，兼顾平衡。"

司马说："我们是要发扬民主，听听各方面的意见，不知在座的外籍乘有没有要说的?"

公司的几百名外籍乘，飞的飞，在国外的在国外，今天参会的也就十来个代表，不足二十人。听见台上台下的对话，开始窃窃耳语。

法国籍的伊纳从人群中立起，用不太流利的中文说："我们不行，有些字不太读得准，意思也不全明白，用死记硬背的方法也有困难，是不是让我们先学一半，明年再学一半？"

台下哄堂大笑。给她这么一切割，客舱部今年文化创意的活动就得拖到明年去了。

一名荷兰籍乘务员说："既然中外有差别，能不能中国乘务员考中文，我们外籍乘务员考英文？"

司马也笑了，说："那不可以，日结日清，年结年清，你们在中国工作，必须学中文、考中文。而且，对你们的标准已经放低了，中籍乘是笔考，你们重点是念诵，已经照顾你们了，但进度得同步。"

司马将目光扫到菊池静子，今天她不飞，专门来参会。在云霞的推荐下，菊池已作为外籍乘的典型之一来培养，许多会议及活动都请她参与。

菊池在众目睽睽中站起身来。原本她来听会，不准备说话，被客舱部老总点到，硬着头皮立起，对说什么心中没谱，只得窘迫地说："这个，新的'三字经'，我回去学了几遍，也还是有一些地方不明白，好像原来要说一句话，内容比较多，现在用三个字来表达，里面的有些意思要靠自己猜想出来。"

"你说得不错，这就是概括提炼，将语句浓缩，节省了文字。"司马话意一转，"但不是将一句话写成三个字，而是将比一句话还复杂得多的意思用三个字来表达，便于记忆。"

"是，司马总，我没意见了。"菊池说完，立马坐下。

一些外籍乘对菊池的回答有些失望。

司马心想：这些外籍乘，连白话中文都磕磕碰碰，倘若让他们学习古文,之乎者也,还不要命?好在公司的"三字经"口诀不是古文。嘴上却说:"总体就这么个思路,请大家相互转告,公司内网和微信平台也会提出相关要求,按计划推进。另外,要互帮互学,不同部门的外籍乘,可以分别请教中国乘务员。"

云霞作为外籍乘的业余辅导员,经常抽空来瞧瞧,教她们学中文,帮助解答一些疑难问题。说实话,她也没指望这些老外个个能讲一口流畅的汉语,和中国人一样生活和工作。虽然她们都是大学毕业,甚至研究生,许多还是不错的大学,比中国乘务专业毕业生的学历要高一等,有些在大学直接学的中文,但毕竟是外国人,除少数语言天才外,大部分人的汉语还是生硬蹩脚的。

她暗思:几百个老外不可能步调一致地能跟上客舱部的节奏,在外籍部的工作也是有上有下,有先有后,程度差得不是一点点。日、韩文字,受华夏文化影响,有同树异枝、同花异叶之处,欧洲列国,则泾渭而行,相差极远。如果能以点带面,优先培训出少部分顶尖徒弟,让他们弄懂汉语言,习惯中国人的思维方式,渐渐化入国内文化,才能最终带动更多的人融入中华人文圈。

外籍乘务员,许多工作时间在天上,在机场,或在去机场的路上,属于她们的休息时间又大部分在自己的母国,留在公司的空暇少之又少,想集中多数人学习培训、搞个什么活动,比啥还难。所以她要抓住关键少数,以点化面。

云霞对着外籍乘的飞行时刻表,拣出自己的档期,挑了些基础较好的外籍乘休息时,开个辅导课。这里有菊池、加西亚等几个骨干徒弟,加上其他临时有空被召集的,共有二十人,已是空前的"大班"。

云霞教她们,也视作自己在做功德。她真的很喜欢这些在华工作的外国人。

菊池一见到云霞,就被她的风姿吸引。她从内心钟爱做云霞的弟子,真心实意。云霞永远挂着一张笑盈盈的脸,而且,这个女人有神奇的功能,善于化解奇奇怪怪的"危机",真的如神女一样。如果蝴蝶会说话,也一定会说喜欢她;如果她是花,蜜蜂也会找上门;如果自己是个男人,说不定也是她的追梦人。

菊池庆幸来到航空公司,这儿有一大批人尖,像云霞、秦风云,还有许许多多,这些人有情有义有德,这是吸引她的原因。还有上海这座城市,这里的建筑、街道、车辆、饮食,无不引起她巨大的兴趣。还有文字,汉语文字,如迷宫一样,有求不尽的学问,追本穷源下去,也不知头在几万里之外。这个谜一样的国度,吸引着她和外籍部的同事在此工作和生活,久久不愿离去。有个日籍乘前辈,从九十年代来公司,至今都没有离开的打算。

云霞今天为解读新"三字经"口诀而来。

人来齐了,云霞说:"客舱部编制的以四德为主题的'三字经',是部里今年下的一枚重子,我就是参与者之一,但我是后来才加入的,虽然不能和古代真正的《三字经》相比,却也契合服务行业的实际。"

下面开始有人私议。云霞终于说真话了,她是参与者,或者是后期的审定者之一。原先她谦虚否认,说是机关工作人员的产品。没有她这个基层人的参与,那才怪呢。

云霞说:"大家不必以为怪,除了上万中国乘务员外,也有日韩泰及欧洲几国的数百名外籍乘,通过学习'三字经'口诀,不但能理解客舱部章程，了解四德精要，更是通过这种方式，教你们学习中文。"

接着，每人拿着一张精致的'三字经'中英文对照文本，云霞开始按"书"诵读和讲解。

有位西班牙的新乘刚会说"你好""再见"等字眼，今天不飞，临时跟着加西亚来听讲，没听云霞念完，已经没了方向。

加西亚帮着她的师妹说话："我们还好，大学里学过中文，但像这个小妹妹，没有专门学过中文，要参加考试，头就大。"

云霞说："既然是培训，当然要考试，这没有什么怕的，我陪你们一起考。你们有几个星期的准备，时间足够，希望大家考出好成绩。"

加西亚不无忧虑地说："还是有些地方不太明白，下个星期，云老师能不能再辅导一次，包括我今天带来的几个小朋友。我们可以交费的。"

云霞说："要看我的时间，我有时的确在外面讲课，但对你们一律免费。如果向你们收费，就不是你们的云老师了。"

她转而对那位西班牙的小朋友说："小妹妹急不得，语言这东西需要时间堆，需要积累，好好学，认真考，没关系。"

## 8

这种文化类考试，中籍乘务员只要花点时间去记，一般都能过关。上次会上有几个人咋咋呼呼，只不过是心态不平：外籍乘待遇高，考试简单；中籍乘待遇低，反而要背。话说过算数，真正去认真复习的，拿六、七十分不成问题，毕竟不是宋代那部典故《三字经》。

外籍乘务员可不一定了，尽管读起来朗朗上口，死背也背出来了，但这不是重点,重点是解析,三个字一句话的后面要加解释,是什么意思?朗读后要解释,笔试也要解释。百分之六十的外籍乘被考了个下马威。加西亚 58 分,萝拉 57 分,需要补考。

菊池上场还是吃力,口试成绩过关,笔试答错几道题,总分 60.5分,勉强及格。她唉声叹气地说:"呃,学中文不易,总觉得每天有进步,差不多了,真正接触到文字,需要写,还是觉得远。"她发誓要争口气,从此日读夜读。

考试分数公布后,云霞决定再做一次"三字经"口诀辅导,对那些不及格的外乘。萝拉、加西亚早早来到教室,还带着几个当天不飞行的师妹师姐。许多人提前换了班头,来听云霞的辅导。开讲前十分钟,菊池步入教室。

云霞说:"你都过关了,怎么还来凑热闹?"菊池说:"秦机长微信发的《论语》中,有一句'温故而知新',云老师开讲堂,机会不是常有,就来温故一下。"云霞说:"说得好,老的东西再学习,就有新的体会,这就是知新,请坐吧。"

云霞准时开讲:"这次考试,外乘中有大面积的人不合格,这不是客舱部的本意,是根据试卷结果得出的分数。客舱部的意图,是通过考试,通过'四德'这个创意主题,促进大家的中文水平有个跨越,也顺便了解公司的企业文化。"

加西亚不好意思地说:"不,是我、我们不争气,考得不够好。"菊池学着某位中国人说的一句话:"原来以为能够哆嗦一阵子,想不到上阵还是稀里哗啦。"萝拉羡慕地说:"菊池厉害,能说方言了,生动。"菊池说:"哈哈,这是我昨天在飞机上跟人学的一句地道话,记牢了。""地道里的话?"有新人问。云霞帮她解释:"不是地道里的话,是这句话说得生动、贴切、有特点,叫地道。"

说着,云霞运足气,带着大家朗读了几遍口诀,说:"朗读朗读,要读出声,朗得响,对大脑的记忆才有帮助。要是这样连续大声读几天,这132个字马上能背下来。"

加西亚等放开声又读了几遍,合上眼的时候,第一段已能背诵。"呃,真的很神。"她自言自语。

菊池欣慰地说:"我们不灰心,老师。"她已从师傅,改称老师,这是在公众场合。

## 9

周五的晚上,秦风云在家翻着《孟子》,又翻了几页老子的《道德经》。老子孔子孟子的书都是他读了无数遍的书,几本书的封面已经粗粝毛糙。那本十几年前买的《论语》封皮,散发出灰亮的光泽,按古玩学家的行话,那是"包浆"。很难想象,他这样一位技术超一流的现代飞者,业余时光和这些古书、古文泡在一起。按他自己的话说,这辈子就这么点破爱好了。

快十点了,心中莫名其妙地空荡起来,坐也不是,立也不是,不知从哪来的一抹孤寂的情绪在心中蔓延。作为调节,他打开手机的微信,浏览朋友圈,刷到安检女神欧丽亚的微信。她很少发朋友圈,今天不知哪根筋来电了,发了两张图片,也没文字:一只杯子和底碟,杯里的液体模糊,不知是咖啡还是茶;另一张江景照,卢浦大桥跨在江上。看架势是在黄浦江边喝茶或喝咖啡。他怀疑是她自己拍的,还是盗朋友圈的。

受此撩拨,他就手翻出她的号码,拨了过去。

只响了三下,对方已然接起。说明她不在班上,也在休息,或者看书。上次在东方绿洲遇见,她说平时也有点喜欢老子和庄子,也喜欢"道法自然"的思想,这跟她的工作性质似乎不兼容,也许,她想用这种浑然天成的思维,"庖丁解牛"的手法来理解安检工作?看来复古的年轻人不只他一个。

欧丽亚说:"这么晚了,有事?"他没想好更多的言词,脱口说道:"看到你发朋友圈的图片了,蛮好。明天周末,休息的话,有空去江边喝杯茶?"她怔了怔,当即说:"倒是不上班,怎么想起请我喝茶?有啥事体?""呃,也没啥事,难得周末休息,想请你去放松放松,不知请不请得动?"

对方又愣了下:"还有谁?""没有了。"他忽而反问,"你还想请谁?""没有。"欧丽亚干脆地说,"那好吧。"

听她答应,秦风云还是有些小激动。尽管晓得她已有主,马上要办婚礼,但人是独立的,即使已婚,出来喝个茶坐一会,也没啥关系。

翌日的江滨,风和日丽,游人如织。秦风云提前来到那家著名的饮店,选个临江的位置坐定。

准时,欧丽亚出现在门口。他起身迎接。

她闪进门时,后面跟着个伟岸的小伙,没有他秦风云帅,也是英挺冷峻的那种。欧丽亚说:"这是男朋友,他也休息,原本打算今天出来江边走走的,想不到你昨晚打电话,正好一块了。"

小伙子伸出手,自我介绍:"步晴空,在气象中心当预报员。"

秦风云的脸部瞬间僵硬。虽然早知她名花有主,但一旦她男朋友意外亮相,还是感觉像被打了一记闷棍,心下愕然。然而,秦风云好歹是位精锐机长,这点应变能力还是有的,嘴角一翘,已面带微笑地伸手相握:"久仰久仰,晴空……请坐,请坐。"

欧丽亚满眼春风:"我们步晴空一出门,天就好,你看今天,晴空百里,天蓝,水蓝,是出门的好时光。"

步晴空哈哈一笑:"不然怎么叫晴空呢。"

秦风云应付着说:"是啊,气象对我们飞行太重要了,没有精准的预报,飞行就没了方向。"

步晴空说:"不光气象,还有通讯、导航、监视等技术保障部门,当然还有管制指挥,共同支撑了飞行这个主体。"

欧丽亚说:"别忘了还有机场,值机、安检、地面车辆、场道保障等一大摊子,总之,航空是个大系统,缺了哪一环哪一链,都会残。"

服务生上来点单。秦风云说随便,步晴空也说随便。欧丽亚说,既然两位男士都随便,本姑娘做主,替你们随便一下。她稍微浏览了饮料菜单,就刷刷点下几样,交给服务生下单。

忽然,欧丽亚说:"风云机长比我们还大几岁呢,还没有敲定女朋友?"

"飞行忙,没时间。"他敷衍地说,想不到她提这茬。

"万花丛中过,跌在空姐美人堆里花眼了吧?"欧丽亚盯着他的眼睛说,"要不换换花样,来机场找一个? 我们安检部漂亮小姑娘一大片呢。"

秦风云眨眨眼:"这个……再说,再说。"

步晴空嘿嘿一笑:"今年我们气象中心过来几个学生,都是南大和南气的,其中两个女孩长得挺有灵气,要不要去问问,她们有没有主?如果没有的话,不妨聊聊。气象这门学问比较深,技术含量比安检高。"

"你是骂我含量低?"欧丽亚啐了一口,"别往自己脸上贴金纸了,跟管制一比,你们气象又是二等公民了。"

步晴空无奈地摇头:"也是,在管制面前,气象、通讯导航监视,还有航行情报,都失了光彩,管制老大,其他都是老小。"

秦风云说:"在管制员面前,我们也是老二。"

步晴空说:"可你们有待遇优势,收入高他们几个头,这样一想,心底就趾高气昂,说,管制管制,还不给我们打工?"

欧丽亚笑道,"晴空这人,就是好玩,跟他在一起,轻松,呃,还是说说风云机长,老大不小了,个人问题得抓把紧,到什么年龄办什么事,希望下次出来,我们是四人,复数,不是像今天这样,三人。"

步晴空一拍胸膛:"只要风云兄发话,咱立马行动。"

欧丽亚狡黠一笑,弯着头说:"风云肯定瞒着咱们,或者说还没到公开的时候,老实说,是不是有人了?"

"呵,这个——"秦风云脸一热,端起刚送上的热咖啡,说:"请,请,喝、喝。"

欧丽亚、步晴空和他轻轻碰杯。欧丽亚说:"喝咖啡,以咖代酒了,咖啡可比酒浓烈许多。"

面对暗恋的女神,秦风云心中像打翻了五味瓶,百感交集。原本今天是个难得的"二人世界",却意外加入了她的男友,她还反复催自己解决个人问题,一副热心大姐的姿态。真后悔约这么一趟。他手中的那杯,此刻已辩不清是咖啡还是酒了,只顾一饮而尽。

# 七、天下无山

## 1

当加西亚、萝拉等外籍乘务员为客舱部的"三字经"口诀考试焦头烂额时，这一头，塔台管制员何雨丝的压力山大，累得鼻子发酸，大姨妈改期。

有同学常逗趣地说她："累弯腰了吧，空中警察。"她嗤之以鼻："警察算什么？咱手上的活，可比警察难百倍。"警察指挥的车辆在地面，来来往往的车流一目了然，飞机在空中，难以目视，主要得依靠机器，外加人的眼睛、耳朵和嘴巴。她常说："咱管制员这活，姑娘当小伙，小伙当马牛。"

前几天，一位大她三岁的女管辞职了，原因是这女管在塔台上夜班时，整夜合不拢眼，已患上心理恐惧症。按理，管制员隔两小时换一次班，下来后可以在休息室打个盹，但这个女管睡质不佳，即使中间换下休息，也难以成眠半分钟，前段时间，她怀孕几个月的孩子流了产。如果继续干下去，她怕第二个孩子也遭此厄运。思虑再三，决定辞职。

这件事，对何雨丝触动蛮大，在她心中留下了一丝阴影。她的身体状况虽然比去职的师姐好,上夜班轮换休息时也能合下眼,但指挥压力无时不在,无处不在,真个"苦海"无边,回头无岸。

今天,她上白班。相比夜班,白班于人的心理,相对轻松。

悠悠白云下的天空,令人心旷神怡。她在机场制高点上工作,也觉神清气爽。按照流程,她指挥着飞机的起飞和降落。

空间上,和她业务交接的是进近管制员方向准,也就是说方向准将飞机在空中的长五边排成队,交给她,由她根据跑道上的状况,下达"可以降落"的指令。

跟飞行员排班一样,在塔台和进近当班的管制员,各有自己的排班系统,搭在一起的机会也是随机发生的。

和方向准在一块"搭桥",何雨丝又喜又恨,既刺激又紧张。紧张和他"工作移交"的原因是恐惧,接他手上交过来的飞机需要超级的智力和体力。

果然,入港的高峰来了。遇到这种超大流量的航班波,方向准异常兴奋,像全身注满了鸡血,刷地一下从位上立起,发出的口令铿锵有力,似乎声音也比平时高了几度,全力施展他"三边之王"的魅力,将天空中飞机的队形排得又密又严,仿佛再要插进一根针都困难。他就是这样一个人,话筒是他的武器,空中是他的战场,机群越是汹涌,越能激发他的斗志,情况越是吃紧,越能满足他磅礴的欲望。

一次的培训之余,何雨丝打趣地对他说:"你将队形编这么密,手笔这么重,下面人受不了。你以为指挥飞机编队去作战?指挥机队去天安门受阅?"他冷眉一扬,说了句时兴的话:"青春逢盛世,用劲正当时。"

密密麻麻的机队压到长五边上。晓得是他的出手,晓得他绝不会对一个女管手下留情,从来也没想过他会怜香惜玉。她抹一把前额上不断沁出的细汗,也从座位上立起,全力接手他手上"派发"过来的一架连着一架的飞机。

落地前的长五边上,一气连了七八架 A320、B737 型机。同类机型,尾流影响不大。方向准这货将飞机之间的距离压在了 6 公里以内。嘿,真当塔台管制员是神仙,真当女管制员是小黄牛吗?说啥也没用,既然他排过来了,她就得接住。

她用尽洪荒之力,发出一个又一个指令,让这七八架 320 型机快速降落。这样的速度,已经快到极限,几乎在前一架机脱离跑道的瞬间,后面那架机的主轮已经接地,接踵而至的飞机震得跑道疲惫不堪,不停地"吱吱"冒起白烟。似乎整个地球都在颤动。

几架 A320 型机着地后,接下来是一架 A330,再后面是 B777,都是重型机。

当 A330 准备接地前,前面那架 A320 在跑道上滑行的速度突然缓了下来,原本 50 秒之内应该脱离跑道,但它似乎忘了这茬,还在不紧不慢地往前滑行,根本不理会后机即将降落的紧迫。也不知道它的液压系统发生了故障还是其他地方出了状况,整整比正常脱开跑道时间迟了 10 多秒。

A330 机长离地 25 米时,发现了这一情况,已没有时间去考虑其他,对塔台说了句:"我复飞。"兀自加大油门,将机头往上一扬,来个低空通场。

几乎在千钧一发的同时,一向眼尖的何雨丝也提防到了这点,正想喊出"复飞"二字,波道被 A330 机长的话音抢了先,说时迟那时快,该机长边说着"复飞",边压下杆,飞机随即上翘,从 A320 的斜上方穿行了过去。这架复飞的飞机即时联系进近管制员方向准,绕场一周,重新加入长五边,再次排队落地。

何雨丝脸色刷白。按安全规则,一条跑道上不能同时出现两架飞机。这是管制员和飞行员心中的红线,碰都不能碰。眼下,A330 机长发现前一架 A320 还在跑道上磨蹭,唯一的做法就是先将自己的飞机拉起,脱离"危险区"再说。何雨丝和机长的想法完全一致,只是口令被他抢了先。

何雨丝干管制多年,和进近、区域管制员一样,当然清楚天天面对的现实:荧幕上移动的一个个圆点点,幻化出的是一群群鲜活的生命,电波里一句句急促的呼唤,传出的是一份份沉甸甸的责任。

她清楚,飞行员注重的是自己那个点,属于自己的那架飞机——客机、货机或公务机,管制员维系的是一个扇,一个面,一个立体空间,要同时照顾天上和地面的一群飞机。尽管如此,今天,她还是出了差错,指挥"复飞"的指令出口迟了,也许一秒,甚至半秒,是 A330 主动复飞,而不是她指挥的复飞。

为此,她必须面对种种责难。如果机长没有关注,直接将飞机降落会是什么后果?如果她没有发现,A330 机长也没有发觉,直至飞机落地也没有发出"复飞"的指令,后果又是怎样?如果以上两种假设都成立,而那架 A320 真的出现故障,在跑道上"趴窝",后果又会是怎样?实际上,三种情况都没有出现。A330 已主动复飞;她也及时发现了状况,也会下达"复飞"的指令,只不过被那机长抢先了行动;落地的那架A320 也不过晚脱离了跑道 10 秒钟。除了那架 A330 复飞绕场一周重新降落外,空中和地面没有负影响,一切正常。问题是,事后的追查者不会单看结果,他们会按几个"如果"的假设,一件一件核实,不会让你存那些侥幸的借口。

何雨丝不想隐瞒,立马将事情上报了值班主任,值班主任又层层上报,记录在各种值班日志上。即便她不报,旁边的监控席,她的副班也了解这个情况。这是她放单以来首次发生差错。

下班时,她急迫地打了个电话给方向准,口气从未有过的严厉:"晚上找你有事。"

方向准在进近岗位,也了解了这架 A330 复飞的前因后果,猜她必是为这件事找他,便沉沉地说:"好吧,你说地方,我准时到。"

"就在上次去过的那家咖啡店。"她一说完,就啪地按下挂断键。

## 2

约在上次和秦风云他们一块去过的咖啡馆碰头。

他摆出点姿态,男人么,先到了。一会,她冷着脸走过来。

他说:"进去吧。""不,不进去了,就在门口说。"她对着地下说。"哈,跑这么多路,在门口说?"他疑惑地瞧瞧周围。"对,就在这儿站着说。"

细瞅一眼,才发现她脸色苍白,缺少血色。他咽了口气,说:"进去,我请你喝一杯。"说着,想去拽她衣角。

她猛地闪开,愤懑地说:"方向准,准头好,三边之王,多能耐啊,天上那么多飞机,黑压压的,全被你安排了下来,还以为空袭珍珠港呢,人家喘气的时候都没有,别人干两个钟头的活,你一小时就干完了。哼,和平年代,什么是英雄? 我身边站着的就是位铁铮铮的英雄!"

瞧着这头温顺的小鹿发飙的模样,他忍不住嗤地笑了出来:"明明不是这么回事,人家不了解,你还不了解? 我干活一向那样,又不是头一回。"

她怒怼道:"你是标榜你能力强,效率齐天! 咱水平差,赶不上趟是不是?"

在她的冲天怒气前,他选择避实就虚:"我明明没有这么说。这件事么,你也是一时疏忽,不,实际是没有疏忽,不巧才落下的瑕疵。"

"哼,连续一个多小时的狂轰滥炸,嗓子都哑了,你是成心欺负我!"她今天变成了小母豹,句句话硬得像石头,"真以为你是进近的超级大V,宇宙第一强管制员? 这样顶,叫咱咋干活?"

"嗨,冤枉死我了。我干活原本就这德性,航班量越多越来劲,跟哪个塔台管制员'搭桥'都这样。"

"冤枉你了? 比窦娥还冤的人是我!"她几乎咆哮道,"我承认,今天的航班波太集中,有点忙不过来,要是换成其他男管制员也够呛,也可能有飞行员复飞。这样你是不是开心啦? 将自己的功勋立在别人的痛苦之上? 你这样干活,简直像一个疯子,进近疯子!"

疯子? 原先还在说进近之王,现在一下就成了进近疯子?

今天她成了刺猬,满身都是刺。她的几声吼,引起了过路人的注目。人们纷纷朝这边侧目,以为小两口或情人在吵架,个别好管闲事者甚至驻足观望,不住地朝他们指指点点。

方向准如芒刺在背,后悔答应出来见面。知道她发这么大脾气,打死都不来,晾她几天后就降温了。他和她只不过是同事加朋友,远没有到那个更亲密的层次,如此一来,给熟人瞧到,添油加醋一搅,倒像真有那么回事了。他上前一步,摆摆手:"嗨,就算我疯子好了,但是,别嚷嚷了,要么进去,小声说话,要么走远点去附近公园说,别在马路上、人家店门口声音响,路人瞧着呢。"

"我不管,就这么说。"声音总归小了下去。

他耐心地说:"这不特殊情况嘛? 也怪不得你。说起来,也是前面那架 A320 出了问题,差点趴下,才导致 A330 的复飞。"

"哼,不管怎么说,总是我当班,我差错,我手上的痛。"

"人偶尔有点痛,也不是啥坏事,痛点、捶打都是一种提升。"瞧着她幽邃的眸子,他的脸上抹过一丝不忍,"这次的事情并没有形成跑道入侵的事实,没有形成不良后果和影响,不过多了个复飞。外界不晓得,你又不是不晓得,像这种复飞,不管是飞行员申请复飞,还是管制员指挥的复飞,每周都发生,甚至每天都有,有什么奇怪的? 像汽车那样,只要开在路上,总可能遇到点事,关键是要正确处置,坦然应对。"

"哼,反正是我的责任,口令比飞行员的复飞晚。"她仍气呼呼地说。

"那以后快点不就行啦?"他弱声说,"别争了,覆水难收,事情已经出了,你火也发过了,进去坐会,我请你喝卡诺。"

"不喝,不进去,要喝你自己喝,老娘要回去了。"她话虽这么说,双脚仍踏在原地不动,一点也不像要回去的样子。

"嗨!"他跺了跺脚,没喝酒,倒要醉了。

每次见到她,都是温柔的小鹿,认识这么多年,从未在他面前说过重话,一向轻言细语,温顺似水,无形无状。今天,这破天荒的红颜一怒,换了一副嘴脸说话,让他发现了另外一个何雨丝,看着有趣,几乎被逗笑了。"从未见你吹胡子瞪眼,这下看见了,原来你发起火来是这样的,还老娘老奶呢,哈哈。"

她勾了勾唇角,仍板着脸:"谁跟你嬉皮笑脸!"

她今天吃了枪药来的,本想多加安慰,看来一下听不进去,得让她自然泻火。两个人就站在咖啡店的门口,僵着。半晌,瞧着她纤细的蜂腰,羊脂般白皙的皮肤,他说:"那你说该怎么办?"

"我活该,该罚!"她又蹦出句气话。

"声音可以再响点,没关系,我皮了。"他嘿嘿一笑,凑近她的耳畔说,"姑奶奶,我陪你继续站着,你喊,你吼,大声吼,我听着享受。"

她忽然意识到什么,哑住不吱声了。方向准借机软硬相劝,总算将她哄进了室内。

空气里氤氲着咖啡的香味,许多男男女女亲密地聊着,喝着,笑着。她也受到了感染,不和他置气了,毕竟在公共场合。

### 3

地面忙,空中忙,航空人,人人忙。

重型机大队长劝秦风云去休个假,铁打的身板也需要调整,不能成天想着飞,飞,飞,人需要有张有弛,整天像皮筋一直绷紧,会断的。那个谁说过,不会休息的人也不会工作。古希腊人有名训,连走三天路必须停下休息一天,否则就是抗拒那个天道。

秦风云想想有道理,这也是规章。飞机有航前检、航后维、停场保养,都是休息的意思。想到休假,即便是两三天的短休,对他来说也是件过分奢侈的事情。至于去哪里,公司提供的休养地供选择的不少,附近的就有杭州、厦门、武夷山、庐山、黄山等。看到"黄山"二字,他眼睛锃亮。也许太近,以为什么时候想去都可以去,一拖再拖,成为他七年前就想去而没去的地方,如果去,遂了愿。

忽而想到了两个管制朋友,方向准和何雨丝,尤其是那个女的,最近值班出了档啥事,不知什么原因,导致一架重型机复飞。

管制圈内、飞行圈内、民航圈内传得快。微信时代、飞信时代,发生丁点屁事,消息像长了翅膀,分分钟飞入每个人的耳膜。

管制员和飞行员类似于警察和司机,相互交集,有时互相扯皮,相互攻讦,有时称兄道弟热乎得像亲戚。这回,既然管制界发生了差错,作为校友、师兄,秦风云很想伸出那双热乎乎的手,帮衬一把,哪怕只是心理上的。何况,他和何雨丝、方向准几个是朋友,常有碰面。民航系统,飞管(飞行员和管制员)恋也占一定比例,有的是校友、朋友,有的是波道里的"冤家",吵着吵着,某个熟人做中介,吃顿饭,化干戈为玉帛,成了夫妻,男的在天上飞,女的在地面指挥,空地唱"双簧"。他的几个同事,就找了女管制员当媳妇,相互理解,倒也过得有滋有味。何雨丝这个塔台女管,无论是颜值还是情商,都值得飞行员去追觅,但他早已窥见个秘密,她的心思在另一个管制员方向准身上,方向准有没有意思不清楚,但她的橄榄枝似乎已经递出,只等方向准这小子伸手。

已经传出消息,A330复飞事件后,依照"安全隐患零容忍"的原则,何雨丝要求,离岗培训一个月,并扣罚一定的绩效。秦风云突发奇想,何不约何雨丝等几个管制员一块上黄山"休息两天"?抽个周末,他也将休假调成周末,一块上山,嘻嘻哈哈几天,在山水之间,将那点郁悒的记忆抹去、抹去。

拿定主意,马上落实。何雨丝是个美女,不能直接打电话,恐引起某些人的曲解,要打也打给方向准,他邀请方向准及何雨丝去黄山,再请方向准打电话约何雨丝,要是还有其他管制员愿意去也欢迎,人多不嫌,多多益善。他不禁为自己的创意得意起来。

秦风云顺手拨通了方向准的手机。这回,向来对管飞聚会粘粘糊糊、有所保留的方向准满口应允:"一直想去黄山观松石,近在咫尺,想了五年,没去成,既然风云兄有邀,恭敬不如遵命了。"秦风云一拍胸脯说:"青春作伴好还乡,还请秦兄约雨丝师妹同行,男女同行不寂寞。"方向准哼哈两声:"我打,我来打,但话说在前面,咱们一块上山,费用 AA制,各付各的,我可不想听人说,管制员揩飞行员的油。"秦风云说:"不提这茬,好说,好说,听方兄的就是。"

方向准也不含糊,就手打给何雨丝。不料何雨丝一口回绝:"我目前面壁思过,还在'服刑期',哪能去黄山潇洒!"他说:"也是秦风云的一片好意,还是考虑下吧。"何雨丝说:"聊其他的可以,这个频道关闭,就两个字,不去。"

方向准回复秦风云:"刚被浇了一桶冷水,她死活不肯去,算了吧。可能还在怨我。要不你跟她说说? 换张嘴,也许情况不一样。"秦风云说:"饶了我吧,你警察办不到的事,指望我这个驾驶员能办成?"方向准晃了晃脑袋:"她受此处分,视作奇耻大辱,她是逞强的女人,还没有从那事中走出来;我也烦着,这事毕竟与我有关。"秦风云忧虑地说:"你不会也打退堂鼓吧?"方向准叹道:"用不着激我,既然答应的事,我言出必践,正好闲个周末,陪你一块去逛一圈,那个,刘海粟十上黄山,咱一次

193

也没上,想想都汗颜。"

何雨丝去不了,秦风云颇感惋惜,嘴上却说:"大老爷们上山,更带劲,省得婆婆妈妈,这次咱大碗喝酒,大口吃肉,这件事这就这么爽快地定了,我立马订票,按期成行。"

云霞笑眯眯地找到秦风云,庄重地说:"我代表客舱部来的,找你谈点正事。"秦风云故作惊讶:"不代表你个人,代表公家,对不对?"

"正是,代表客舱部的分管领导。"她说得有板有眼,眼波迷人,"听说你要上黄山休息两天?好得很,也是破天荒地,这里,顺便有件事不知方不方便?"

他从她亮丝丝的眸中猜出了一丝不对,忙说:"不方便。""咦,我还没说,怎么知道不方便呢?""你的笑容太迷人,我反而害怕,恐里面有'坑',因为你是代表别人来的,来谈'正事'。""哈哈,要是我代表自己呢?""那还好说些,快,说实话。"

云霞挤挤细眉,敛去笑容:"有几个外籍乘,做了几年黄山梦了,也不知跟我和客舱部领导唠叨过几次了,想上去看看。我们呢,实在不敢单独放这些人生地不熟的洋姑娘们去,如果有你这个会点武功的护花使者同去,肯定会方便很多。"

原来如此。他直接怼道:"可是我不方便。"

"为什么?"云霞弯着嘴巴问。

"我不想惹麻烦,因为在半天前,我约了朋友,和管制员朋友一起上山,如果后面跟着几个外国姑娘,相当的不方便。"他理由十足地说。

"怎么不方便啦?她们也是成人,有手有脚,能走会爬,上山是要你们背还是要你们抱?"她啐道,"想得倒美,真还轮不到你抱!"

194

他无奈地说:"主要有其他朋友在,校友,管制员,指挥我们的。""是男是女?""当然男的。""那太好不过了,有了女伴,男女同行,旅途愉悦,说不定还会有故事呢。"

秦风云连连摆手:"打住,打住,我可不想,从来不想,中国人同行就行了,不要老外。"

"老外咋啦? 老外也是人,也是公司员工,需要一视同仁。哎,时代变了,真看不懂了,换作三十年前,多少人想贴老外的臭屁股? 现在,哎,不说这个了,还是捎上吧?"

"不捎,麻烦。"

云霞转了个身,刷地板起面孔:"告诉你秦风云,不是你想不想捎的问题,这是组织上交给的任务,不捎也得捎,捎也得捎,带她们感受黄山,感受中国,你得发扬国际主义风格。"

"哇塞,我一下上升为白求恩同志了。"秦风云说,"怎么越听帽子越大了?"

从她一闪一闪狡黠的眼波中,秦风云觉得此事有些蹊跷。带外籍乘上山不一定是单位的旨意,客舱部领导事务繁杂,千头万绪,不可能为这个小事找他,也许单位根本不知道,是她个人的心思,狐假虎威。说不定里面还有她徒弟呢。这段时间她连续收了几个"洋徒弟",既带工作又教中文,她倒有些像"国际主义战士"了。

转而一思,是她个人的愿望又怎样? 在这个神女面前,他历来只有屈服的份。她黑下脸,他只有举手投降。这一回,他也逃不脱举白旗的命运。

见他应允,她又露出惯有的迷人笑靥:"也不问问去些什么人?"

外籍乘几百号人,和她熟稔的至少二百人,怎么猜得出?心下想着,嘴上却说:"两条腿的青蛙没见过,两条腿的女人,去谁都一样,只会增加负担,哎,既然答应了,妖怪也捎上了。"

"客舱部可不出妖怪。嘿嘿,全是你相识的。"

"那肯定是你门下的'五朵金花'。"

"没有五朵,只去三朵,加西亚,萝拉,以及菊池静子,一共三朵,也不多去。嘿嘿,帮你挑过,搭配好的,西方、东方美人都有了,岂不美哉?换作别人,想都不敢想呢。"

"哈哈,都是你的死党。她们有空,不用上班?"

"话别那么难听。"她也不生气,"有的碰巧休息,有的专门和人换了班头。听说上黄山,起码激动得提前三天睡不着觉。"

他忽地说:"我才不管她们睡不睡得着觉,我想你去,你咋不去?"

"我早已老太婆了,没花头,哪比得上她们几个年轻人。"

盯着她嫩得能掐出水的脸蛋,他由衷地说:"要不,你也去,人多热闹,带她们几个一块上山飘一把?"

"我要是去了,还来求你?"她娇嗔一声,"小子,这次,你不是去休假,是上山做神仙。"

## 4

秦风云、方向准两个大男人带着萝拉、加西亚、菊池静子三个外国姑娘上黄山,本身就是一道风景,一路引来无数路人羡慕的目光。

五人乘索道车上山。

外面白茫茫的一片,啥也看不见。山区多云多雾,一年三百六十天,天气好的时光也就一百来天,其余的不是云就是雾,不是雨就是雪。风景上佳的黄山如深闺中的美人,轻易不露面,怕露多了头会失去她的高贵与诡秘。

坐在上升的索道车里,满眼的雾,人像跌进了巨大的棉絮里,也似走进了迷茫中,不但山峰,连近处的树木都不见了影子。到了索道尽头,迷雾渐渐散去,露出各处断断续续的山峰,只是黄山山腰以下还锁在云雾中。

面对当前的天气,同行人群中,有几位多次来黄山的老法师,建议先去栈道,去梦幻栈道吞云吐雾一番。秦风云几个初次上山,完全自由行,没个主见,撞到哪是哪,听人一说,跟着就走,反正哪都没去过,去到哪是哪,到哪都是新。贴在他们后面的三个女郎,嘻嘻哈哈的紧跟,充满着稀罕与新奇。

踏上梦幻栈道,如同走入梦境。人好像荡在半空中,一边是绝壁,一边是深渊,云罩雾绕的群山,隐隐若现,抱着琵琶半遮面。

走上十几年前修成的栈道,加西亚她们感觉轻飘飘的,一会儿云开日出,远山近石皆是景,一会儿飘过雾来,遮望了眼,雾中云中空气中,犹如春闺梦里人。

秦风云来之前读过许多关于黄山的描述,到了实地还是觉得那些记载和描述太肤浅、太抽象,刘海粟的画也不足以展现黄山美到骨子里的精彩和神韵。黄山就是黄山。

忽然,萝拉拖着哭腔说:"啊,黄山比阿尔卑斯山还神。"

"忍着,别被美翻了,哭出来。"秦风云对她说,"其实,黄山自古就在那儿,用不着人夸。"

方向准说:"阿尔卑斯山和黄山相比,是那么的平凡、平淡而又平庸。"

秦风云对着三个女人说:"告诉你们吧,黄山是离仙境的最后一程,过了黄山,往上,就是神仙之境了。"

"可是,什么是仙境,仙境在哪里,谁也没去过。"加西亚说。

菊池静子不声不响地跟在后头,踩在棉絮状的云雾中,不禁忆起《西游记》里描写的"祥云朵朵,紫气东来"的词语,忽然说:"《西游记》里写的,可能就是这种景象了。"

秦风云说:"也不知明朝的吴承恩上没上过黄山,倘若来过,山景描写定会更出彩。"

加西亚长睫毛一抖,说:"听人说,登过黄山,天下无山,以为说大话呢,这儿才看一会会,就觉得不得了。"

走过栈道,走步道,登石道,跟着前面人走,跟着感觉走,条条道路皆为景,走哪条都一样。

远处的天都峰渐渐褪去蒙羞的雾罩,在及腰的云雾中隐隐露出了真面目。极目远眺,烟雨乍收,云山相接,巧石献奇,披霞驭凤,实有"登峰造极"之势。

秦风云说:"奇松、怪石、云海、温泉和冬雪,称为黄山诸奇,擅自不同,各有千秋。这就是黄山。"

在几个外国女眼里,黄山已不是一座山,而是一个秘密,是一个神话,是一道仙气。

霞光万道,层林皆翠。望着天都峰整个露出峥嵘,两位西方女郎激灵地跳了起来。萝拉抑制不住内心的激动,就近抱住方向准,双脚往上一蹦。

方向准被对方这突然的一抱,没了方向,又惊又羞,脸红到耳根。

秦风云经常驾机出入欧美,见怪不怪,淡声说:"西方人的表情,抱一下,不碍事。"

秦风云怕一旁的加西亚依法炮制,也来拥他一拥,快点滑脚至菊池身旁,菊池趁势挽住了他的手臂。他一怔,也不马上挣脱。果然,加西亚见他退至菊池身后,张开双手对方向准说:"让我也抱一抱,管制员哥哥。"

方向准一步闪开,脸更红了:"不,不习惯。"

菊池瞧瞧秦风云,眉眼弯弯,抿嘴轻笑。

5

黄山假日第二天,几人商量着,决定放弃一些次要景点,直抵天都峰。既然上了黄山,何不爬一爬最雄奇险峻的天都峰呢。

天都峰太过险要,路也是这些年慢慢开凿出的,许多游客只限远眺,不敢登攀,留下几多遗憾。他们五人决意过把瘾。好在天公作美,当他们累得双腿肚转筋、异常吃力地爬至天都峰山腰时,菊池的眼眶已蓄满泪水。

秦风云偶然转身,瞥见身后的菊池梨花带雨的模样,想随口说句:"怎么啦?"幡然醒悟,终于将这句话咽了下去。他清楚,菊池是被这座山感动到了。激动得热泪盈眶,或许就是她这种状况。

她望着秦风云,嘟哝半晌,终于飘下几朵泪花。

"对不起,让您见笑了。"她说。

"不光你,我也被打动了。"他幽深地说,继续返身向上。

她大步跟上,几乎和他平行而登。爬山迸发出的热量运行到她脸上,变成了一层红潮,如金光拂面。秦风云蓦然回首,发觉她红霞扑面,艳如桃花,娇而不媚,不禁心中一荡。由于挨得近,一股极细微的淡香随着山风的吹拂潜入他的鼻孔。

秦风云不自觉地往她贴近,两人几乎挨在一起,菊池又想去挽他手臂,伸了几次手还是不敢。加西亚和萝拉边走边围着方向准唠个不停。这是他们第二次集体活动,上次在一起喝过咖啡,也是和秦风云他们,这一次上了黄山,大有"老朋友相见之欢"。两个欧洲女一会用中文,一会用英文,向他问这问那。方向准英语也还过得去,在管制岗位和外航机组通话用的就是英语,英语语境不错。但在旁人耳中,他们的对话显得滑稽,中文中夹着英文,英文中搀着中文,想想都好玩。

方向准长这么大头一遭被两个外国女孩围着登山,心中恍惚,看走在前面的菊池和秦风云亲密地聊着,心中稍定。加西亚、萝拉一左一右将他夹在中央,他很有点不适,却也夹带着一些新奇。萝拉觉得他高大英朗,又得知他是进近管制室的三边之王,崇敬之情由衷触发,不断地和他聊着飞行和管制的话题。山路窄,人与人贴得近,方向准两边都是女人,有时还不自觉地碰到一起,肌肤相触,他赶忙往后缩缩,但还是逃不出她俩的包围。

忽然想到了何雨丝。虽然那次"复飞事件"不是他的错,但她和他"搭桥",是他将那么密的队形交给她的,如果换个进近室的其他管制员,不是他当班,或许就避免了那档子事,"吾虽不杀伯仁,伯仁由我而死"。想想她在培训待岗,一个月后还得考核上岗,心里不由得抹过一丝悲悯。心念及此,他做了个手势请两位美女先行,从兜里掏出手机,给她拨了个电话过去。铃震了十几下,无人接听,自动挂断了。也可能她在培训学习,或有其他事,不方便接电话。待会她看见,会回过来的。

暮色降临,晚饭在山上一家蛮有特点的小餐厅吃,点了当地特色的皖南菜。还是没有何雨丝的声音。方向准吃得心神不定,又打一个过去,还是没人接。要么在洗澡,或者在外面和朋友吃饭办事,手机落家里了? 应该不会,现代人,手机比啥都重要,宁可丢钱包,也不愿丢手机。看来她这次真的负气了,负大气了。有的人一般不动怒,一动怒,就是红颜大怒。吃过饭,眼见过了八点半,他起身伸了个懒腰,说:"今天累得骨头都散架了,想早点休息了。"秦风云忙说:"休息、休息,走,起身。"

回到房间,方向准忙不迭地掏出手机看,还是没有何雨丝的回电和微信。他满身的疲乏和沮丧,皮鞋往后一蹬,狠狠地仰在席梦思上,洗都不想洗了,要是能睡过去就这么睡了。

房门咚咚响了两下,加西亚和萝拉的合声响起:"方先生,外面星星闪亮,出去看星星吧。"

他慵懒地起身,打开房门。三个外国女郎穿戴整齐地立在门外,秦风云跟在后面嗤笑:"明天下山了,怕很难见到这样的星星。"

方向准苦笑笑,无奈地摇摇头:"服了你们了,等我一会。"

一行五人步出宾馆,来到远离灯光的一处巨石旁。

# 6

是月色,不是星星。月光如水,清晖泼洒,黄山诸峰,如沐银霞。如此皎洁静谧的月色,隔开了聒噪与喧哗的世界,是城市人不敢想往的奢侈。

五人团坐在巨石上,享受着满世界的银辉,谁也不愿打破无边的宁静。菊池想:人世间最浪漫的事,就是静静地看月亮,就像今夜。奥黛丽·赫本仿佛说过:我不会试图摘月,我要月亮奔我而来。

也不知过了多久,秦风云幽幽地说:"每天飞机上过,多少次飞过黄山,多少次俯瞰,看不真切,想不到上得黄山,还是出乎意料,黄山,有神话感。"

菊池接口道:"美得一塌糊涂。"

加西亚说:"美得难以想象。"

萝拉说:"美得眼花缭乱,这个成语我刚学的。"

到了室外,方向准的心绪阔达多了。全身被这银色的月光一披,像洗了个澡,神怡心旷。心中仍在琢磨何雨丝的事,平时在单位也常和她碰面,都是她随的他,他搭足架子,有时甚至爱理不理,想不到这次上了黄山,心中放不下的竟是她。

瞧他神不守舍的模样,秦风云半眯着眼说:"方兄弟在想啥呢?"

方向准微微一颤,当即牵回思绪,慢悠悠地说:"我在想,你们在天上飞,咱在地面指挥,需要多少设备?比如这黄山上,就有导航台,为你们引路。"

202

"黄山也有导航台?"秦风云问。

"这有什么可吹的? 每几百公里,就有一个信号台,为你们发射信号,指引航向。还有雷达,全国覆盖的雷达网,时刻监视着天上飞机的动态,还有卫星,还有通信,还有气象……想想看,你们飞在上面,下面多少设备,多少人马在为你们跑龙套,为你们打工?"

"说到这里,我真的佩服你们搞管制、搞设备、搞气象的了,当然,还有航空公司和机场的机务、地服等等……"秦风云说。

"没有地,就没有天。"方向准得意地说。

须臾,秦风云贼溜溜地说:"跟你开句玩笑,真想找个女管,飞管恋,我飞,她指挥,但这似乎又不可能。女管制员本身就稀缺,比如何雨丝,多好的管制员,但她的芳心已在方兄弟这头,别当我不晓得噢,民航大的同学,校友一抓一大把,怎能不透风?"

"别瞎说,我们是同事。"

"同事同事,谈着谈着,同着事着,不成事啦。要不我打个电话问问,这次怎么不来?"

"请便。"方向准举头望月。

秦风云的目光转到周围几个外籍乘身上,说的话又往回缩:"还是你打吧,问她是不是在家后悔着? 黄山这么浓的月色,这么秀的夜景,只有梦里有呵。"

方向准瞟瞟加西亚和萝拉,又瞥一眼紧挨秦风云的菊池,用半沪语说:"嘿嘿,中外搭配,弗是更有咪道? 娜公司又弗是么先例。侬既已跌进百花丛中,窝边草鲜得很,何不近水楼台,狂吃一把?"

秦风云说:"问题是,阿拉对老外呒兴趣。"

"哈哈,兴趣么,可以慢慢叫培养滴。"

菊池、萝拉、加西亚削尖了耳朵,也没听懂他们说的半句话。听两个男人哈哈笑着,她们也不明就里地跟着讪笑一通。

笑毕,加西亚不由得问:"刚才你们说的是中文吗?"

方向准快意地说:"当然是中文,不是西文,也不是日文、韩文。"

加西亚说:"我们怎么半句话也听不明白?"

"因为中文除了标准的普通话之外,还有许多地方话,也就是方言,比如上海话、浙江话、江苏话、安徽话、江西话、山东话、福建话、四川话、广东话……每一个省的各个地县,甚至村,都有自己的方言,也叫土话,以浙江为例,方言千差万别,杭州人听不懂宁波话,温州人觉得义乌人说的是外国话……这个,就更难了。"

萝拉惊讶得合不拢嘴:"那,得有多少种语言啊?"

秦风云说:"起码几百种,当然,北方话相对和普通话接近,好懂一些。"

"几百种?"菊池揉了揉她娇小的耳朵,说了句英文:"My god."

## 7

何雨丝成心不接方向准的电话,是在赌气。和他闹别扭、怄气,是破天荒的第一回。

"复飞门事件"使她蒙受了羞辱,竟然在岗位上出了错。实际上,只要是人,总会出错,不出错,就是神了。在业内,也有百万分之一以下的容错率,在这个指标内的差错,是可以容忍的。一时的出错不可避免,关键要有纠错机制,所以,岗位之间有主副班,副班就是监控和纠错的。管制员和飞行员之间也能相互纠错,加上机器设定的自动告警功能,多道保险,实现融错纠错。

她这次的岗位培训,得重新学习规章,重新模拟机训练,热饭冷饭一起炒。这些,她都通晓,平时也印在脑子里,但这样的培训就是要使人冷静下来,重新思索法规章程,重新忖量岗位的险恶程度。有人早就说过,对年轻人说一千道一万,不如让他结结实实摔两跤,成长中的台阶,半步也不能少。但这样的摔跤,谁都不愿要,也吃不消。

不接方向准的电话,何雨丝的内心也是悔恨与懊丧的。方向准是她钓了几年的那条"鱼",对他一直温顺有加,对他说话连高声调都不敢,这次怎么就无名地发起大火,而且一发不可收拾,从斗嘴吵、拒上黄山,到拒听电话,一系列的暴虐行为,连她自己都感到荒唐,连自己也不相信,竟是她所为。

冷下来细思,事情犯了,处理结果也出来了,确是自己慢了一秒,或者半秒,怪不得别人。"三边之王"一向这么干活的,风风火火,尽情挥洒,哪管别人死活?以前不是没经历过,这次怎么就犯浑呢。

她现在开始懊悔。窥见秦风云、方向准他们晒在微信上、挂在朋友圈的图片,黄山美景,鬼斧神工,天下无双,实在应该跟着走一遭。她原先不想翻他们这几天的微信,第一天忍了,第二天忍了,到他们下山回程的第三天,还是禁不住,鬼使神差地瞅了眼,才发现黄山之险奇,天下独绝。

这还不是要点,最主要的,这次去的,两个男人后面跟了三个外籍女乘,才子佳人,檀郎谢女,什么日本的、西班牙的、法国的,几大美女一路陪伴,从集体照上看,一个比一个靓,要知晓,人身在外,尤其在旅途,男女间最容易擦出火花,况且中外组合在民航界也有前例。屡次想回个电话过去,又不甘心,如果自己一软,等于这几天的气白憋了。

客舱部脑子糨糊,咋能安排几个外国女郎和他们一块休假?是信任他们还是考验他们?谁出的馊主意,万一出点事如何是好?噢,想起来了,秦风云几次说,他不喜爱外国女人,但方向准可没说过,这家伙一贯别出心裁,外国女孩又奔放轻佻。这些天她一直担着心,一天比一天惊心,人不在山上,心却在山上,几个晚上都没睡踏实。

接到了方向准的电话。他一下山,就来电,约她出去喝杯茶,顺便带点山上的小特产给她。她的声音还有点冷,心里却乐开了花,嘴上"嘤咛"一声应允,心忍不住咚咚直跳,差点断的线又终于牵上了。既然人家有诚意,赶紧顺杆子下。一番收拾打扮,赶去赴约。

## 8

老飞小飞们日子的步调走得飞快,一晃眼又到了周末和月末。

为调节紧张的飞行生活,客舱部决定组织单身员工搞一次活动,内容是裹粽子。按照中国人的老传统,端午节吃粽子,但传至当代,粽子作为一种美食,除端午外,过年过节都时兴包粽子,吃粽子,平时店家也卖粽子。沪杭高速路的几个休息站,就专门设有卖粽子的柜台,将现场煮熟了的热气腾腾的粽子剥了售给过往的司机和游人。现代意义上的粽子,已不是一种纪念产品,而成为了一道美食。

菊池、加西亚、萝拉等外籍乘,上次龙舟赛上听秦风云谈过屈原和粽子,自有极大兴趣参与,早早报了名,提前换了班,调出时间,和中国的乘务员一起参与裹粽子、煮粽子、吃粽子。

今天的食堂春色满园,莺莺燕燕花红柳绿。菊池、加西亚、萝拉等围着云霞,云霞是个大忙人,为了几个心爱的弟子,专门调了班头赶来。明星般的她一到场,气氛更浓烈了。

"粽子是竹叶子包的吗?"萝拉好奇地问。

云霞拎起一片粽叶,扬了扬:"不是的,毛竹叶子没那么宽,这是专门裹粽子的一种叶,形状像竹叶,但比竹叶宽大,是农民专程从山里采摘下来的。"

加西亚歪着脑袋问:"山里这种叶子很多吗?"

云霞说:"应该不少,但上海这边不多,最近的也要去浙江附近的山上采撷。"

加西亚说:"要从外地运过来,成本也很高呀。"

云霞说:"正宗的粽叶是这样,不过,现在包粽子也用其他叶子代替。"

"我们今天用的粽叶算正宗吗?"菊池说。

"当然,厨房专门从外地采购的。"云霞回答。

"哦,我们要珍惜了。"菊池说。

后勤部门已预先准备了糯米、赤豆、栗子、猪肉等生料,根据不同搭配,分赤豆粽、栗子粽、肉粽等多种品种。说话间,部分原来包过粽子的空乘已动起手来。菊池几个望着旁边人的样子,将两张叶子合并卷成喇叭状,将拌好的糯米注入,加上赤豆、栗子或猪肉,再裹起来,外面扎上线丝,一个粽子就完成了。

依葫芦画瓢的事,说难难,说简单简单,差别在于粽子个头的大小和美观程度。

客舱部以姑娘为主力,也夹着少部分男乘,说说笑笑,嘻嘻哈哈,热闹异常。这么多人在一起,既是一项集体活动,也是对南方文化的感知。

菊池隔壁的三个空乘,不知聊到什么事,讲起了被认为是本地土话的沪语。其中一人说:"夜道到啥地方去白相?"

另一人说:"弗晓得。"

菊池头大了。虽然是汉语,就是不懂。这"天书"比郑总讲的《离骚》还深奥,对她,对加西亚、萝拉及一干外籍乘,犹如听外星人在说笑。

云霞拍拍她的小肩,用普通话说:"粽子快裹完了,走,去瞧瞧怎么煮的。"

煮粽子比下饺子简单多了,扔进一大锅烧开的清水里,煮熟煮透捞出来就是了。

煮好了粽子,客舱部准备送一部分给飞行部,表表心意,毕竟两部门是一根绳上的两个蚂蚱。云霞去,菊池、加西亚等一班人嚷着一定要跟着去。年轻人精力旺,想去,就一块去呗。飞行部里许多机长、副驾驶在用餐,见空乘送粽子来,连竖大拇指。但菊池的杏眼扫了一圈又一圈,也没瞧见熟人。

当晚,秦风云的航班落地后,菊池打了个电话过去。自黄山观月后,秦风云不排斥她了,渐渐变得接近,进驾驶舱送饮料,也不会再被撵出来。

"粽子吃到没有呀?"她说。

"没有。"估计他有点累,不阴不阳地说。

菊池急得连跺脚:"怎么没吃到?我们包了一下午,送了很多过去,说是专门留给今天飞夜航归来的飞行人员的,怎么会没吃到?那我再去包。"

话出口,才懊悔,食堂里收摊了,到哪去弄粽叶、糯米,还有配料?不料对方扑哧一笑:"飞行部将留着的送来了,准备马上吃呢。"

她被气笑了:"哼,风云君,秦风云,你骗我!"

# 八、守望天路

## 1

何雨丝原本没出过错，这次吃记词亏，滚了个大跟头，摔得披头散发。但她不会用眼泪认输，在门前跌倒就在门前立起，掉进坑里就从坑里爬出，从楼梯滚下来就在楼梯上站起。

自从"复飞门事件"后，她的性格悄悄发生了变化，原先偏柔糯的话音里掺入了些许硬的成分，柔中带刚，好像混凝土里加进了钢筋，浇灌出来的建筑显得更为结实。

一个月的培训，她除了完成规定的科目外，还额外读了许多书，提前通过考核，重新上岗。这一个来月，对她是"炼狱"般的生活。

方向准觉得有些亏欠，下黄山后多次联络她，谈谈聊聊，彼此接近。以前都是她主动抛"绣球"，方向准装傻，对其不咸不淡，若即若离。她吃过几次瘪，有道是女追男容易，纸一捅就破，实际并非那回事，男的装戆，女的变疯。这次她犯事，一切倒过来了，他主动，她搭架子，不理不睬。她一摆谱，他偏不信邪，非要她开笑眼不可，借各种名义约她、逗她。

到了谈恋爱的年龄，又是空管的花朵，每天和那么多飞行人员对

210

话,何雨丝也算名声在外。总有传言到她耳中,说有飞行人员,至少两位机长,都是民航大的学长,相中她,是不是愿意交往?比较比较?比较?卖水果吗?她笑着摇摇头,说:人和人的想法不一样,还是觉得同行牢靠,工作相近,心境贴近,上班加班,多多理解,交往起来顺畅无障碍。一颗心全在方向准这头。

2

方向准可算勇立潮头的管制员,拥有进近(负责 600 至 6000 米高度的指挥)、区域(负责 6000 至 13000 米高度的指挥)两个岗位的执照。偶尔区域管制室那头人员生病、休假、紧张时,他也去顶个班,反正到哪都是拿话筒吃饭,差不离。

这天,他在区域管制室临时代班,和他配对的副班是位女管制员,比他大几岁,外地人,叫苏兮兮。她已婚,是"管飞"家庭,男的飞行员,女的管制员,她在地面发指令,他在天上飞,简称"管飞家",也称"空地对"。

区域管制室的指挥类似于接力赛跑,前面扇区的人指挥了一程,交给下个扇区,这个空域指挥完成了,丢给后一空域,以此类推,完成一个个航班的生命周期。因为飞机都在七、八千米以上的巡航高度,平飞阶段,上下穿越的几率少,相比进近管制阶段需不断地指挥飞机爬上蹿下,心理上感觉轻松些。

雷达屏上,密密麻麻的全是航线,不同机型的飞机在他们指挥下飞来飞去,动感十足。

"做航空这行，好，有未来感。"他说。

忽然，苏兮兮像赫然发现新大陆似的，眼睛瞪亮："方向准，快看，A599（沪广线）航路上，排起了长队，其中中间有六七架飞机前后挨着，都是外航的。"

"大惊小怪，还以为什么事。"方向准不屑一顾地说，"说明咱市场大，开放，外航飞往国内的航班与日俱增。"

"咦。"她用纤指点了点屏幕，"巧了，真巧，在上饶至蟠龙一线，接连好几架外国机，一、二、三、四、五……八，共八架，八架外航的班机连成一排，第九架才是国内航空公司的。"

他双目紧盯着荧屏，从嘴角蹦出一句："你想说什么？"

苏兮兮咂了咂舌头，不理会他的问话，自归自说："也是巧中有巧，八架外航机，有日本的、俄国的、美国的、德国的，还有英国的……嘿嘿，羊肉串，一长串，同一高度上，差不多占了150公里的长度。"

"哈，倒是奇观、壮观。"方向准说，"啊，你是不是想说，这阵势，有点像八国联军？"

她摆了摆头："不是，这不是入侵，是来做生意的。说明俺家人口多，市场旺，老外都赶来抢生意呗。"

"话不能这么说，现在是市场经济，对等的，符合条件的都可以来，秦风云他们不也每天飞出去，出太平洋，出大西洋——"

说到这儿，方向准嘎地刹住话闸，忽然想起了什么，脸色阴沉下来。当时，我国入 WTO 不久，许多方面经验不足，美国和西方人凭几张假惺惺的笑脸，轻轻踹开了我二、三线城市的航权大门，国际航空运输巨头纷纷"抢滩"，国内公知们纷纷"叫好"。那时，书呆子写报告，上面说好,就早早开放了。现在,俺家民航迅速成长,想跟对方谈他们二、三线城市的航权,老美就两个字"免谈"。想到这,他讷讷地说:"什么叫帝国主义?帝国主义就是强盗加黑道。"

苏兮兮皱了下眉:"你说什么,黑道?"他说:"没什么。"

## 3

在管制指挥中心,一个管制扇区代表一块空域,三十多个扇区拼起了华东上空的高空空域。每个管制员在各自的扇区中指挥着对应的飞机。

方向准和苏兮兮管辖的扇区,快速闪入一架飞机,F航空公司的A320客机。一会,又滑入一架J航空公司的B777重型机,两机进入后,按自己的飞行轨迹相向往前飞进,前一架A320机的高度为8900米,后一架B777的高度为8400米。

方向准眨眨眼皮,忖着:按计划,该指挥J公司的航班下降了。几秒钟后,他发出指令,让J公司的B777下降高度至8100米保持。B777机长复述道:"下降至8100米保持。"

但事情的发展好像没有按他指挥的命令演进,而是相反:飞在前面的F航空的A320机在渐渐下降高度,后边那架B777继续展翅,平稳地向前开进,没有一丁点下降的意思。

方向准胸口一窒,以为自己的口令发错了——飞行界、管制界,错发指令、听错指令的案例还是有的。他又中气十足地重复一遍:"J航B777下降至8100米指挥,请复述一遍。"B777机长照令复述一遍。他听清后,特意望了苏兮兮一眼。她心领神会地点点头:"口令正确。""再复述一遍。"他怕得健忘症,又下一遍口令。B777机长的复诵声通过无线电清晰地传了过来:"收到,下降至8100保持。"

像见着鬼了。荧屏上显示的航迹是:原本在8900高度的A320还在下降,居8400米高度层的B777还在平飞。

他太阳穴突突乱跳,剑眉重蹙,一种不祥之感袭上心头。他明白,干管制这一行,时时刻刻是战备状态,上岗值班就是战斗值班。眼下,战斗警报已然拉响。

他倏地从椅子上立起,重重点开两架航班的标牌,标牌信息显示清清楚楚:F公司的飞机,显示着该机的机型、航班号、高度、目的地机场等参数;J公司B777,也挂着各自的一大把参数。看上去一切正常,没错,但明明是错了。错在哪?难道中了邪?受到外星人的干扰?不可能。但总归有个地方错了,否则不会无缘无故地出现指令和事实反向的结果。也许是二十年一回的概率,但还是被他们撞上了。

他思绪飞转,眼前瞬间出现这样的情景:一架飞机执飞某个航班,在雷达的监控下,都要分配一个对应的应答机代码——目前用的都是二次雷达,地面发出一个询问信号,飞机的应答机收到后,回一个确认信号,天上地上同步——每一个应答机对应一个代码,否则就找不到谁了。通俗地讲,应答机代码就是一张"临时身份证",每个航班上的应答机都会得到一张"身份证",这是管制员和飞行人员业务往来用的。"身份证"上写的当然是名字,身份证和名字是对应的,一致的,这个"名字"就是管制员面前显示屏上的标牌,一个航班一张标牌,标牌的内容比较丰富,主要有航班号、机型、目的地机场等数据。这些"秘密",普通大众是了解不到的。

管制员通过无线电给机组下达指令,并从雷达屏幕上监视挂有该航班标牌的飞机的运动轨迹。

问题在于,目前二次雷达使用的应答机为四位数编码,限于技术,所用数字在 0 至 7 之间排列组合,满打满算,将 0 和 7 之间的四位数组个遍,总共只有 4096 个,而且是在全世界所有航班中使用。眼下,每天有几万架次的航班在飞,而应答机编码总共不到 5000 个,显然是僧多粥少,"证件"不够用。不够用,只好来回重复使,或者相互借着使。

证件的重复使用,相互借用,转手过程就容易出现差错:这些航班在前一个管制区领取"身份证",飞出该空域后,管制员将证件收回,发给后面的航班继续使。

事情就糟在这儿。F 公司和 J 公司的两架飞机前后脚进入东南区域,进到方向准所在的扇区,由于前面区域的管制员收回了证件,后面区域的管制部门必须发给这两架飞机新的证件,也就是给这两架飞机贴上新的标牌,不然的话,无名无姓的航班是无法移交的。然而,管证件的朋友一时疏忽,在颁发新的证件时,将这两个航班的名字(标牌)贴反了,张冠李戴,将 A 当成了 B,给张三贴上了李四的标签。如此一来,飞机还是那架飞机,名字却已不是那个名字了。方向准下给 B777 的指令,执行的是 A320,结果 B777 四平八稳地飞着,A320 却在下降高度。

"有诈,乌龙!"

苏兮兮也发觉情况不对,顿时花容失色。这是她从未经历过的乌龙事件:小偷穿上警察的服装真的成了警察。如果照此发展,飞在后面的那架 B777 在 8400 米保持,前面的 A320 从 8900 米下降高度至

8100米,按时间推算,下降高度的那架 A320 至 8400 米时,差不多和 B777 在同一高度附近交汇。在飞行过程中,高度差是保证安全的主要手段,只要两架飞机不在同一高度,即使两者的经纬度完全重合,也是安全的,这就是"安全气泡"理论。

方向准不愧为"三边之王",即便和人说句闲话,神经始终处在备战状态。他当然不至于惊慌失措,不至于自乱方寸。眼下已没有时间去分析哪个环节发生了乌龙,是谁弄错了标牌,唯一的做法是果断纠错,刻不容缓。他当即命令下降高度的那架飞机停止下降,恢复到原有高度;命令后一架飞机从 8400 米下降至 8100 米保持,并按相反的航班号对两机发指令,终于将渐渐接近的两架飞机又拉开了高度。

他噗地呼出一口气。纵是进近的"三边之王",也惊出一身虚汗,心跳比平时快了几分,才体悟到干区管一点也不轻松,稍不留心,险些酿成两机危险接近事件。呃,塔台、进近、区域,没有一个岗位是省油的。

苏兮兮吓得牙齿都酸了,里面的小马甲湿了大半。两小时的换班时间到了,两人从席位上下来,走往管制员休息间。她说:"方向准,简直太牛了,往后,你这'三边之王'的后面,得再加一个'区域之尊'的称号。"

"别瞎扯,区域这头有太多的高人在。"

苏兮兮说:"乖乖厉害,上头会通报奖励的。"

"哈哈,我真不需要这些褒奖。有人奖,难免有人罚,我最不愿要这种奖了。"

嘴上这么说,心中却窃喜:干过进近,区域还不照干?给苏兮兮一捧,走路的脚步也轻飘飘起来,似乎真的成了"区域之尊"。

## 4

休息室里,苏兮兮冲了杯速溶咖啡递给他。

他接过咖啡,顺势转了转僵硬的脖子:"哎,不聊班上那档子事了,聊就聊点别的,换换脑子。"

"最好。"她也已缓过劲来,"聊点家常的,就咱家的事吧,释释压。"

苏兮兮是区域管制室的名嘴,人漂亮,普通话好,英语好,上电视台参加过好几档航空节目,也喜欢跟人聊,见他是进近临时过来顶班的,谈兴更浓。

方向准说:"你家就挺好,'管飞恋','飞管恋'——飞行员和管制员,管飞家庭,应该是浪漫之家。什么,那个,网上晒的:我是你的眼,你是我的翼,相望在云端……哈哈。"

"嘿,还可以编许多好听的呢,如波道里的约会,不二的情书,别样的情缘……嘿嘿,那是理想状态,实际生活哪有那么浪漫?呃,前天还刚吵过一架。"

"啊?"他不信地问。

她瞥了眼墙上的挂钟,离接班还有一个半小时的时间,就滔滔侃了起来。


前天,我回到家,本不想多说话——班上已经说得太多,下了班连话都不想说。他却不分青红皂白地吼开了:"你们怎么指挥的,前后空当留那么大,害得我机的速度调下调上三四次,飞得一点也不爽快。"

我说:"你晓得啥?你们飞行员只看见几棵树,我们看见一片森林。你们知道航路上的情况吗?不知道,所以还得老老实实听咱警察叔叔阿姨的。"

"我飞着别扭,就是你们指挥有问题!"他惊天动地的一句。

"你在天上,懂个屁!"我反唇相讥。

两人吵了一顿,谁也说服不了谁。嗨,朝我发牢骚顶啥用?大家从各自的职业背景出发,各说各的理,嘿,即使在一个大行业内,也是隔行如隔山。

我是个按部就班的管制员,他是个急性子的飞行员,一切都是反着的。在工作上,我指挥他,在家里,他指挥我,老嫌我菜不够味,味不够辣,要这么辣干嘛,你又不是四川、贵州人?

一次,开车去郊区兜风,他把车开得像赛车,左冲右突,险象环生,我心提在嗓子眼上。"哎,哎,开这么猛干什么?旁边有人!"我忍不住喊出来。

"怎么老指挥我?我不近视,别犯职业病行吗?你连驾照都没有!"

"嘿,姑奶奶不会开飞机,不照样指挥你?"

气得他朝我连翻白眼。我不睬他。

他驾车发了一阵飚,渐渐将速度减下来。晃了晃脑袋说:"老婆,帮我瞧瞧从哪儿下高速方便?别油门一滑,奔火星去了。"

"跟着导航走么,成熟的 Captain 了。"

"嘿嘿,导航哪有老婆指挥精准啊,你是专业的,我听你的。"两人吵吵笑笑,郊外度个周末。

我和咱家老肖结婚八年,相识十二年,说长不长,说短不短,该流的眼泪已经流过,该挠的痒都挠过,该白的头发还没有白。和所有普通家庭无异,我们把恋爱的激情熬成了柴米油盐,将日子煮成了一盏慢茶。职业的缘故,咱俩一不留心就会上演欢喜冤家的情节,相爱相杀、苦苦相逼。刚放单那几年,谁不对自己的职业有点儿小傲气啊,于是乎,上班憋在心里的那些个槽,常常留到家里吐,温暖的家就燃起滚滚烽烟。

有时,怕他一回家就责问我,干脆先发制人:"今天有个机组,我发一个指令都要问我为什么,在我最忙的时候跟买菜一样讨价还价,害得我指令发不出,其他机组也插不上话。"

"他无非是问你为什么又要减速,为什么前后间隔要拉 25 公里、30公里,而不是 15 公里?"

"现在已经十几公里了,基本和国外差不多。大区之间的移交就是15 公里一架。"

"人家也没错哪,那你就给他通报空中冲突,服务再周到点儿么!"

"警察叔叔会给每辆车解释为什么要停下么?"我有点生气,"你们是看不见潜在空中冲突的,要是像地面车辆那样一目了然,你们逮个空当直接溜过去不就完啦!"

"看看,你反而急了,弄得跟肯尼迪机场的管制员一样。"

"肯尼迪机场的管制员算个屁!"我最反感拿国外来说事,"嘿,说到机场,咱华东的浦东机场、虹桥机场、合肥机场、济南机场、杭州机场、南京机场、宁波机场、温州机场、福州机场、厦门机场、青岛机场、南昌机场,哪个机场上头的空域情况不比肯尼迪复杂?"

我拿理不让人:"你以为飞的是澳洲小机场,转个弯收个油门就到了?"

"哼，你是靠说话讨生活的，说不过你！"

这样的对话三天两头，挖苦对方用上洪荒之力，最后谁也说服不了谁，双方没有赢家，床头吵完床尾合。

在家里，我将每一条毛巾都挂得整整齐齐，将进门换下的鞋排成一条直线，好像在安排一个个航班的电子进程单。他讥笑我犯职业病。他即使跟我出门上街，也会无意间说出"钱包、钥匙、登机牌"。我嘲他才有神经病。

日复一日，年复一年，渐渐地，愣头青的澎湃劲去得远了。

老肖的航线越来越长，从国内、东亚、东南亚飞到了澳洲、欧洲、北美，在家的时间越来越少。时差紊乱了生物钟，每当看见他半夜里在房间和客厅之间晃来晃去，睡不着，我越来越体会到飞行鹰的不易。而我每天面对的航班越来越多，上完班嗓子越来越哑，每次上大夜班回家，都像生了场小病，精神恍惚。每当他看见我值完通宵夜班，第二天早上回家挂个熊猫大黑眼圈时，也切身感受到了管制狗的不易。

慢慢的，回到家里，我们不再一味揭对方的短，不再讥讽对方的痛，谈到工作，就聊一聊国外的空域结构和进离场设计的合理之处，国内的空域改革是那么的任重道远；侃一侃国外机组的执勤时间的精准度，一言不合就可以超时下机，中国机组们在流控和延误时，总是耐着性子等到地老天荒。

不知不觉中，当他把休假安排在家中度过时，我再也不会抱怨他不懂生活了，他常年在外，家才是他最向往的度假天堂。当他飞完回家时，再也不会抱怨我没有收拾屋子了，因为他了解我"做一休二"远不是想象中的二十四小时就有个双休日，而是一宿的疲惫即使两天也缓不

220

过劲来。

他终于说，每次飞行须坚决执行管制员指令，哪怕让他绕飞再远，也不多问一句，他相信每个管制员都像相信自己的媳妇。而我，只要有时间和机会，每一次航班的延误都尽量解释，哪怕问多次，也不嫌机组多舌，我理解每一个飞行员就像理解孩子他爹。慢慢的，他的身上多了几分慢性子的耐心，我的身上添了几分急性子的果敢，由此及彼的改变，还是源于两者的理解和信任。

这么多年工作下来，我已有了职业病，每次看见天上连片的乌云，心就战栗，心疼他在天上颠得厉害。一次周末，他从普吉岛回国，到上海终端区附近，遭雷雨覆盖，黑云连成一片，他下不来，在空中一边兜圈子一边颠。雷雨减弱前，远途而来的他只能在天上干等，顶着多大的压力。飞机颠着，油量耗着，天气不见好，没法，只好去合肥备降，等天气好转起飞回到这里，已是第二天凌晨。

我们在一起——从恋爱、结婚到如今的十多年里，苦辣甘甜，有很多特殊的情态是其他职业无法感知的。

记得某一年的情人节，我值班，他飞往国外，没有鲜花和礼物，我傻傻地在荧屏上看着他的圆点慢慢远去，最后在频率里简单地说了三个字"回来见"。这样的日子还有很多：除夕夜哄完孩子睡觉，我们在此起彼伏的爆竹声中，一起前往机场上班；中秋节，我在屏幕前护送一架架满载数百名旅客的航班回家团圆，他在飞往异国他乡的天空中看着明月发呆；生日时，他好不容易有个休息天为我庆生，我却由于冰雪天大面积航班积压进去加班，回到家时已是第二天，正好赶上为他送行……这样的生活方式对一般家庭也许不可思议，可对于管飞家庭——包括一些航空家庭来说,早已是家常便饭。

有时候,在家开玩笑,以后再不让孩子从事航空业,哪怕是找个航空人做媳妇,其中百般心酸、千般滋味做父母的早已尝遍。然而,身在管飞家庭,我们的生活又何尝没有万花筒中那缤纷一角?因为有割舍不掉的情和缘,才有工作上执着的延续;因为有特别的情和缘,才有独一无二的我和他。

方向准是头一次这么仔细听一个管飞家庭的故事,还没听完,已有一种喘不过气的压迫感。而苏兮兮那双黑黑的眸子里,已泛上盈盈泪光。

他不知说什么好,起身冲了杯咖啡,默默递给她。

待他一个身转过来,她已用纸巾揩去了她眼角的泪痕,破涕为笑:"对不起,让你见笑了。"

"讲得很好,你可以写篇东西,投到《中国民航报》或《天路守望者》《民航主角》《停机坪》等公众号上去,那样受众面会更大。"

"哎,我哪有这能耐?上好班,带好娃就不错了。"

"你刚才讲的,写下来就行,生活本身比文学更精彩"

"不说这茬了。"她忽而话锋一转,"最近,老肖又在家里咋咋呼呼,对自己整天开外国飞机很有意见。"

"首先,更正一下,老肖?几岁了?才三十几岁,就叫老肖,不怕叫老啦?叫小肖。"

"叫老肖小肖有啥区别?还能换个人?"她说,"反正这段时间,他对C919国产机特感兴趣,还跑到商飞厂参观了。"

"谈到这个,他不说,我还想说呢。我们每天指挥6000多架飞机过往,全是他妈的外国造,管制员们早憋着一肚子火,A(Airbus)——空客,B(Boeing)——波音,C(Comac)——中国的大飞机呢? 轮空。比起铁路,民航制造业,给他们拎包、打酱油都不配! 三十多年前,好端端一个运10,怎么就半途而废了呢?"

方向准清楚,上世纪八十年代以来,国内的洋奴派思维甚嚣尘上,逢中必叱、逢洋必赞,大肆渲染运10是波音飞机的逆向仿制品,侵犯了美国的知识产权。运10的种种杂音,引来了美国驻华空军武官和波音公司副总裁亲自登机查验。美驻华空军武官曾是B707的飞行员,他登上舷梯,朝飞机回头一望,就说:"运10和波音707完全是两码事。"

事关知识产权,波音副总裁在对运10进行了仔细考察后说:"这是中国民航人在该领域的一次完完全全的自主实践。"

山姆大叔说归说,做归做,麦道、波音联手扳倒运10的行动一天也没有停止过,通过里应外合,某些人终于以财政部3800万预算不足为由,将运10推入冷宫。这一冷冻就是三十年。

方向准沉了沉眼神,愤愤不平地说:"当时凭什么让运10下马? 就凭某些人的几句不负责任的屁话吗? 有人在老外面前习惯跪着说话,站直了膝盖不舒服,要是当时运10不被饿死在摇篮里,现在我们每天指挥的,至少有四分之一是国产大飞机,也不用C919至今还在试飞途中磨磨叽叽。"

"多数还是竞争对手放的暗箭,运10下马,波音、空客梦里都要笑醒。"苏兮兮幽幽地说着。

谈到运10,二人意见一致,同仇敌忾,说到恨处,二人连连摇头,叹息不止。

## 5

两小时后,方向准和苏兮兮重新披挂上阵,替下班上的两个管制员。然而,一场麻烦已在等着他们。

接班的时候,方向准的扇区内共有八架飞机,以平飞为主,不用上下穿越,活儿显得轻松。

从福州方向飞来一架飞机,国内 E 航空公司的,航班号为 EH5770,高度 7800 米。一会,又一架从太原方向飞来、向南进的航班进入辖区,同样是 E 公司的,航班号为 EH7550,高度 8100 米。两机相对飞行。

EH7550 前面发现同高度厚积云,需要绕飞。机长请示方向准。从航线结构分析,这架航班可以向右偏出 15 公里,躲开云雨,但得请示华北方向的管制单位,协调起来比较麻烦。方向准艺高胆大,刚才又被苏兮兮封了顶不花钱的"区域之尊"的高帽,心中得瑟,就发出指令,让 7550 航班向上升至 8900 米保持。但他的脑子还沉浸在对运 10 和 C919 的绮想之中,下达的指令"心是口非",口令中将 EH7550 误说成 EH5770。监控席上的苏兮兮出于对方向准高大形象的信任,也没听出他的错。

机组重复了一遍:"EH5770 上升至 8900 米,保持。"

方向准听着,以为是 7550 机长的复述,没提出质疑。

EH5770 执行他的指令,机头扬起,开始拉升。

几秒钟后,方向准从荧屏上发现不对头,北南方向飞行的 EH7550 没有上升,反而是南北向飞行的 EH5770 上升了。因为是对头飞行,相差距离不远,如果继续发展,两机有可能在某一点空中接近。

方向准汗毛直竖,才发现指挥失误,倏地从位上站起,一字一顿地说:"EH7550,上升至 8900 保持。"同时对另一架飞机发出:"EH5770,7800 米保持。"并要求两机同时复诵一遍。

这时,两机在空中接近,上下间隔不足 250 米,他们也明显感觉到了危险的逼近,机上的自动防撞系统出现文字和声音的预警。

接到指令,两机同时复诵。复述无误后,立即行动,E 公司的两架班机如同飞行表演一般,在空中拉出两条漂亮的白花带,刷地飘开了距离。

危险清除,方向准询问 EH5770,防相撞系统(TA)有无告警? 机组回复:TA 告警。又问 EH7550,机组证实:TA 告警。

"完了。"苏兮兮如坠冰窖,浑身冰凉。

这次,方向准心是口非,将两个数字相近的航班号说反,使两架飞机在空中危险接近,导致两机空中防相撞系统触警。方向准错在前,她苏兮兮错在后,没有听出他指令的错误,也没发现机组复诵的不对,实际上也将 EH7550 和 EH5770 混在了一起。

监控席,监控席呢? 方向准忽然发现还有个副班,细心的女人怎么也没能纠正他口令中的差错?

侧头瞧着旁边的苏兮兮,她正羞愧万分地睨着她,眼光只在他的下巴处,不敢平视。如果面前有条地道,早已经钻进去了。

"苏姐,我得马上上报,接受处罚。"

"对不起,我恨不得一头撞死。"她满脸愁容。

"责任我担,我是男人。"

"有我一半,这是事实。"她悔恨地说,"我从不用人担过,女子汉,错了就得认。"

愣了半晌,她说:"如果我们不发觉,防相撞系统——TA 也会引导飞机自动上下避让的。凭现代飞机的智能性,要让两架机在空中碰撞,也是难上加难。"

"可是,我们不能有这种侥幸,不能将命运交给锦鲤。万一两架飞机的 TA 同时失灵呢,岂不是重复 2002 年德国上空两机相撞的悲剧?"

"这事,我来处理。"他调整了一下情绪,平静地说,"下班啦,你先回去,孩子等着妈呢。"

上级对他今天的情况进行了综合评估,认为:有奖有罚、奖罚相抵,不奖不罚。分管安全运行的池副主任亲自找他谈话。"三边之王"的名头响亮,在业界的一举一动备受瞩目,包括上级。

"稀奇,二十年一回的事,你一天撞上两件。"池副主任说。

"我不同意这么处理。"方向准执拗地说。"怎么说?"池副主任问。"应该罚我,过就是过,两件事不能简单扯平。"

"难道还不明白这是上级对你这个'三边之王'的爱护?而且,这次你来区域代班,毕竟情况没有在进近熟悉。"池副主任说,"已经说过了,上午有功,下午有过,前面得奖,后面得罚,功过相抵。"

"不一定要奖,但必须要罚。""噢?"

"干咱们这行,做好是应该的,做错了不应该。"

池副主任摘下眼镜,两眼瞅了瞅面前的年轻人:"这个,哎,也有道理,得研究一下……"

瞧瞧眼前的年轻人,池副主任说:"谁也不愿出错,但出了事,反过

226

来看,也有积极的一面,平时犯点事,起个警示作用,时刻提醒着,不至于直接酿成大祸。"

方向准走后,池副主任却苦恼万分:人不是神,是人总会出错,即使付出千倍的努力,还是会发生某些差错,美国每年光跑道入侵就发生两百多起,有机组原因,也有管制原因。这好比开车,难道为了防止出错将车停在车库不动?而管制这门工作,要求工作人员不得出错,已经在往"神"的方向靠拢了。

## 6

话分两头。方向准在区域室代班,浪尖谷底时,何雨丝在塔台指挥。她知耻而后慎、知耻而后勇,将"可能的意外"这根弦始终绷紧。

当天,她害女孩儿特有的周期病,反应强烈,原本打算休息半天,但她不愿示人,更不愿让人顶班。眼下塔台和区域室的"女兵"正值婚育高峰期,一个萝卜一个半坑,许多管制员几年都没休过年假,外地的女管连探望父母的时间都被"剥夺",她就更不想麻烦别人了。

晚上十一点半了,困意阵阵袭来。她往额头抹了把清凉油,双眼圆瞪,一只眼睛盯着荧屏,一只眼睛盯着跑道。

长五边上,前后两架飞机打开远照灯,拨开似有似无的轻雾,稳稳地向跑道迫近。地面,一架太平洋公司的班机穿上滑行道,徐徐向跑道端靠拢,等待起飞的指令。

天上地上兼顾,哪头都不能懈怠。她下达指令,让太平洋公司的航班滑行至10号联络道口等着,待天上两架飞机降落后安排它离地。

波导里传出一个叽哩咕噜的英语声,带着韩国腔的英语,有点像鸟语。那机长的意思,说他听不明白管制员的口令,请用英文指示。

见鬼,又是外籍机长,怎么忘了这茬!当下,国内航空业井喷,也从国外引进技术人员,像太平洋公司这样成立不过十来年的公司也聘了一百名外籍机长,别说大型公司了。前些年,国内空管进行过空地通话改革,规定所有中外航空公司的机组全用英文通话,由于种种原因,改革没有进行到底,兜了一圈又转到原点,目前仍然回到了中外有别,国内公司讲中文、外航公司用英文的老路子。

管制员每天得和中外机组对话,英语经过专门训练,自然不成问题。何雨丝急急地用英语重复一遍,并将后面的语气加重:"Hold short of runway(跑道外等待)."

这回,韩籍机长总算听明白了,并用英语复述一遍:"Hold short of runway."

夜色灰浓,远处居民楼上的灯光渐渐暗去,人类渐入睡眠状态。机场上空仍然引擎轰鸣,各类发动机的隆隆声无时无刻不在提醒人们,这是一座现代化的国际中心城市,即使深夜,也是无眠。

场道灯开得刺亮,但在暗蒙蒙的夜幕下,4000米的跑道显得有点长,肉眼还是难以完全穿透。大型机场的塔台管制,除跑道目视外,通常得借用场面监视雷达观察,但今晚,场监雷达出了点小故障,暂时维修。机器像人,有了故障就得修理,这种情况以前也有,一般在晚上航班减少时进行维检、修理。

今天撞上个外籍机长,何雨丝神不定,一颗心始终悬着,见波道有空隙,用英文又重复了一遍相同的话,请太平洋航班在10号联络道停

228

下,决不能穿进跑道,等她下一步的指令。鸟语机长按她的意思复述一遍。她和旁边的齐副班都听见了,相互确认,觉得没问题。

五边上的飞机前照灯越来越闪亮,两分钟内将下降至跑道上空,并缓缓着陆。但她的心里还是惶恐,像刚出门的人总怀疑屋子的门没有锁上。按理,她已清楚下达口令,太平洋航班也认真进行了复诵,无误。但她的心里感应似的,还是不安,抬头望了两次。在晚间,4公里的跑道头显得遥远,看着模糊。时间一秒一秒地过去,她心头的不安严重折磨着她。天生的直觉告诉她,远处的航班有问题:机组可能滑错了地方。

晚上十一点出头,进出航班没有高峰时拥挤。为保险起见,她希望自己患了失忆症,第三次主动询问太平洋航班是否在10号联络道外等待?并要求机组再次确认自己的位置。太平洋公司的机长非常肯定地回答,他的飞机在10号联络道口等待,没错。

这回真拧上了。女性的第六感觉告诉她,这架飞机有隐患。她宁可自己得了强迫症,强迫自己审视眼下的紧急,这里有两种可能:第一,韩籍机长老糊涂了,明明滑错了位,却理直气壮地说着正确;第二,她自己的判断失误,杯弓蛇影,虚惊一场。会是哪种情况?已没有时间容她多想。还有30秒,长五边上的第一架飞机就要接地。她咬了咬嘴,痛下决心道:宁可做错,不可出事。就在那架飞机距离接地约20秒时,她果断指挥该机复飞。口令一出,她自己也感到震惊。

复飞,为什么又是复飞?上次,她发令枪晚了半秒,机组主动复飞,她受到处理。这次,她主动要求机组复飞,会不会又是她的错?人类往往不会从历史的教训中汲取教训,常常重复类似的悲剧。但发出的指令如射出去的子弹,不可能再回收,机组已执行。

当韩籍机长看见第一架机徐徐下降至跑道端,薄薄的翼尖似要刺来时,突然从梦中醒来,才发现自己滑错了道,更要命的是,他已越过了跑道等待区的标志线,实际已侵入跑道。韩籍机长面如土色,心脏快蹦到喉咙口,颤声对塔台说:"啊,对不起,对不起。"

何雨丝的果断,避免了一起罕见的跑道冲突事件,事后想想都腿软。

后经现场取证,太平洋航班的机头穿入联络道等待标志线多米,机身距跑道中心线 25 米,五边复飞的第一架飞机的翼展 35.79 米,第二架准备接地的飞机翼展 34.1 米,如果正常落地,不得不和在地面等待的太平洋航班发生机翼剐蹭事件,后果……

三天后,上级的通报下来了,由于何雨丝安全责任意识强,成功避免一起两机在地面冲突的不安全事件,除通报表彰外,给予两万元经济奖励。

听到消息,她鼻子一酸,差点哭泣。两个多月前,由于自己的迟缓,导致一架航班复飞,受到处罚。才两个多月呀,真是冰火两片天。

她不想要这两万元的奖金。上级说不行,不要也得要,有奖有罚,才是王道。奖金,不久通过银行工资卡按时转到她的账号上。她说过不要就不要,最后转给了边区的一家希望小学。当然,这是后话。

## 7

第二天,秦风云从欧洲回国,详细听说这档子事,说什么也要借机聚一聚。搞聚会需要有个由头,这次理由够充分。已经许久没聚了,一定要为何雨丝重出江湖、立下战功庆祝庆贺。

何雨丝回复秦风云:"这种滑钢丝的立功受奖,宁愿不要。倒是应该安慰安慰方向准,本来由'三边之王'向'区域之尊'过渡了,横出来这么个破事,尴尬不尴尬?"

秦风云说:"我这就联系他。"

探了何雨丝的口风,秦风云立马和方向准联络,将意思和他说了。

方向准吞吞吐吐。他还在前几天相近航班号的阴影中徘徊,尚未从失误的悒闷中走出来,一次失手,十年痛心。但架不住秦风云天上地下一通胡吹,感觉心烦意乱时聚聚也好,就答应下来,顺便说:"既然你发起,何雨丝那边你去说。"秦风云有了他的底,回过来又和何雨丝通气,敲定日期和地点。

何雨丝沉寂了几秒钟,说:"我请客,正好上头发了点奖金给我,分期分批请请客算了。反正我不能拿,活是大家伙干的,荣誉也是大伙的,拿了奖金也要花在大家身上。"

方向准嘘声道:"你不是想捐款吗?捐给希望学校啥的?"

何雨丝捂住话筒,轻声说:"小心隔空有耳。这是后话,先不谈,今天谈谁请客的问题,我受了奖高兴,这一高兴就请客了,一请客就买单了,很自然啊,我们也是劳动者,同岗同酬,也不能老让男同胞掏银子呵。"

"哪能有女的做东,我提的议,又是老飞,收入比你们高一头,自然应该我来。""那多不好意思?"她敛起了笑意说,"如果聚就我请,要么不聚拉倒。"他赶紧放软档:"这个好商量,见了面再说。"

何雨丝这头的电话一掐断,他立马又打给方向准。方向准在那头有气无力地说:"伙计,你够忙的啊,穿梭联络。这个,就我们三个,人是不是有点少?"停顿了片刻,忽然说,"上次去黄山的几个老外,不,外籍乘呢,不知有没有时间? 倒是蛮活泼开朗的,也可以一块喝啤酒。"

方向准这家伙,还有这小弯弯。看来人都是图新鲜的,有美女管制员何雨丝在侧,还要想着洋姑娘陪酒。忽而一想,管制员藏在幕后,视野封闭,接触外国女机会少,猎艳心里再正常不过。

"你是不是还在回味那次受加西亚的红颜一抱?"秦风云打着哈哈,"你喜欢洋囡囡的话,我可以约上,机长约乘务员有天生的优势,不知她们那天飞不飞?"

哼,秦风云这小子,整天泡在美人堆里,飞欧洲线,条条都有年轻貌美的外籍乘,也还要埋汰俺几句开心。的确,外国女孩奔放、开朗,开得起玩笑,喝得起酒。

"明晓得我不是那意思。"方向准摸了摸下巴,"你搞聚会,人多点,图个热闹么,另外,也好让老外更多地融入社会,感知华夏,这也是在做功德。"

"听你这么一说,我真的有点像在做功德了。的确,那次黄山之行,印象深刻,也许永远留在她们的记忆中了。"

"我不过随便一说,请不请她们全在你。"

"嘿,你把球这么一踢,我想不接都不行,好个方向准,本事见长啊。"

"哪比得上你整天《论语》、《道德经》挂在微博上。"方向准勾了勾嘴角,"说到那次黄山,跟在你屁股后面的那个,叫什么菊、菊池的,日本小女人,很乖巧,中文进步也大。"

"又说歪了是不是？什么叫我屁股后的那个日本小女人？她是她，我是我，我一向对外国女不怎么感兴趣，但那两个欧洲女能喝酒倒是事实。"

"别转移话题，从东方扯到西方，我倒觉得菊池和你很合，都是东亚人，人种比较统一，那边的很多传统包括服饰、文字，很早都是从汉唐传过去的。"

"别瞎扯好不好？八字没半撇的事，说它有意义吗？"

"怎么没意义？"方向准半较真地说，"那一撇，或者说半撇，能不能撇得出去，全在你用笔的力道。"

"停，停，停，不谈这个菊池了。"秦风云说，"既然你说了，上次去黄山的几个我可以试试，如果她们能来，不会使雨丝小姐显得孤单是不是？上次，她是生气，没去成，这次得让她补个漏。"

整天飞在天上的人，要约齐了不是一般的难。加西亚、萝拉等飞着不同的航线、不一样的航班，都是以欧洲为基地倒过来排班，最近，她们的班头满，飞得多，但很高兴得到邀请，如果那天飞上海，半夜都会赶过来。

菊池静子接到秦风云微信，以为有啥事情，一听是为何雨丝获奖庆祝，答应得比谁都快。她飞沪日线，航线短，相对好凑时间。

## 8

约了多次的小聚会终于成行了。

选了个周末，时间定在周五的收班后。

一到周五的下班，人的心情就格外的好，即使轮班倒的人员，即使飞行者，也是如此，至少是心理上的放松。地点在新天地，点菜，喝啤酒，黑啤、生啤，不限。

加西亚在马德里，下个班才能回上海，这次只能抱歉了，她十分喜欢和中国人吃饭、聊天。萝拉刚下飞机，一会直接坐地铁过来，估计晚到半小时。这没关系，周五晚上的夜很长，到凌晨二三点，也还有余裕。

说好了喝啤酒，几个人都不开车，乘地下铁前往。上了地铁，反复感到上海的地铁干净又方便，还有热闹，各式各样的年轻人在地铁上，很少说话，各自翻着手机，读里面永远也读不完的文字。也有人坐在位置上看纸书。秦风云旁边的一位中年男乘客，就在看一本砖头般厚的《元史》，皱着眉毛读着，到他们下车时，读了大约有十页。

出了地铁，走了一段路，他们进入新天地，找了家上档次的啤酒屋进去。

两个男的在前面，两个女的跟后面，菊池静子长得和中国人差不多，外表看是两对情侣或朋友来喝周末茶。他们来得早，人还不多，位置有的选。方向准和何雨丝目光一扫，自然落在一张长条形的桌子上。到了跟前，方向准请秦风云往里面，他坐他旁边。何雨丝有心要对着方向准坐，做了个"请"的动作，请菊子往里，她在外面。菊池也不推辞，情愿地往里一挪，和秦风云对面，心里美滋滋的已写在脸上。何雨丝挨她坐下，对着方向准，脸也是咪咪笑。

长条桌不太宽，吃饭时对面俩人说不定能碰到头。秦风云瞥一眼对过的菊池和斜对面的何雨丝，心里抹着一丝局促与别扭。和菊池静子离得太近，而且眼光相对，几个小时的时间有点长。他左顾右盼一番,忽然哈哈一笑,说:"诸位,现在四个人,一会,萝拉要来,就是五个人,怎么坐?"

方向准正要看酒水单,被他一说,抬起头道:"很简单,让后来者坐旁边,怎么,有问题吗?"

"倒也可以,就怕她不适意。"秦风云说,"我不是为人家刚下班的萝拉'同志'考虑吗? 如果能换成一张圆桌,不更宽裕点?"

何雨丝瞧瞧面前的长条桌,不以为然地说:"这里也坐得下,动来动去麻烦。"

"哈哈,不麻烦,关键是让每个人坐得舒坦,地方大一些,可以点得多一点,难得约一次,不多吃点,也对不起这良辰美景呀。"秦风云满脸端笑地站起,指着另一方向说,"咦,那不是空着张圆桌吗? 坐七八个人都没问题,好像是专给咱留的,兄弟们,麻烦腾挪下,再不过去,好地方就给别人抢了呀。"

他推推方向准,又邀请两个女孩:"走,过去,那边场面大。"

方向准被他太极手一推,轻飘飘立起,双脚不由自主地跟着走动。两个女孩儿无奈地拎上小包,跟着来到那张圆桌前。

秦风云瞅准方向,往那大位一坐,霸气地挥挥手:"圆桌,哪头都是大,各位随便坐。"

何雨丝瞄了瞄四周说:"秦风云啥意思,你今天坐的可是主位,是不是想抢单?"

秦风云又打个哈哈,乐意地说:"你说对了,我坐的可是大位,谁坐谁买单,这是规矩,不能赖,也不能抢,以先坐下为准,哈哈。"

"不成,说好我请客的。"何雨丝瞪眼道。

方向准说:"不就一顿饭嘛,何必争来争去,我来好了,咱的话筒费又上涨了,请顿饭跟拔根毛似的。"

说话间,萝拉穿着航空制服走进来,她姣好的面容,向后盘起的头发,和碎花格子的空乘服装,撩来食客纷纷侧目。她带着张红扑扑的脸蛋,目光灼人地瞥了一眼众人,径直来到四人跟前,对着那空位说:"我的位?"

秦风云大气地说:"对,圆桌,随便坐,无大小。"

"各位好。"萝拉朝大家挥挥手,挨着菊池静子坐下,"就差一位加西亚,黄山的各位都齐了。嘿,太好了,今天 AA 制,喝个酣畅。"

方向准说:"这话水平高,酣畅都学会了。由此可见,只要和中国人在一起久了,用不着去学校,汉语是可以学畅的。"

秦风云说:"不过,这不是欧洲,不兴 AA 制,今天我坐的这个位置,就是买单的位。"

"刚刚你自己说的,位无大小。"何雨丝喷了他一句,"萝拉别理他,今天我请。咱们三个女的,用得着两个大男孩请吗?"

"哈哈,真开心,转眼回到大男孩时代了。"

换了位置的菊池心下有些扫兴,仍微笑着脸说:"要么我来请,谢谢你们邀请我。"

"怎么也轮不到你。"方向准一口否认,"这个话题不争了,下面开点餐。"

各人点一份,啤酒有德国黑啤、青岛纯生、鲜榨热啤等三种,各取所需,也可以交叉。

何雨丝的目光细细瞄过菊池和萝拉,不禁有些觉警。在坐的两位,日本妞媚，法国女浪，都是跟着两个男人上黄山的，今天缺了个西班牙的加西亚，都是令人艳羡的妖精身材，这也难怪，国际空乘都是挑过选过的。她有意和菊池、萝拉聊了几句，聊着聊着，心渐渐宽松。尽管她们都跟着去了黄山，可能只是跟着而已。女人的直觉告诉她，在场的两位和方向准那个的可能性不大，菊池倒是对秦风云温顺有加，小绵羊似的看他的眼色。方向准咬着耳朵告诉她，菊池对秦风云有点意思，是秦风云端着架子，说不喜欢洋囡囡，包括亚洲妹，如果秦风云这头热起来，两人有戏。何雨丝心下想，她和方向准还不是一样？一头热，一头温，总体讲，方向准对她缺乏必要的热度。这个世界怪了，男人们怎么都缺乏主动出击的精神，难道要女生主动吗？想想都要醉倒。

五人席上，菊池的目光游移飘忽，不好老盯着秦风云，但只要无意间的一瞥，也能感受到他黑眸深邃，身体健硕过人，尤其他身上的肌肉，发达的要命，几乎要刺破衣服，撑露出来。他的这种狂野的健壮，超级棒的身体是怎么来的？天生的，还是靠练拳练出来的？她不得而知。上黄山那次，近距离感受到了，这一次尽管只是吃饭，也能从他的衣服外表，遐想到衣服之里的健美，这个极品级的男人。但他这人似乎是矛盾的：强硕现代的身体外表，内心却是古典的，喜欢和老子、孔子在一起。

秦风云举起手中杯说："为难得一聚，干杯！"将杯中啤酒一饮而尽。众人呜啦一声，齐齐干杯。

第二杯，为何雨丝的立功受奖干杯。五杯齐碰，一起喝完。

第三杯，为共同的飞行安全干杯。自然又轰地一声，杯到酒干。

连干三杯，菊池有点招架不住，咳咳两声，脸色潮红。何雨丝忙说：

"三杯规矩酒喝空,下面随意,自由了。"

秦风云说:"对,接下来随便。"

萝拉给两位男士加满,也给自己加足量:"二位小姐休息会,我单敬二位男士,一起上过黄山的。"

两男端杯,刚想碰上去。何雨丝双手一拦:"不行,必须单挑,一个一个来,这才是诚意。"

萝拉说:"好久没喝酒了,何小姐是奖励我多喝,没问题。我先敬管制哥一杯。"端杯和方向准一碰,先将酒干了,倒过杯子,让众人瞧,有没有养鱼。

方向准嗯了一声,将杯中酒喝毕,扭头看着秦风云。萝拉又将自己杯中注满,对秦风云说:"敬秦机长,请多关照。"说着,头一仰,将一杯啤酒灌下了喉咙。

秦风云干了杯,说:"你先吃口菜,刚飞长途回来,挺累的。"萝拉拿起筷子,学着中国人的样子,齐了齐:"吃菜,吃口菜。"

菊池喘喘气,端起茶杯,对何雨丝说:"敬你一杯,喝茶吧。"何雨丝说:"还是菊池好,正合吾意。"菊池纤眉一扬:"何小姐什么意思?"何雨丝嗤的一笑:"噢,正是我的意思,喝茶。"

萝拉吃了口菜,歇了片刻,端起杯,又要敬秦风云。菊池预先站起,也端起啤酒杯:"萝拉,我们喝一个,让秦机长休息一下。"萝拉瞧瞧秦风云,又瞅瞅菊池:"你和我?""对,咱们两个外籍乘走一个。"

萝拉爽朗地笑笑:"哈哈,好,走一杯。"

菊池微皱眉毛,仰头将杯中酒干了,顿时有些难受,看着地下,说:"对不起,去下洗手间。"

秦风云望望她不言语。方向准问道："没事吧？"菊池用张餐巾纸揞嘴："没事的，去去就来。"

何雨丝端着杯子，敬萝拉："萝拉，女管制员敬你一杯。"

萝拉回答："当然，干。"两人端杯作揖，同饮一杯。

四人停了会倒酒端酒，集中吃菜。何雨丝朝厕所方向张望了三次，秦风云瞅了两次，才见菊池憋红着小脸走过来。菊池朝秦风云挤眼笑笑，也对其他几位嫣然，在自己的位上坐下。

萝拉又想端杯，瞥一眼四人的神态，尤其是两位女士，忽然间觉得她们的眼中有层光芒，隐隐约约的光芒。这种光芒外人不易察觉，她却敏锐地觉到了：菊池和何雨丝分别对两个男人有电。至于男的来不来电，他们眼中的光波并不明显。她略为沮丧，如此想来，她来不来都无所谓，显得有点多余，来也是陪客，当电灯泡。

秦风云似乎捕捉到了这点，招呼道："开始喝太狠了，歇会，吃菜。"大家伸了伸筷子，边吃边聊些闲话。

方向准夹了块牛肉扔进嘴里，嚼了几嚼，眼光扫过两位外国美女，说："现在外籍机长、乘务员多了起来，国外航空公司在国内飞经、飞停的航班日增夜增。乘务员还好，主要面对旅客，机组重点和我们管制打交道，有时指令发出去，对方回过来才知道机长是外国人，急忙用英文再说一遍，一来一回二十秒。"

秦风云咧嘴道："尤其是国内航空公司，进了许多外籍机长，有欧美的、澳洲的，也有巴西、菲律宾等国的，他们在中国找到了工作，但汉语不太会，经常在中文和英文之间来回踩线，一般的航空语言还好说，但一遇特情险情，对话就不那么利索了，只有用英语。"

方向准说："这种情况我遇到多次，即便用英语，常用的上升、下降还可以，一旦发生突然情况，如机上有危急病人需抢救、运送活体器官遇到麻烦，来来回回几次对话还是不明白，波道资源这么紧，哪能等那么长时间？还有，各国来华工作的空勤人员，操持英语的口音千差万别，个别的像上海人听温州话，折腾多遍还搞不明白。"

何雨丝闪闪眼睫毛说："还有，民航机全是外国造，飞机上仪表显示的标高是英尺，我国境内采用米制，双轨，每次接到指令，飞行人员需要将米换成英尺，才能开动，转换过程，容易出错。"

秦风云说："这个没辙，中国、俄罗斯为米制，其他国家都用英尺。"

"应当写份建议书。"方向准说。

"怎么写？劝米弃英，还是劝英弃米？"秦风云扯了扯眉毛，"这个，要将双轨制合成单轨制，短期内似乎没有可能。"

"关键要解决方案管用。"方向准说，"这些题，破解起来需伤筋动骨，不是普通的难。"

听他们说天上地上的事，菊池插不上话，见萝拉有些孤单，端杯和她轻触："我们喝一口？"萝拉抿嘴一乐，"喝什么一口，一口干了。"先自干了一杯。菊池喝了一大口，将剩下的半杯搁在桌上。

何雨丝撇嘴，举杯邀两个男士："难得出来一次，来放松的，喝着喝着，聊着聊着，怎的又回到了工作，回到了飞行与管制？如此谈下去，岂不是越来越沉重？"

秦风云说："OK，接下去只谈生活，不说工作，喝一杯。"

三人同干一杯。方向准说："你的《论语》秦说快完了呢，是不是该解析《中庸》《大学》啦？"

"小子不知天高地厚,接下来要说《道德经》。这些书和经如果连咱们都不读,受众群是不是有点小?"秦风云拂袖道,"呃,也不谈老子孔子了,只谈酒和饭,只谈美食。"

　　何雨丝说:"飞行人员心中,有远方和诗情。"

　　秦风云一怔。云霞曾经说过,让他飞成诗。他喃喃地说:"我们的世界只有诗,没有远方,远方就在我们翼下。"

# 九、空乘名花

## 1

云霞成为公司的主要形象代言人，俨然已是国际级空乘范儿，排的班比较曲线，得在各条航线上转悠带教。她说，自己本事有限，往后重点要开枝散叶，多带几个徒弟才是正事。最近几周，她在京沪线上带教。

京沪线，黄金线，天上地上生意兴隆。地上，和谐号、复兴号满员，有时站票都紧张。空中，B747、B777、A330等宽体机，每半小时双向对开，班班爆满，经济舱一个空都留不出，乘务员忙不过来，乘务经理云霞常常也干乘务员的活，带教带新，也有示范的成分在。

商务舱一中年男客，戴着极细框的眼镜，文绉绉的，外表有点像教授。来回盯着她的胸牌看了多次，又瞧瞧她风韵十足的条和脸，指名道姓请她送这送那，让乘务员送，都不满意。她端着笑脸送了三次，她天生就笑吟吟的，不用装。

第四次走近时，男士优雅地掏出名片，双手奉上。出于礼貌，她接下了，低头一瞅，是什么阳光实业公司的总裁，复姓上官。总裁？现在的总裁、总经理、董事长满街走,三个人的公司也称什么总。

男士推了推纤尘不染的眼镜,很有风度地笑着,说我不是小公司,有一千人规模的团队,准备明年上市的,不信,网上都能查到。云霞也笑笑,说哦,恭喜上官先生了。男士接住她的话,要她的联系方式——电话或微信。云霞说不用了,有什么需要服务的请吩咐。上官男士满怀诚意地说,完全出于对您的敬重,有机会邀去公司授授课,比如礼仪规范等。哦,先生,那更不敢了。我在网上读过您的事迹,也是一方专家,一定得请;另外,我还要写表扬信的。云霞淡定地说,要写也写团队,没必要写我个人。上官男士一直缠着,大有不达目的誓不罢休之势。云霞瞧着对方还算端庄,一副学者教授模样,一口一个"您",亦无反感,犹豫了下,给了对方微信号。上官男弯着脑袋问,我落地后加上,会通过吗?她颔首答应,会的。微信比电话来得间接,她也没按头像,显示窗口放了一头黑熊,微信名是"yux"三个字母,地区是危地马拉。当晚下机,出于信誉,她通过了上官男的朋友验证。

微信打通后,上官男一改文绉绉的表象,赤裸裸地发了好几条信息给她,意思直接明了。他说人到中年,已没时间、也经不起等待了,唯有行乐不可辜负,是不是交个"朋友"?她说一面之交,不过路人,还是各自珍重吧。见她回复,上官男来劲了,如同一个被打开了的潘多拉盒子,文字连绵不绝,言语轻狂猥琐。她本不打算理睬,但如果不打发了他,只要手机开着,整个晚上都不得安宁。

她直截了当地回复,你以为我是小姑娘吗?先生我老实告诉你,我孩子都能打酱油了,你收了这条心吧。哈哈,怎么可能?我的眼光毒,怎么可能有错。那你是彻头彻尾错了。哦,是吗?少妇?那更灵了,你

243

这个"朋友"交定了。她真的开始生气,说想不到有人如此厚颜下作!

好,不开玩笑了,谈点实在的,实惠的,怎么样,如果不考虑做长期"朋友",短期行为也行,给你十万,陪我睡一晚?见她没及时反应。又打一棒,说一定要答应哦,不然我会投诉,投诉你的服务有问题。她发了个愤怒的表情包,说先生,猜想你是酒喝高了,当你是真的开无轨电车,但这种玩笑到此为止,给自己留点尊重好不好?!对方哪肯止步,攻势一波比一波凌厉,连续发了十一条信息过来。哈哈,来劲了,你霞姐是被要挟长大的吗?没空陪你再玩了。她当然不会气得吐血,顶多一笑置之。对不起,如果真想找事,这些都是呈堂证词,哼,去投诉吧,电话告诉你!遇到这种狗血事又不是头一回,剧情比这复杂的照样踢回去。垃圾瘪三!刷地一下将对方拉黑。

隔了几天,在单位上碰见秦风云,当笑料说了给他听。他说又有什么法子呢,天生丽质,连我都想动凡心呢,要是没想法的男人那是虚伪,但人所以为人,是有自控力。她嗔怪一想,这才像句人话。他勾了勾嘴说,最近忙啥呢,好久不搭班了。带外教,说不定啥时又带你机上去了,你不是也经常带"外长"吗?带外长,什么意思?就是带外籍机长。瞎说,机长和机长是平级的,中外统一,责任共同体。飞行部的人都在说,秦风云这小子经常和外籍机长搭班,真是电脑随机抽的,还是公司刻意安排的?你说呢?两者皆有。嘿嘿嘿,别胡猜,我还不知道呢。

## 2

客舱部给云霞布置,近阶段的重点任务是带教外籍乘务员,这和当前民航、公司发展的形势相配套。航线增加,航班增加,客流增加,外籍乘也增加了。

她有个想法,在外籍乘里挑选几个乘务长人选,树立标杆,培养骨干,再由这些骨干去引领新的外籍乘务员。按她的话说,就是开枝散叶,

接此任务后,云霞最近飞了日、韩线,飞了美、澳线,接下来飞欧洲线。她觉得欧洲虽然经济疲敝,一副快要散伙的病态,但文化沉淀比美、澳强得多,所以对欧线尤其关注。

至于人选,她首先想到了座下"五朵金花"之首的菊池静子。这个小姑娘像一颗春蚕,默默地吐丝,不停地缠丝织丝,也像一颗螺丝钉,拧在自己的部位上不停地旋转,不用褒扬,不用扬鞭,受得起委屈,经得起白眼,上机后不停地干活,不用休息,不给自己空闲时间,仿佛变成了一只小蜜蜂,埋头采花酿蜜,不知疲倦。

菊池人长得精巧,手上的活精巧,送餐前先要将餐盒重新整理,将刀叉纸巾等放在最上面;将印有本公司航徽的正面对着旅客;坚持双手递送毛毯枕头;冰镇啤酒必将啤酒搁下面,冰块置上面……有她一套自己特征的服务法则,讲究规范,讲究精微,有点"空匠"的味道,值得广大空乘,包括中国空乘借鉴。她学习汉语稳扎,不但会说,连一般的中文书都能看懂,一年前,跟自己学习《三字经》颇有心得,在日、韩、泰国的空乘里可以树为标杆,正向影响亚洲空乘群体。

在欧籍乘里,加西亚是个不错人选,西班牙风情女郎,活泼开朗,身体棒,似乎有使不完的精力,在机舱里不停地走来走去,和不同的外国旅客对话,嘘寒问暖,是培养的理想人选。

萝拉,和自己熟悉,也得重点考虑,这不是用人唯亲,而是任人唯

"近",从近处的"熟人"开始启用,由熟悉到了解,由了解到好感,由好感到好用。了解的人使起来顺手,如臂使指。国外总统选举,胜者上台,自己组阁,驻外使节,阿狗阿猫,用的全是自己人,也源于了解。大家面上都讲任人唯贤,讲五湖四海,口号响亮,实际上用的都是自己跟前人,古今中外概莫如此。萝拉就是一位眼面前人,一起搭机次数多,平时搞活动都找她们几个,成了"脚跟前"人。此外,欧籍乘语言基础较好,如萝拉和加西亚,除了法语、西班牙语等母语外,一般都会英语及周边相近国家的语言,加上学的中文,至少会三四国语言。先逮住几个重要的,重点关注,尔后慢慢拓展。要是在外籍乘里树几个人尖当乘务长,也是对全体外籍人士的激励,让外籍乘感到在中国公司也有上升通道,也是大有作为的。

为使外籍乘感知公司的航线,她建议客舱部将部分优秀外籍乘在东、西方航线上适度交流。客舱部批准了她的要求。在此政策驱动下,加西亚、萝拉一年中有几次飞日、韩、美、澳、东南亚线,菊池等人也有机会飞欧洲各地。

3

菊池扎下心来学习中文,从公司的"三字经"口诀,追溯到真正的宋本《三字经》,再到四书五经。

看到秦风云定期在微信圈推送孔子、老子的,也偷偷地买几本四书五经读,翻开书本才发觉太涩太难,不懂之处甚多,就问他。秦风云实打实地说,我只是爱好,好比有人喜欢书法、画画、摄影,我喜欢这个,但我不是学者，不能太看得起自己，很多东西自己也不全懂，登着梯子上楼，边学习别人的，边开始我的理解，不作数的。她抿嘴轻笑，说跟着秦机长学习就足够了，我是真的喜欢贵国传统的学问。

他打着哈哈，传统的学问？多得复杂，儒、道、法、释……几条龙，各有优长，太博大了，几百个脑袋都盛不下，即使你从当下的青丝少女学到白发苍苍的老太，也难到尽头。她噘了噘小嘴，哦，这样啊。嘿嘿，不是吓你，就这样。

一次，在公司偶遇，她问他，除了书——古书实在难，得慢慢来，还有什么好学的？他脖子一仰，半开玩笑地说，喜欢中国传统的玩意儿，好东西多了，比如太极、中医、戏曲……这个，女孩子么，古琴、古筝、古典舞蹈的都不赖。她说，呵，古琴、古筝，听着就喜欢。

她信以为真，从网上查了又查，抽空去报了个班学古琴。老师见她是个日本人，说费用要增加，她问为什么？老师说，外国人，交流起来困难，得多花些时间在你身上，自然要加费。我会中文的，不需要开小灶，跟大伙一块学。老师听她说出"开小灶"三字，不说"大家"，说"大伙"，怀疑地打量她几眼，说你来中国几年啦？她说也没几年。老师说好吧，跟着大伙一块学，费用不增加，只要你能跟上。

她在上海学汉语、学古琴的时间一多，在大阪的时间就少。后来，她找到外籍部领导，要求将她的班头调过来，从以前照顾性的以日本为基地向上海排班，改为以上海为基地向日本排班，和中国乘务员一样，这样，她休息的大部分时间在上海，去日本只是工作。那样，她有更多的空闲学古琴，参加公司的各种活动。

菊池每周去上一次古琴课。按老师的要求，每个学员自购一架琴，上课自己带。老师是个中年女子，身着古装，头发向上盘起，看上去有些像着和服的日本女人。为了与老师及其他学生相配，菊池每次上课也穿着古代汉服，满头青丝从两旁滑落，披在双肩，宽大汉服包裹着苗条身材，倒似汉唐宫殿中的宫女。学生是清一色的年轻女子，有大学生、中学生，个别的还有小学生。菊池的脸和中国人差不了多少，又会汉语，不熟悉的同学还以为她是中国人，直到后来才渐渐得知，班上还有几个外国人：菊池和一位韩国人及新加坡人。后面又进来一名意大利人和一名俄罗斯人，后两人一看脸就能区分。

讲义是老师自己编的，每次上课前打印好发给大家。先讲理论，后面练习。因为有外国人在，老师的讲课显得认真，先讲一段中国古代的历史，以及古琴的出处、作用，再讲乐理和音律。后半堂课开始练习，老师一边做着拨弦、弹奏的示范动作，一边详加解释。

老师说，真正汉人的乐器，都是一个字的，如琴、瑟、筝、笛、箫等，后来，西乐东渐，西域的乐器流入内地，像二胡、琵琶、唢呐等，丰富了中国的民族乐器。古琴是最本源的汉乐，靠拨和弹，而京胡、二胡等拉弦的琴，不是最本源的汉乐，是从西部传进来的。菊池竖直了耳朵，头一次听说，从前一直以为二胡、琵琶都是和古筝、古琴同一源头的乐器，听了老师的讲才有所区分。她暗自庆幸自己蒙对了方向，要是当初选琵琶和二胡，闹了半天，还不是最正宗的汉乐。

菊池原本不通音律，但天性聪明，一点便通。老师甚是喜欢，总在指法上加以耐心辅导，对简短的曲子，菊池习得几遍，便能弹奏出来，虽音调不那么准，但她胸襟豁达，内无杂念，琴为心声，所弹琴曲，颇有云淡风轻的辽阔气象。

学了几个月,菊池已能弹奏完整的曲子,在不懂古琴的外行面前,冒充个琴手不会使人起疑。

回到日本家中,姐姐见她看中国古琴音律的书,嘲她,怎么不务正业,老学这些杂七杂八的东西?她的目光未从书上离开,说姐你别影响我,不懂别瞎讲。哼,我不懂,你懂!姐姐瞪了她一眼,走开。

山田不知有多少时间没见菊池了,有天晚上忍不住打个电话给她。看是山田来电,她停了两秒,叹息一声,还是接起。山田说,在干嘛呢?在上课。她的声音很轻,似有琴声叮咚。上课,晚上也上课?是在培训吧?不是。她压哑着嗓子说。那上什么课?她冷冷地说,学琴课,你有事吗?她声冷,他的声音也冷却下来,也没什么事,随便问问。哦,那我听课,挂了,莎悠娜拉。

在一堂一堂的课堆砌后,她开始弹《梁祝》,已经有模有样。

## 4

"哇,已经两周没回家了。"加西亚碰见菊池,哇哇地说。

"才两周呀,我都一个月过家门而不入了。"菊池说,"排练节目,当然需要时间。"

加西亚刚才脚步急,还喘着粗气:"合唱中国歌,咬字难,拖音难,声调难。"

"也只有在这里,才有这种大众参与、上规模的演出,在国外,只有专业团队才正式排练与演出,平时要搞场像样的晚会都难。"

加西亚的气喘得匀称了,兴冲冲地说:"这种活动人多,享受。"

两人说着闲话,并肩走入排练厅。她们说的,是单位让她们排练节目的事。

"十一"国庆节快到了,公司要组织一台文艺汇演,各部门、各单位都得准备相应的节目。外籍部交给云霞的任务,是准备一个小合唱,人员为外籍乘务员。云霞参加工作多年,常接受这样那样的"单子",已司空见惯。档期紧,只有一个月时间,她立即着手选人员、选歌曲。人员方面,她也不想大动干戈地海选,以她这个"老师"座下弟子为骨干,再挑选几个汉语基础好、模样俏的外乘,差不多就组成了一个演出小分队。为方便排练,她让菊池、加西亚、萝拉几个调了班头,相对集中,至少进行四次排练。既然要上场,可不能砸了外籍部的门面。

曲目的挑选,得贴近主题。既是国庆,得有国庆的意味,但也不能太主题化。她的想法是既要有现实的,也要有传统的、民族的。传统的,她选了首《茉莉花》,他们曾组织集体学唱,也组织外籍部的部分外乘学习过,觉得歌词清新,旋律优美,难度也不算高。

第二首,她想选首老歌,比如《长征组歌》,内容切题、过硬,但需要男的领唱,这个难度有点高。又不能从市合唱团借一个过来,"冒充"韩国或日本人,这样就违背了自演自娱的公司初衷,况且许多其他部门的人员也能"认"出来,到时狐狸尾巴被识破,落个抓现行划不来。思来想去,只得放弃。按云霞的思维,要么不上,要么就搞成专业样,至少有半专业的模样,让她来负责,就这个路子。为此,她约好了市合唱团的一位老师过来集中辅导几次。由专业的老师调教,只要稍微有基础的,都会进步一大截。为保证歌唱质量,她甚至想集中火力攻一首,将《茉莉花》学熟学透了,上了台一定能绽放出一朵真正芬芳的茉莉花。不过,这个想法领导不同意,合唱合唱,至少唱两首,三首也不介意,单单一首,不成。

她又选了首《走进新时代》,意境挺好,意气风发走进新时代……眼下就是新时代。但这首歌被飞行部领走了,他们也要唱,抢先将这个曲目报了上去。只得重选一曲。拣大家接触过的,她想到了《歌唱祖国》,"五星红旗迎风飘扬……"想象着,老外们唱起来,一定别有一番韵味。但上面说,这首歌是谢幕前的大合唱,人人都要唱的,包括你们的外籍乘,所以不能用。

就在云霞兀自拿不定主意时,外籍部的郑总突然找到她,亲自过问此事。

郑总瞧了瞧参演人员名单,手指尖轻轻敲了敲桌子,说:"我小时候,常听的一首歌,叫《洪湖水浪打浪》的,不知道你们听过么?"

"洪湖水,浪打浪……,当然晓得的,民歌,也是红歌。"云霞说,"让外籍乘唱,应该可以。"

"不。"郑总经理说,"我的意思,你来领唱,她们合唱。"

"不行不行,我讲话马马虎虎,唱歌不成,音量那么高,上不去。"她捂脸否定。

"哪能不行呢?你才艺双全,啥时说过不行?对别人不了解,对你云霞还不了解么?"

郑总一锤定音后,云霞立马请市合唱团的刘老师来辅导,共分四次。刘老师发觉,每次来这儿辅导,都不可能按时下课,云霞的认真程度、外籍乘务员提出的问题使他不得不延长时间,明明规定一次两小时,往往到三小时还结束不了。加西亚她们,将每一个字都要咬准,每一个音都要求精,该长时拖长,该短时收短。她们表演的是合唱,不是独唱,尽管人不多,也分出两个声部,女高音和女中音,合而成声。加上云霞是不太高的女高音领唱,一首歌基本有三种音合成,显得轻盈浑厚。第三次训练结束时,刘老师由衷地感到,乘务员们的艺术素养起码比外面单位的员工高那么两个档次。

云霞的领唱还在额外加料。自接受领歌"单子"后,她还真把自己当"演员"来对待,按照刘老师的方式,每天早上练嗓子,然后从音响里听民族唱法,再跟着老师学。刘老师更是拿出浑身解数帮她恶补。她是个逞强的个性,凡做就要成一流。虽然离演出只有二十多天时间,她却能将这二十多天掰成六十多天使,除了飞航班外,练嗓、辅导、排练,紧密有序,日夜鏖战。不但得唱准,还要唱出情感,唱出当年洪湖的水味来。经过几次辅导,她对《洪湖水浪打浪》这首歌的背景和意境有了入木三分的理解,唱重时重,唱轻时轻,拉长时长,该收时收。瞧着她拼命女郎的训练法,最后一次排练,刘老师推掉了其他地方的课程,主动留下,又对她作一次全方位的校正和提升。最终,连刘老师都难以置信,她这样一个非音乐系毕业的空乘,怎么就能在短短二十天的时间里,有了接近专业般的唱腔了呢?

她又飞航班,又要没命地练习,又没有秦风云那样金刚不倒的体格,就在离正式开演前两天,突发高烧40℃,被送进医院急症。第二天吊一天水,体温回至39℃,依然虚弱,说话声音都发颤。明天下午就要演出了,郑总在万般无奈下决定,领唱改为小合唱,由外籍乘小分队合唱《洪湖水》。当晚,外乘合唱队额外增加一次训练,并参加了第二天上午的彩排。十几个外国女郎穿上红军时期的灰军装,飒爽英姿,光彩照人,共唱一首《洪湖水》,和声清脆嘹亮,轻重有度,将洪湖之水唱得波光粼粼,无比诱人。加上菊池静子的古琴弹奏入调,古雅跌宕,悠扬盈耳,彩排未完,已引来其他节目成员的侧目与艳羡。

下午一点,病恹恹的云霞轻飘飘地飘进演职员工化妆室,要求化妆。菊池等外籍乘瞧她脸色苍白的模样,纷纷围上来问寒。云霞说:"啥都不说,化妆,化妆。我练过声了,发音正常,无咳嗽,大家分头……那个,OK?"她们面面相觑,四散分开。

郑总嗅到了风声,来到后台:"云霞,怎么逃院啦?"

"出来完成未竟之事,将那台节目进行到底,别因为我个人改来改去。"云霞轻搂对方的肩膀说。

郑总心疼手下。演出开始后,她就从观众席站起,来到后台,一颗心始终揪着,预备着,发现云霞坚持不下来,或者晕倒了,立马叫停节目,跑上台去将人抢出送往医院。内部文艺汇演,又不是央视的春晚直播,如果真发生那一幕,还是救人紧要,一个领唱节目黄了,或半途而废,也不是啥捅破天的大事,大不了增添一点联欢会的花絮而已。

可情节并没有朝郑总预想的方向发展,云霞自从换上一身红军灰布军装,戴上八角帽,不知哪来的力量,唱腔纯正,中气充足,歌声如汩汩泉水涌出,颤音气声齐出,将一曲《洪湖水》领唱得婉转自如,气势磅礴。在她的感召下,十几名外籍乘亮开歌喉,合力欢唱,硬是将职工小合唱演绎到了半专业化的水平,她们的歌声通过良好的音响,扩散到会堂的每个角落,浸润进每个人的耳朵。随着最后一句歌词"渔民的光景,一年更比一年强,啊～～"拖音落地,菊池幽绮动人的古琴音戛然而止,全场静然,余音绕梁,久久不愿散去。

253

台下爆出狂潮般的掌声，经久不息。

郑总心头一酸，哽咽出声："这孩子……"

背后的内情只有她清楚，又不可能向在场的领导和观众说出。

下了舞台，云霞才感到身体如失重一般，颤巍巍地走路打着飘。她和菊池打个暗号，换下演出服，从后门溜出，叫了辆出租车，直往医院而去。

郑总眼汪汪地目送云霞上出租车，回到会堂继续参加联欢会。当最后一曲大合唱《歌唱祖国》的结尾曲终了时，前排的领导上台和演职员工握手合影，郑总陪着公司领导，一同上台谢幕。

一位领导前后张望着问："刚才领唱《洪湖水浪打浪》的那位'名角'呢？"

郑总鼻头一酸："云霞，她，有点那个，先退了……"

"怎么，身体不舒服吗？"

"这个，她赶着飞航班。"

"哦，一位好同志。"

过了国庆节，云霞选定菊池静子为外籍身份的乘务长人选，报客舱部。上级尊重基层一线的意见，很快进行了批复。这是第一个，但不会是最后一个。接下来，云霞准备将自己带了一段时间的加西亚、萝拉等抓紧培养，择机在这批拔尖的外乘中再提携几名做乘务长。

5

乘务员小雷听到这个消息，差点将手中的杯子摔在地上，气呼呼地到处吐槽。

每一行业有它的晋级渠道,乘务员系列,开始是实习生,后升为正式乘务员,正式乘务员做得好,上升为头等舱乘务员,再往上是乘务长,然后乘务经理。中短途的较小机型,因工作人员少,一般只设乘务长;宽体远程机,旅客多,乘务员多,乘务长上面再设乘务经理。在乘务员这个金字塔结构中,乘务经理是塔尖,其次是乘务长,下来是头等舱乘务员,再下面为经济舱乘务员及实习乘务员,越往上,人数越少,待遇自然也抬高。撇开待遇,乘务长也是个"小官",算管理层,相当于排长,乘务经理么,就是连长。这个头衔,谁都想争。

小雷见一个外国人都升了乘务长,自己争取了两年还没捞到,愤愤不平地在朋友圈穷发牢骚,风言风语地影射云霞,说某人已不是原来的某人了,胳膊肘往外拐,将本来就紧缺的乘务长名额拱手给了"外人",不知安的什么心。小雷的风凉话一发表,某些乘务员趁机在后面蹭热度,跟着吃醋发酸,你一句她一句地跟着起哄。

云霞从微信圈看见,也不生气。乘务部八九千人,女的多,男的少,几个女人一台戏,花边新闻、小道消息天天有,谁管得过来,听得过来?只是感到怪怪的:某些人不从自身找原因,只会拣他人的毛病,即使菊池不上,这次也未必轮到小雷你。幸亏自己是女的,不是男的,否则还以为将外籍乘潜规则了呢。往下翻,看见几个乘务员趁机出来投枪放箭,言辞有些激烈,大有煽风点火的成分在。她再往下翻,翻着翻着,忽然看不见小雷的朋友圈了。嗨,反了,小妮子,竟然将她屏蔽了!

她看不到小雷的朋友圈,不等于不掌握底下乘务员的动态,她带过的众弟子中,就有人主动汇报给她,说小雷到处诉求,抱怨:本来这次有望升乘务长的,升上乘务长就完婚,想不到当中杀出个洋货程咬金,将一个本该属于中国人的"饭碗"抢了去。

秋天,是一个适合思考的季节,应让人多多思考。

云霞思忖半晌,决定要敲打敲打小妮子。这类眼睛朝外不朝内的乘务员不止一个两个,也许一片,遇事不是千方百计从自己身上找原因,老把找问题的方向放在别人身上。嘿,倘若这次菊池不上,换成萝拉,或者是中方的一名乘务员上去,小雷还是会抱怨,还是不服气,还是会心生妒忌。云霞虽然和乘务员一样飞,但在客舱部所属的乘务某部挂着行政职务,相当于既是乘务经理又是行政管理人员,能管着部分乘务员。

她打了个电话给小雷,让她到办公室来一下。知道小雷今天不飞,有空,不停地在晒微信。微信不通,电话号码在。

小雷比云霞低好几个级别,接了电话,不敢怠慢,搭了车赶到云霞办公室。

云霞平时笑吟吟,今天却板着脸。她指了指旁边的椅子说:"坐,知道为什么叫你进来吗?"

"不晓得。"小雷垂着眉说。

"为什么把我屏蔽了? 看着我说话。"她死盯着小雷的双眸说,"想给我上点眼药?"

小雷刷地从包里摸出手机,打开微信:"屏蔽? 怎么可能把您屏蔽了呢,不经常用微信接受工作布置吗?"

"妖吧,继续妖,妖得再像一点。"云霞笃笃笃敲了敲桌子。

"不可能的,怎么能把领导屏蔽起来呢……咦,好像是出了点小问题,要么不小心碰到哪个键了,瞧瞧,哎,真出问题了呢。"小雷凝神屏气

256

地拨弄起手机来。

"编,编故事,最好编得我都信了。"云霞口气重了起来。

"不不。"小雷赔着软脸说,"不巧,可能是手机出毛病了,我再重新加一加,麻烦您通过一下,对不起。"

"不是手机出毛病,我看你是镇江香醋喝多了,脑子出了毛病。"

小雷不经意地擦了擦额上的冷汗,一个劲地赔小心:"加了您了,麻烦过一下,麻烦了。"

"就凭这点小肚鸡肠,这次也轮不上你。"云霞缓了一缓口气,"老实跟你说,如果不努力做事,克服浮夸自满风,下次的下次还轮不上你,明白吗?"

顿了顿,云霞说:"知道接下来该做什么了?"

"嗯,我已经对我'高烧'后的胡诌发了歉词,还有……"小雷嗫嚅着说。

"还有就是,看了昨天秦风云机长发的那篇《论语》,里面有句话,'毋有不如己者,过则勿惮'?噢,你可能没有他的微信,我可以推给你。要见贤思齐,要多看到别人的优长,比如菊池静子,做事精致、周密,恰恰是你需要补的短板。"

在云霞的力荐下,菊池成为乘务长,但仍在一线干活,在几百个外籍乘中起到了正向作用。

6

云霞这阵多跑欧洲线。这次,弟子加西亚在线上。

257

在中国乘务员眼中,欧洲人长得差不多,难以区分具体是哪一国人,但加西亚一眼就能区分登机的欧盟旅客属于哪国人。她站在机舱门口迎客人,对中国人说中文"欢迎登机",对西班牙人说西文,对其他国家人用英文,将客人迎进机舱,找到自己的座位。

一个西班牙籍大块头,登机时嫌前面的人脚步慢,不停地用手指在机身上弹一下。前头有人堵着,他进机舱时,又"咚咚"地在舱门口弹两下。过道中有人放行李,前面旅客被迫停顿下来,他觉得手指弹着不过瘾,握着拳头朝内壁咣当擂了一拳。

加西亚一惊,想出声制止,不知从何说起。恰巧云霞上前,用手示意她噤声。云霞观察了被擂部位,并没有明显凹进去的痕迹,但还是心疼。

西班牙胖子圆眼瞪了她一眼,若无其事地仰起头。

云霞用英语说:"先生干嘛? 力气这么大! 来中国才几天,是学了武当山的气功,还是嵩山少林拳?"

不料西班牙胖子是个莽汉,听不太懂英文,用西班牙语说了句:"听不懂。"

加西亚马上翻译了给他听。莽汉被云霞的话逗笑了:"你是说我拳头硬? 嗨,是前面人走太慢了。"

"然后你将气出在您乘坐的飞机上?"云霞浅笑着说,"中国功夫可不容易学,先生力气这么大,学好了也不能随便出手呵。"

粗汉明白她在说他打飞机内壁的事,并没有直接批评他,而用这种婉转的语气警告他。如果她是黑着脸斥责,他或许就怼回来:又没打坏东西,激动什么呢。但她这么温婉告示,反倒不好意思说啥了,毕竟理不在他这头。他尴尬地讪笑笑,往前走去。

加西亚叹了口气。跟云霞当徒弟,要学的东西太多,如果这事由自己来硬处理,弄不好就会僵,而师傅短短几句似玩非玩的柔话,将大汉的刚硬气势压了下去,魔术般地使对方噤了声,使他服在心里,或许以后乘飞机,大汉再也不会做些鲁莽的动作了。她俩的差距就在这儿。

云霞曾对她们说过:乘务员不是丫鬟,不是吃的青春饭,而是艺术行为的特质服务。每跟她一次,加西亚对这话的理解加深一层。哼,丫鬟哪有这水平。

登机旅客的最后,上来位近八十岁的老汉。看上去,老人的身体蛮硬朗,但目光黯淡,甚至带着些许惊慌,步入舱门后,先是用怀疑的神态扫描一遍舱内,再用脚尖轻轻点几下地面,才敢踩下脚来。

"先生您好,欢迎登机。"加西亚用中文热忱地说。

老人望着面前的外国女郎,双脚本能地往后一缩,老脸泛起羞涩的红晕,紧张得不知如何是好。云霞见状,迎上前来,将加西亚遮在身后,对老人说:"大伯,您好。"

看到中国空乘,老人的脸稍稍缓和了一下,也不吱声,右手拎行李,左手举着登机牌,试探着一步一步往前走,生怕踩错一步,会踏进深渊似的。瞧了瞧老人手上的登机牌,云霞说:"老伯的座位在后头,请跟我来。"走着的时候,见他的行李包不停地和过道的座椅碰来擦去,云霞说:"要不行李我帮您拿?"老人警惕地瞅了她一眼,说:"不用,我自己拿得动。"说着,右手将行李攥得更紧了,手背上用力的青筋根根暴出,唯恐手指一松,行李像泥鳅一样从指间滑掉。

带他到后舱的中间,找到座位。老人坐下后,不停地瞧瞧周围人,手中的行李紧紧抓牢,不肯松手。云霞心中明白了七八分。她躬下身来,笑着问老人:"老伯是青田人吧?"

老人惊讶地侧过头:"咦,你怎么晓得?""刚才听您说过话,从口音上推断。"云霞轻笑道,"是不是去西班牙看望儿子或女儿?"老人更奇怪地反问:"啊,你怎么晓得的?""是我猜的,也不知对不对。"

云霞飞得多了,平时多几个心眼,将种种客人在心中记了本账,可随时拿出来对照。瞧这老人的模样,估计是头一回出国,说不定还是头一回坐飞机,去异国他乡看望在外打工的女儿或儿子。从刚才老人回答中,她猜中了他的窘况。对这样的无人陪伴老人,她们得像对待"无人陪伴儿童"那样提供帮助。

云霞说:"您孩子在那边开店还是做工? 应该挣了不少钱。""咦,你这个囡子什么都晓得? 我女婿在那头开店,生意忙,让我过去住一段。""青田人在西班牙可多了,扎堆开店。"云霞笑道,"人说,在马德里,不用认识,只要会讲青田话,吃住半个月,不用自摸一个子。"

"嘿嘿,是吗?"老人被她说得笑了,紧绷的颊肌慢慢松弛下来。

云霞趁势和他拉了几句家常,又讲了个青田人在西班牙打工的小故事。见老人完全放松了,云霞指了指他的右手,和蔼地说:"老伯,您的手提行李可以放行李架上吗? 人家都放上面的,放心,没人会动您的东西。一会飞机起飞了,行李拿在手上不安全,也不符合乘机的规定。"

老人环顾左右,确定没有人将十多斤的包攥在手上,都是空手坐在位置上,便站起身来,眼睛一动不动地瞅着云霞将他的背包放进行李架,并合上门。

最后一位乘客安顿停当,舱门关闭,航班马上就要起飞。乘务员们分别对三级舱区进行了飞前检查,确认正常后,回归自己的乘务区,在座位上坐定。

飞机已经滑出,机上广播着注意事项,电视开启,放着安全须知。云霞已回到头等舱区,在属于她的位置上坐定,扣下保险带。一会,飞机滑至跑道头,电视关闭,收起。塔台令下,飞机加速、滑跑、抬前轮、后轮,离地而去。

方才在经济舱,云霞看见入职不到两年的乘务员小解,娇羞水嫩的面容,率真的笑脸,头一次飞国际长途略显局促的表情,颇像十多年前的自己,不禁多睇了一眼。从小解想到从前的自己。

十多年前了,云霞和许多少女一样,怀揣着航空梦、蓝天梦,走进民航大、南航大、民航飞院、上海民航职院或其他大学,经历几年的学习,如愿以偿,飞翔蓝天。从此,穿梭在云端,双脚迈在天和地之间;从此,在机上这个特殊的江湖里,和机舱打交道,和机组打交道,和形形色色的旅客打交道。

和人世间的许多事一样,一旦圆了梦,梦中的景色就显得稀疏平常,甚至不再美好,如同翘翘板的两端,一头落下,另一头就翘起。几年乘务工作下来,才感到天上的活并非全是想象中的浪漫,却是又苦又累又少自由。自入了行,就是飞机上的一颗螺丝,成了几百万个零件的一个,随着引擎的转动,人也跟着转,不停地转,转得星暗月昏,转得乾坤腾挪。

中途,一些人职业倦怠,开始"溜号"。跑了几年码头,天南海北、五湖四海,走过千山万水,阅人千千万万。该玩的玩过,该喝的喝过,该浪的浪过,趁着青春芳华未尽,蓦然转身,干别的行当去了。有的去了大公司做行政,有的满怀豪情去创业,有的嫁入豪门做起专职太太,也有的怨苦怨累,怨倒不尽的时差,找关系托人情从空中降落地面,坐进了机关办公楼。云霞是个有始有终的性格,不喜朝秦暮楚,喜欢一生干一件事,一行干到底,既然做了,即使选择有错,也要从一而终。她不理睬周边人的动向,默默地做,从乘务员做到乘务长,到乘务经理,到公司的形象代言人,云燕示范组的核心成员。上电视、上报纸的机会多了,名声响了,全国都知道她,但她终始是一名乘务员。

飞的时间越长,空中的世界越大。航空运输,集中了高端客人,为全球的这一群体服务,似乎有穷不尽的学问,做不完的功课。空乘这行当,不知怎的,一二年新鲜,三四年苦逼,五六年平淡,七八年奇特,十年以上则干出了情感,满身都寄托着对这一行的情,宛如一对恋人,风风雨雨,磕磕绊绊走来,十年长恋,终于瓜熟蒂落,"曾经沧海难为水"。曾经,也有多次"半途而止"的机会,包括目前都有。她那张"观音娘娘"般吸引人的脸盘,受过良好礼仪教育的成熟,这些年见多识广的经历,先后有五家大公司聘她去当形象代言人。某地产上市公司说了,来,过来做公司的行政公关,年资七位数。哇,七位数。

一家地方电视台得知她有普通话甲级资质,两次约她去做一名播音主持。还有一次,乘坐头等舱的一位名导,反复观察了她的音容笑貌,终于递出一张不轻易出手的名片,说不如跟我去拍电影,你干这个有点可惜。可惜?什么可惜?她身上的光环和荣誉都是公司给的,没有公司也就没有她云霞。

她还想了,他们相中我什么?是看上我的虚名,看中我的脸?还是看中我身上的什么……有时,她怀疑,来挖她的人是闹着玩的,她不信。但真有几家公司,来真的,电话来谈,短信来约,反复来几次,她才相信不是假的。但她哪里也不打算去,没法子,她对这个岗位已经有了一种默契,一种气场,一种业缘,她也说不清,为什么会这样,但就是这样了。越是有人让她离开,她越坚信应该留在这儿,越是有人来挖脚,她越想坚守这块阵地。这算逆反,还是拧着?她不知道。

何况,守卫这方天地的不止她,不止她们这些乘务员,还有秦风云一帮机长、副驾,还有方向准、何雨丝这些管制员,还有机务、签派、安检、值机、地服、通信、气象、情报……保障单位人群,他们和她同气连枝,守望相助。每当看到一批又一批年轻人加入,有机长、有副驾、有机务、有空乘,她真正感到,这是一个年轻人的世界,一个充满朝阳之气的世界。地球之上的工作,站得高,望得远,云朵之巅的心境,放得下,想得开。空中自然比地面高远,天上当然比地上辽阔。有人说,肝胆相照在于草莽,在于江湖,她说,有一种情怀,叫云天相随,生死与之……

## 7

这次飞西班牙风平浪静,波澜不惊。天上万里无云,一碧连天地。八千里路云和月,连一点微小的颠簸都没有。机上的乘客休息的休息,看书的看书,宁静又有序。乘务员的脚步都轻,轻轻地去,轻轻地来,不带起一粒纤尘。再过一个半小时就要抵达目的地,乘务员们也抓紧时间在工作间喝口水,歇息会,积点能量,一会还要做下降前的综合检查。

公务舱、经济舱都挺安静,没有人喧哗,没有人聒噪,只有各种机器工作的声音,只有旅客们翻书阅报看电视的窸窣声。这一趟航程显得轻松,轻松就显得短暂,不知不觉就要到站了。有的乘务员已溜进洗手间,开始悄悄补妆,准备晚上去逛马德里的夜市。

云霞的脑间闪过一丝不安,这次航程,除了上机时发生莽汉和无人陪伴老人那一幕外,轻松无比,全程过于顺利和平稳,这么长的航程,这么多人,不发生点什么,不帮人解决点困难,不提供点特殊人群的帮助,她倒觉得对不起大家似的。但当麻烦真的找来时,她又对自己怪诞的想象大加讨伐。

负责商务舱的乘务员小玥匆匆来报,说一位中年旅客安先生两次说身体不舒服,本来不想惊动云经理,但安先生刚又说了一次身体不适意,第三回了,又说想喝一杯蜂蜜水。云霞说,厨房间应该有备份的,调制一杯送过去就是了。小玥应声去了。

不到五分钟,小玥又碎步而至,喘着气埋怨地说,安先生有哮喘病史,怎么还来坐长途机?云霞问,吃药了吗?问题就出在这儿,患者把药忘在昨晚住的酒店了,上了飞机才手忙脚乱地找,哪里有噢。云霞感觉有麻烦,问小玥,咱们的备用药箱有没有类似的药?小玥说,也找了,没有相应的药丸,治发烧、感冒、心脏病的药倒有一小箩。云霞说不用往下说,我有数了。

加西亚匆匆忙忙过来,先瞧眼小玥,对云霞说,刚在商务舱看到一个旅客,哀哀叫着,呼吸又粗又重,好像不对。气氛凝固了两秒钟,云霞立起道,走,快去看看。小玥和加西亚紧紧跟着。三人来到安先生座前。好在商务舱空间宽敞,走道容得下人。她早听见患者粗重的喘息声,问是哮喘吧?对方说是。对不起,飞机上也没有这类药。侧头问小玥,蜂蜜水喝了吗?小玥说,喝了一半,不肯再喝。她对患者说,还是要喝,安先生,对你好。加西亚端起杯子道,我来喂。安先生见是个洋空乘,算给面子,勉强接过杯子,咕噜咕噜几口,喝了下去,将杯子递还给加西亚。

云霞问,现在觉得怎么样?安先生说,还是难受,怪我,把药落下了,糊涂……透了,一句话没说到底,已是上气不接下气,喘得冷汗虚冒。

云霞的心微微一沉,看这架势,有点悬。

"取氧气瓶。"她吩咐道。

片刻,小玥和一男乘务员小江扛了氧气瓶过来,接上管子给安先生补氧。云霞叮咛一旁的小玥:"你马上去广播,找乘客中的医护人员,医生、护士都行,说明患者得的是哮喘症,请他们提供指导。"

小玥领命而去,用她那甜糯的嗓子广播了三遍,接着又广播两遍。事情就怪,不需要时拱出一大堆医生护士,真需要时无一人露头。小玥灰心丧气地回到商务舱:"就这么巧,竟然没有,一个都没有。"

"也许真没有。"加西亚说,"现在,我们就代替医生了,培训时训过。"

云霞指着他们几个说:"你们先侍候着,我去和机长商量下。"

这个机长不太熟,以前和她没搭过班,但天下谁人不识君,哪个不知形象代言人云霞的名头?听了她的分析,为难地说:"备降场比较远,而到马德里,也就一个多小时,不如笔直飞过去快。"

"你是说直飞?"

"机上有危重病人,可以申请直飞。"机长说,"欧洲的航线总体平直,弯弯绕少,应该问题不大。我马上向马德里空管报告,以大速度直插过去。"

"哮喘病人很麻烦,机上又没有药物和医生,处理不好有严重后果的。"她叹了口气。"明白了。"机长说。

马德里空管批准了他们的请求。航班上升高度,速度也加至最大,全速朝马德里开进。

云霞回到病区时,安先生呼吸越发急促,神态渐渐进入模糊状态。她知道,接下来,病人或许昏迷,这一昏迷,能不能醒来,天晓得。

加西亚不死心,跑到广播位,分别用英文、中文、西班牙文再广播一次,询问机上有没有医护人员。还是没有,也许真没有。如果有却不愿出头,那是职业道德穿了孔,这种人就不应该获得给人看病的资格,来了也不要。过了十分钟,云霞搭在他手上的指端已明显感觉不到他的脉动。

"叫人,多叫几个人过来。"云霞说。转而一想,人太多不一定管用,又对加西亚说:"今天,你要考试。"

加西亚明白其中的含义。乘务员都经过抢救病人的培训,对各类病灶有初步的了解,加西亚等几个在这些课程的培训中成绩拔尖,对此,云霞记得。当人停止呼吸和脉动后,要做的,便是心脏复苏、人工呼吸,乘务员们都训练过,为必修课,必备基本功。当年,云霞还做过示范。

云霞跪在地下,双手按住安先生的心脏,开始按压。指指空少小江说:"你,对他人工补气。"小江二话不说,用嘴巴对安先生开始吹气。

加西亚卷了卷本身就高的袖子:"经理,我来做心脏复苏吧,我力气大。"

云霞边按压边说:"不能太大,也不能太小,我先做着,一会换。"

云霞在下面按压心脏,小江在上面吹气,约莫过了十分钟,安先生轻咳几声，微微睁开了双眼，看见这么多年轻乘务员围着他人工施救，说不出话，一行热泪先滚落下来。大家松了口气，云霞和小江起身擦擦额上的汗珠。突然，安先生脖子一弯，又昏了过去。

"继续！"云霞大声说。双腿又扑通跪下，双手用力按压。

见小江满脸涨红的样子，加西亚挤上前："换换，我来补气。"

小江说："可是？那个……"

"你指我是女的？"加西亚用纸巾擦擦病人的嘴和脸，"医生不分男女，男医生还做妇科呢。"说着，一头扑下，对安先生人工补气。加西亚先从外面吸一口气，将嘴巴鼓圆，又把安先生的嘴唇和牙齿掰开，用自己的嘴直接将气吹进对方的喉咙，直抵胸腔。比起小江，她似乎更为专业。

小玥对云霞说："经理，我来按心脏，您歇一会。"小江也说："我来按，力气更大些。"

云霞说："不，还是我更有经验些，这活，不光靠力气，还得有技法，还是我来。"

小玥用纸巾替云霞揩一把涔涔热汗，说："安先生，醒醒。"

旁边乘务员也一个劲地喊："安先生，快醒醒，睁开眼，坚持住。"

在他们的人工呼吸、心肺复苏下，在年轻乘务员的呼唤声中，安先生嘴角的肌肉轻微抽搐了几下，众人喜出望外。加西亚刚喘了口气，安先生脸部的肌肉又僵住了，瞬间又失去了呼吸和脉象。

"不能放弃！"云霞沉声说。

不断有乘务员过来，要求替换她和加西亚。

云霞觉得整条腰都是别人的了，喘息着说："谢谢大家，但现在不能换，病人生死悬于一线。我和加西亚配合默契，已在一定程度上和患者打通了气场,达到了心理连通,如果换人,恐怕真的没救了,继续试!"

云霞提足真气,有节奏地按压,轻重有度。加西亚运足气力,吹气若兰,将一口口香甜的清纯之气补入患者的口腔和心肺。两人如此坚持了约半小时,云霞双臂酸麻得快失去知觉,仍咬紧牙关硬撑;加西亚呼出一口气,从外面吸进一口气,给患者补入一口气,已使出了蛮荒力气。

"坚持住,安先生,千万不能睡,飞机马上就要落地了。"小玥含着泪说。

"安先生,云经理和加西亚小姐拼力救治,你一定得顶住了,否则对不起她们呵。"小江和一干乘务员悲壮地说。

云霞久历沙场,处变不惊,按节奏起伏按压,巨大的汗珠来不及擦拭,小玥如主刀医生边上的护士,不停地帮她揩去额上的汗水,泪水一直在眶内打转。西班牙女郎加西亚镇定异常,体力超群,吸气补气,一气呵成,连续作业四十分钟不知疲惫。决不放弃,这是她们共同的愿望。

在旁人眼中,这几十分钟无比漫长,甚至是难以忍受,但云霞的内心却是幸福的。她是在救人,只要将人救了,自己累成 41℃ 也值,按佛的话说,是在积德;即使人救不过来,她也愿意累倒,于心无愧。

安先生平躺着,一会儿有脉,一会儿无脉,一会儿"生",一会儿"死",在有脉无脉之间,在生与死的边缘徘徊。他在死亡线上痛苦地挣扎,可不能去啊,否则有负几个年轻人的长时间坚持,拼了命的苦救……当飞机快接地前,僵尸一样的安先生,嘴中"噗"地吐出一大口气,奇迹般地恢复了生命体征。

飞机一停稳,机组事先通知的机场救护人员第一时间登机,对安先生进行了急救治疗,并送往医院。脱险后,安先生专门打电话给乘务组:"说句'大恩不言谢'的话都觉得虚伪;在我意识不清的一个多小时时间里,你们一直陪伴着我,用年轻人的蓬勃气血为我补充生命能量,使我去而复回……这种恩德,我一生都无法报答的。"

## 8

过了一周,云霞又飞一次欧洲。这次,带上了菊池静子。

菊池当上了乘务长,作为奖赏,再次跟着云霞飞欧洲、飞巴黎。作为乘务长,她总是带头干活,如同部队中的班排长,冲锋时第一个,撤退时最后,这就是排头兵。

云霞和菊池在巴黎停留一天,等下个航班过来,和另一个机组回程,云霞通过内网查询,查到秦风云明天回程,她们就跟那个航班回。

第二天登机时,菊池见到秦风云,心头怦怦乱跳,远远的竟不敢吱声。云霞见他,老朋友不用寒暄,相视轻轻一笑,心领神会。

走近了,秦风云瞅一眼菊池:"今天怎么吹西风?"

她微一鞠躬:"老师带我来学习。"

云霞说:"不,是对你的奖励。哎,第几次啦?"

"这个……"小块的绯红晕上了菊池的脸颊。

秦风云望望窗外,对云霞,也对她们说:"国内发来航行通告,热带风暴在东南沿海活动,哎,今年的风暴尤其多。"

云霞说:"现在的人不认识,天也不认识了,深秋天了,台风一个接一个,还打雷,轰隆隆、轰隆隆地响不停,怪吓人的,唉,逢'8'的年份,年景都不好,经济不好,天气也坏。"

秦风云道:"也是,1988 年西方经济危机,1998 年亚洲金融风暴,2008 年老美次贷危机,今年全球贸易战,一团乱麻。"

"从大乱达到大治。"云霞说,"这台风也是,早不来晚不来,这时候来。"

秦风云说:"淡定,我们不遇上,其他航班就遇上。还好,今年台风多,但都不算猛,恰似温柔一刀。"

菊池插话说:"几个台风说到上海登陆,忽然都变小了。"

云霞扫了他俩一眼,"咦,怎么说话同一个腔调?"

菊池眨眨眼:"师傅……"

"近几天风暴期集中,欧洲天气也不灵,机舱服务轻松不了。"秦风云说,"好,我进去了。"

云霞说:"呵,我们也得准备了。"菊池撸撸手臂:"嗨,准备。"

# 十、逆 风 飞 扬

## 1

法国戴高乐机场。天空黑云凝结,空气沉闷。

这次和秦风云比翼双飞的,还有贝特朗机长。在秦风云跨进舱门不久,法籍的贝特朗机长也走上工作岗位,只是比秦风云晚上来了十分钟。

贝特朗在机场遇到以前一位同事,聊了几句,从时间上推,正是秦风云和云霞、菊池寒暄的时候。洲际客机配的双机长、双副驾,这班机的机长就是秦风云和贝特朗。正如云霞所言,不知是上面有意安排,还是恰巧,轮到秦风云飞长航线,搭档的外国机长尤其多,这次从巴黎回飞,又一名老外机长和他肩并肩飞行。

贝特朗机长睡眠充足,看上去精神抖擞。他和其他外籍在华工作的机长一样,享受着公司对他们的特殊眷顾——以他们的母国为基地倒着排班,飞往中国相当于工作,属于执勤范畴,而大部分休息时间可以在本国度过。老外们对此雀跃不已,真是太他妈人性化了,这种法子只有五千年传承的中国人才想得出。但也有部分机长和空乘,干脆连家都安在了中国,他们不需要这种"待遇"。

"早知这样,二十年前就来中国了。"贝特朗对秦风云说,"秦机长,'魔术手',《论语》秦先生,您好。"

"贝特朗先生越来越幽默了。"秦风云说。竟称他为《论语》秦先生,定是从微信群里延伸来的。

"跟着您飞,太开心了。""合作愉快。"秦风云和他热情握手。

适才,贝特朗登机时对每个乘务员都点头微笑,用英语问候。见到云霞,双眼放光:"云小姐,东方美女,太漂亮了。"

云霞朝他撇了撇嘴:"贝机长好。"

见到法国同胞空乘,贝机长显得更激动。萝拉已张开双臂,和他拥抱:"你好,又碰上了。"

"很荣幸。"贝特朗说。他俩都飞法国线,碰上的概率高于他人许多。每次在飞机上见,都按西方礼节,相拥相抱并用法语叽里咕噜一番,类似于上海人说沪语。

贝特朗瞅了菊池一番:"你是日本人?"菊池晃了晃胸牌:"嗨,菊池静子,请多关照。"贝特朗说:"呀,又一位东方美女,和中国人差不多么。"菊池用中文说:"欢迎贝机长。"贝特朗伸开手,想拥抱菊池,她抿嘴轻笑,侧身闪开:"贝机长,我可是东方人。"

"东方? 呵,东方人。"贝特朗瞧秦风云,秦风云瞧菊池,嗤地笑笑,抬头望天。云霞笑得花团锦簇。

菊池对贝特朗说:"我师傅才是真正的东方美人,天下无敌,一骑绝尘。我和师傅一比,差得不好意思。"

云霞睨了眼面前的弟子:"小菊池,别学油腔了。"

贝特朗瞧着菊池娇小的身躯说:"初次搭班,太高兴。"

秦风云干咳两声,瞄一眼巴黎上空黑乎乎的天空,说:"再过几分钟,旅客们开始登机了,上完客抓紧走,今天一路有天气。"

说完,机组和乘务员各就各位。不一会,旅客们陆续登机。来中国的各国旅客也看出了天气的不对,步履匆匆,巴不得快点上机,快点放好行李,快点升空,快点飞达目的地。

云霞巡察了一圈又回到驾驶舱附近,对二位机长说:"还缺三个旅客,应该快了。"

经济舱乘务员来报:"最后一名旅客也已登机,可以关舱门了。"

秦风云说:"快,关舱门。"

贝特朗对几名空乘说:"天气的不好,今天的客舱服务,累人。"

云霞说:"这个,有准备的。"心想,这贝特朗说中文怎么像日本人似的。

后面一乘务长报告:"航门已关闭。"

"好,马上申请塔台,准备起飞。"秦风云谦虚地对贝特朗说,"贝机长,请?"

贝特朗连连摇头:"No,No.秦机长是总指挥,你指挥,我执行。"

"不,应向您多学习,飞行时间比我久,技术硬,是前辈中人。"

"不,您是知名的魔手,一切听您,我只是驾驶机长。"

"贝特朗先生何必客气呢,你我都是公司的一员,都是机长,共同为飞行安全负责。这边的情况你熟悉,看你精神饱满的样子,状态不错,你和一名副驾先飞,中途咱们再换班,好不好?"

贝特朗耸了耸双肩,用磕磕撞撞的中文说:"秦机长这么客气,这么

273

谦虚,就像什么经上说的,叫、叫什么……人低……为海,谦、谦虚为上。"

菊池忽而插话说:"《道德经》上说的吧,上面有一句话,就是水低为海、人低为王的意思。"

贝特朗一拍脑袋,恍然大悟似的:"对,对,菊池小姐说得对,那我就尊敬不如从命了。"

云霞捂嘴轻笑:"说的很地道,比'恭敬不如从命'要精准。"

秦风云对贝特朗说:"请上位。"

贝特朗坐上机长位,另一位中国籍副驾坐右手位。秦风云和另一名副驾坐后排。驾驶舱门关上,将他们和乘务员隔开。贝特朗说:"我就开飞了?"

秦风云右手轻轻向前一挥:"飞。"

## 2

航空塔台发来指令:天气覆盖,不能起飞。

贝特朗猛拍大腿:"糟了,机上等待。"驾驶舱内,你看我,我看你,人人脸上布满无可奈何的表情。

客舱里,云霞从座位上站起,说:"咳,这法国管制员,把我们管制在地上了。咳,早知如此,上哪门子的客呢。"

乘务员小佟说:"真不如上海,如果天气把握不准,不能上天,将旅客留在候机楼比在机舱里不知强多少倍。"

说着,小佟打开手机,给国内的男朋友发微信,说遇上巴黎鬼天气,别按计划时间来接机了,随时查航班信息。

秦风云咣当打开驾驶舱门，步出。见云霞等几名乘务员懒洋洋的表情，朝她努努嘴："可能得等一阵子，姐妹们辛苦了。"

"为旅客服务——"小佟揶揄地拖着长音说，"航路上有情况，巴黎上头天气操蛋，不知要等多久。"

云霞敛起笑容道："发牢骚都没用。这几天北半球都一个熊样，不是雨就是风，多巡舱吧。"

秦风云看见外面乱哄哄的光景，又一头钻进驾驶舱。

小佟愤愤地发了条朋友圈：巴黎，我又、又、又延误了。

另一乘务员小金嗔怪道："哎呀，你又发了，发朋友圈，延、延、延，肯定因为你上了这趟机，才那么扫兴。"

小佟反唇相讥："你才扫把星呢，咱可是正点小公主。"

空气中弥漫着一股埋怨的气氛。谁不想早点飞，早点到呢？云霞眯着眼瞅了瞅扎堆的空乘，吩咐道："姐妹们，安全须知的影像结束了，出去巡舱吧。"小姑娘们应声而去："好哒。"

云霞又说："等等，菊池和萝拉留在头等和商务舱，我先去经济舱，那边客人多。"说着，带着小佟、小金等一干乘务员巡察后面几间大舱。

"云姐，前面那位金卡哥生气了。"小佟说。"先解释再哄哄。"云霞笑道。"姐，毛毯枕头都发空了，还有旅客说冷。"云霞说："让客舱升温。"小金又回上来说："有旅客说太热了。""嘿，有人说冷，有人说热，咋整？给他开通风口。""开了，还说热。""让他脱。""姐，人家都脱成 T 恤了。""再脱……"云霞忽然发觉不对，再脱就剩"光杆"了，"那人肯定太胖了，脂肪多。跟他说明下，客舱里还有老人孩子，温度不能太低，否则会感冒的。哎，给他去杯大冰水。"

小佟说:"有旅客饿,说要吃饭。""哈,现在就要吃饭?没看见大伙忙着吗?"云霞说。小金喘着气说:"云姐,要水的旅客太多了。"

云霞走到乘务区,拿起机上电话打给秦风云:"哥们,有时间了吗?""还没呢,咱不比你还急?"她说:"那能发餐食吗?""咋,闹不住了啊?""几百号人嗷嗷叫,你出来看看。""噢,你等会,先扛着,我再问问塔台。"

等了有十分钟,机舱里的声音更响了,要水要饭的旅客大增。一帮乘务员们扛不住了,求救云霞。她又问驾驶舱:"老大,如果现在发餐饮的话,时间来不来得及?"她的言下之意,别发到一半,或者旅客刚吃上两筷,飞机滑出,又得劳驾大伙收起小桌板,停止用餐。

秦风云飞了这么多年,啥风浪没见过,用食指抠了抠前额,不疾不徐地说:"塔台说吃不准啥时能飞。这个,发吧,动作利索点,万一运气好有时间了呢?不过看巴黎上空这鸟天气,悲观。"

贝特朗坐在机长位喝着咖啡,对他说:"这位乘务经理,看上去很厉害的。"

"不是很厉害,是很能干的。"秦风云纠正道。

云霞挂上电话后,转头对乘务员们说:"抓紧时间发!塔台说还没起飞时间,但要抓紧时间!"

接到"开发"的指令,姑娘们立马热火朝天干起来,摆餐的摆餐,装水的装水。别看小金小佟这些乘务员瘦瘦长长,小胳膊小腿的,做起事来也是虎虎生风。不一会,两车餐食、两车饮料摆放停当。云霞将萝拉、菊池派在公务舱,她自己重点关注经济舱。毕竟这儿人多,是大头。小佟小金她们对视一眼,推起餐车向过道走去。

"先生,餐车经过请小心。"小金说。"飞机到底几点起飞?"有旅客问。"两边的旅客请收下脚。"小佟说,"一有消息马上会广播。""真不靠谱,动不动就延误!""先生,要鸡肉饭还是牛肉面,饮料喝什么?""早说不能飞,别让我们上来,牛肉面!"男旅客说。"哎,天气原因,不是哪个人能定的。请当心烫,里面这位女士想用什么?""客舱太冷了,还有没有毛毯? 鸡肉饭!"女旅客说。"哦,毯子发光了,我们已升温,一会就会好的。"小佟说着,心里想:有人还嫌热呢!

餐车继续前推,两人的嘴巴已经说得干涩。"这位先生,雪碧可乐咖啡茶水果汁矿泉水,喝点什么?"小金说。"我可是掐好点去国内开会的,耽误了事你们得负责! 要杯热水!""先生热茶拿好,当心烫。这位阿姨想喝点什么?""你们是不是故意让我们在飞机上等? 不然你们没有小时费,别以为我不晓得。给我杯红酒!""不起飞,人不在空中,我们也拿不到小时费的哦。阿姨,红酒来了,蛮满的,请端好。"小佟委屈地说。

"到底几点开飞? 这都过去一个多小时了。"一位男士火气直冒地说。"有了时间会及时广播的哈,先生喝点什么?""早知这样,改签法航晚上走了,来杯冰水。哎哎,气死了,多加冰!"小佟给他加了五块冰,冰的尖头冒出杯子一大截。她说:"先生,多喝点冰水,消消火。"

"巴黎机场,什么破水平! 明知道不能飞,应该让人在候机楼等,早早把我们骗上来,转移矛盾!"一位老先生气咻咻地说。"先生言之有理。"小金话出口,才知道不太合适,"可能,他们也不想那样。"

云霞比谁都清楚:两个通道,四辆餐车,八个空乘,每个空乘要单独面对几十名旅客,遇到这种情况,人人要使出浑身解数去面对与安抚,再将吃的喝的送到位,语言中要愉悦地接受旅客的抱怨,等旅客们吃喝完又得尽快回收餐盒和杯子。几百名旅客一轮吃喝收场,厕所门口已排起了长队。吃的喝的是进,还得有出的通道。男女老少像受了感染似的,纷纷前去方便一下。排队人一多,原本不打算马上解决的乘客也立起身来,加入排队的行列,害怕到时要起飞了,厕所门一关,干瞪眼。到了这时候,大家都急,很少有发扬风格的。

面对混乱的场面,云霞又打个电话给驾驶舱:"怎么样,有动静吗?"

"你好,云小姐。"是贝特朗机长接的,声音略显疲惫,"遗憾,还没有时间。"

云霞和乘务员们相顾无言。"继续巡舱。"云霞说,"接着哄。"

接下来的时间里,乘务员们又到几个通道中走来走去,不停地作着说明。广播也不时响起,广播着没有好消息的消息。云霞将所有的乘务员连乘务长都派发出去,让她们尽量和旅客们在一起,面对面沟通。有几个小空乘累得腰酸脖子疼,都不愿相互说话了。

乘务员们的嗓子哑得差不多时,旅客们也疲了,他们也相信:乘务员和他们一样,实在也不知道啥时能飞。

这样的折腾,小金,小佟等乘务员成长快,菊池、萝拉等外籍乘也多些经历。几百人窝在机舱里几小时,谁没有怨气,谁不难受?这些都需要乘务员去接受与疏导,接受与疏导的过程也是他们成长的历程。今天,云霞将头等、公务舱交给菊池、萝拉她们去做,自己待在经济舱,主要因为经济舱人员密度大,条件相对差,更需要人。

机场上空的云系更厚了,乌天黑地,啥时能走真不清楚,说不定还有一小时,还有两小时,不确定。这么多人集中在有限的空间里,时间越久,人的心态越浮躁,抱怨声越响亮,投诉的概率也越高。如果控制不好情绪,旅客与工作人员之间,旅客与旅客之间,为了某点小事发生口角的可能性越大。在云霞的乘务经历中,长时间延误还发生过三起群体性事件。如果那样的话,情况会变得异常复杂与麻烦。想到这,她想亲自再去巡一次舱。

哎,驾驶舱来的电话将她截住了:"云层和雷雨将机场覆盖了。"

这,她已经看到了,而她最不愿意听的那句话还是如雷暴一样砸了下来:"通知来了,下客。"

云霞不会吓晕过去,可乘务员们肯定要哇哇叫开了:流了那么多汗,好不容易将旅客哄在机上,现在又要哄下去,下去以后还得再请上来呀。但这是不可逆转的事,眼下要做的,是先"请"下去。

下机就得和地服打交道,这里是法国人的地服,就让萝拉这个法国人去开路吧。

萝拉拉开机舱门。地服小姑娘一脸菜色:"姐,怎么下来啦?候机楼里人快挤满了,怕装不下啊。"

萝拉诉苦道:"抱歉啊妹妹,如果这些人再在飞机上待下去,马桶都要溢出来了。"她讲着法语,大部分人听不懂。"啊!真的吗?""哪能有诈,骗你是小狗狗。"萝拉说。

下来的人流如潮水,不少旅客带着一脸的愁容。萝拉想和她那个地服妹妹拥个抱,地服妹一瞧旅客的架子,吓得溜开了。旅客下完,后面跟着乘务员和机组成员。

贝特朗从驾驶舱走出,过廊桥,瞅了眼候机楼攒动的人头,慵倦地说:"我知道机场附近有好吃的。"

你不知道才怪,法国人。云霞问:"贝机长想干啥?"

贝特朗说:"请你和秦机长喝咖啡。"看见小佟小金等一群小姑娘,改口说:"也包括大家。"

云霞作揖道:"你带着萝拉妹妹和其他人去吧,我去不了,还有一大堆琐事候着呢。"

秦风云慢吞吞走过来,瞧着难民营一样的候机楼说:"哈,要是今天不飞了,过夜的话,真的应该出去吃点好的。"

候机楼里,分别用法文、英文、中文广播着航班信息。云霞已记不清了,哪一年开始戴高乐机场有了中文广播。

这一等,就是三个多小时。

## 3

云霞看着手上腕表,眉头皱了起来。再等下去,麻烦了:机组有人会超过执勤时间。

贝特朗刚从巴黎上来,没问题。秦风云不同,昨天飞过来,今天回,等待时间过长,加上飞往中国的时间,就有可能超时执勤,一旦超时,按规定必须换机组,那这架飞机的起航更没有时间了,旅客们造起反来可不是闹着玩的,到时真刀真枪、赤膊上阵,谁吃得消?

时间已在临界点上——在超时和不超时的临界点上。

云霞问:"老大,咋办?""我想忍一下,不换机组。"秦风云说。"可上头这规定?"云霞踌躇着说。

"也是灵活的,不是死棋一盘。"秦风云摸了摸鼻子,"最典型的是部队,最讲纪律,最讲作息时间,但上了战场,还能讲按时睡觉,按时起床?可能三天三夜不睡,不照样拼刺刀?"

这时,贝特朗机长走近,满脸严肃地说:"怎么样秦机长,换机组还是走?塔台管制员说了,如果准备好了,可以走。"

"那还等什么?抓紧上客,赶紧走。"秦风云扭头往里跑,"一会天气来了,又不让走,至于我么,放一千个心,硬材料制成的,就是几天不落枕,照样开回去。"

贝特朗翘翘大拇指说:"秦机长,硬汉。"

一听可以飞的消息,旅客们一窝蜂地登机,比机组人员还起劲,谁不想早点离开这'戴高乐难民营'呢。原本需要二十分钟登机,十多分钟就上完了客。舱门关闭,各就各位。秦风云说:"贝特朗先生,你先开,我歇会,等到了西伯利亚上空,我俩再换班。"

贝特朗说:"等起了飞,你放心去后面平躺着,到时会喊你的。"

菊池一旁站了半天,顺手递给秦风云一杯饮料,他连连摆手:"没时间喝了,关舱门,开动。"她只得又缩了回来。小佟看见,斜了她一眼。菊池尴尬地笑笑。

飞机很快滑行、起飞。贝特朗抢时间似的,将飞机快速拉升,想尽早脱离云雨区。

菊池在乘务席上,看见一道闪电从萝拉的头顶上闪过,心中一悸。其实,闪电在机舱玻璃外,只是隔得近,感觉从别人头顶上闪过似的。

萝拉对菊池吐吐舌头:"哇,一道闪光从你头上掠过,像赤链蛇一样,一扭一扭的,最后哗地劈开了。"

菊池说:"我刚看见一团火球从你头上划过,不敢说,怕吓着你。"

萝拉右手紧紧保险带:"我是被吓大的吗?当空乘,这种光景见惯了。"

两人相视而笑,隔空扮了个怪脸。

秦风云在驾驶舱,对外面的天气看的更真切。穿云过程,前方,不断有冷气团和热气团碰撞,激荡出闪电,以广阔的天空为舞台,尽情地表演着它们忽忽闪亮的特技。看似很近,像从飞机的边上闪过,从乘务员的头顶闪过,实际在几十公里甚至百公里开外。因为和飞机有一定的距离,瞧着害怕,其实不怕。机载气象雷达时刻会显示,哪些是红色区域,是需要绕飞避开的。

真正的危险他是经历过的。那一年,秦风云驾机去中东某地撤侨,下降进近,需要在三千多米的低空飞行。他忽然看见地面好几个地方火光一闪一闪。他知道,飞机已进入双方武装分子的冲突区。驾驶舱内,人人绷紧了神经,谁都不说一句话,默默地观察着翼下发生的一切,有人在心中不停地祷告。

地面的那些闪点是什么?可不是闪电。是炮弹的爆炸发出的火球?还是机枪射出的火眼?似乎不太像,难道是军火库爆炸?想到军火,可怕的念头一个牵着一个转。是轰炸机落下的炸弹,还是射出的导弹?导弹,这名字带来太恐怖的想象。倘若飞来个导弹,不管哪个派别的,政府军还是反对派,还是什么武装,发来一枚导弹,怎么得了?民航机没有一次雷达,不能识别飞来的导弹或炮弹。即使肉眼发现了刺空而来的导弹,也不能像战斗机那样翻筋斗,做上S下S地机动,摆脱导弹的攻击,民机这庞大的块头只有乖乖挨炸的份。再者,低空飞行,只有三千来米,不用导弹,高射炮也能够到,几发炮弹抡过来,只要有那么一发碰巧撞了上来,"开花"在翼下、肚子下、尾巴上、发动机上,都是要命的。

中东是非之地，武装派别林立，后台背景混乱，历来不按套路出牌，真有哪个组织打红了眼，或者哪个武装首领喝醉了酒或神经病发作，冷不丁干上来一家伙，那可走远了，在这种地方连尸骨都找不见。民航史上，客机被有意无意击落的案例不是没有。好在他秦风云几次撤侨飞行，都没吃到炮弹或导弹，地面照样火光冲天，武装对射隔空可见，天上飞机胆战心惊地飞着，可能发生的没有发生，渐渐飞过了交火区边缘，落了下去，载上侨民，安全回国。

每想到此，秦风云偶尔心有余悸外，颇有成就感，毕竟那场景不是每个飞者有幸经历的。

飞机边盘升边颤抖，一路飞一路颤，即使钻出黑云，上了巡航的万米高空，还不时地颤，颠簸将他从沉重如山的思绪拉回现实。今天，他们的航程由西向东，从欧洲向亚洲，从亚洲的西部向亚洲的东部，从中国之西到中国之东，一路逆风，时间得增加一个多小时。

"华东那边，风暴外围。"一副驾驶说。

另一副驾说："今年天怪，早已立秋，台风还一个接着一个。"

"咱们这次是逆风飞扬。"秦风云说，"基本是全航路。"

客舱中，一名男乘客在不停的颠簸中肌肉紧张，脸部抽筋。云霞上前，轻声说："有点紧张？"对方点点头："一上一下，这么厉害。"

"没事的，流体力学。"她拍了拍他的肩膀，妍妍笑道，"就当小时候坐在摇篮里，摇啊摇，摇到外婆桥，睡一觉醒来就好了。"乘客男望望她观音般的俏脸，憨厚地笑笑，脸部的肌肉松弛了许多。

菊池站一边，又开始反思自己：我怎么就想不起这句话？"摇啊摇，摇到外婆桥。"同样的意思，不同的语言表达出来，人接受的效果就不一样。哎，云霞老师的身上，仿佛有放之不尽的智慧之光，有的是慧根，有的是经验，有的是率性的临场发挥。仿佛一骑红尘，滚滚而去，惊艳四方。但是汗颜，自己跟她几年，好像只学到点皮毛。

# 4

"Salut，pistache（法语：你好，开心果）——"一位年轻的法国男士喊她。

"先生，认识我？"萝拉回眸一笑，略带媚态。

"勒戈夫，我叫勒戈夫，上次在飞机上见过的。"自称勒戈夫的眉飞色舞地说。

"勒戈夫先生好，欢迎乘坐本公司的班机。"萝拉说。

"上次在飞机上，你给我们讲故事，听了很开心，有人叫你开心果，因为你永远挂着一张笑嘻嘻的脸，特征明显，就记住了。"

"又去中国？"萝拉问。却记不起他，当旅客招呼。

"去十次都不够。"勒戈夫说，"这回打算去登山，去黄山、天柱山、九华山。"

"哦，计划够宏伟，都是安徽的山哟，离上海不远。如果多一点时间，还可以去泰山、华山、恒山、衡山、嵩山，还有天山，昆仑山、秦岭山，还有军都山，军都山上有长城……"

萝拉上次跟秦风云、方向准登上黄山，听说了很多关于中国大山的故事，想不到今天拿出来一显摆，还挺有学问似的，不禁心下得意。实际上，许多山她自己都没爬过，但不影响对别人炫耀。

"哇,还有这么多好山啊,以后一定要去。我不喜欢看海,就喜欢登山,山比水上层次,有变化。"

班机已飞了四五个小时,马上要开餐。萝拉递上菜单:"晚上有牛排、大虾、神仙鸡、深水鱼、醉鸭,有五种蔬菜,还有红酒、啤酒、香槟酒,还有各式饮料,还有咖啡和红茶,还有甜点和冷饮……可以美餐一顿再休息。"

"啊,这么多。"勒戈夫说,"没吃,听着就开始掉口水了。"

"那是,还有水果盘,开胃菜等前置食品。这个,本公司航班上的美食,料是上好的精料,烹是一流的大厨,中餐为主,兼收西点,假如说天下第二的话,恐怕没人敢说第一。"

"啊,这么牛。"勒戈夫说,"听你这么说话,觉得在为贵公司刷广告呢。""随你怎么说啦。""那你,今天给我们讲什么故事呢?"

"中国的故事多得很,都装在这儿呢。"她指指自己的脑袋,"吃饭时给你们讲一筐。"

萝拉今天主打商务舱。在这儿工作,和经济舱有较大区别,至少要会汉语、英语和母语三种以上语言,要介绍菜谱,要能讲故事。萝拉在中法线上跑,讲了许多中国故事给欧洲客人听,从孙悟空讲到花木兰,从黄山讲到昆仑山,从长江讲到黄河,从兵马俑讲到长城,从紫禁城讲到陆家嘴。通过讲小故事,机上有些经常往返上海与巴黎的客人记住了她,记住了这条航线,记住了中国的许多地名,也带来了不少回头客,这好比做生意开店,店开得精致,就有许多回头客、熟客、常客。

菊池按云霞的要求,这回在商务舱工作。这和中日线不同,上海至日本不过几小时的航程,类似于国内航班,空中不会有一日三餐,最多开餐一顿。她默默地跟着萝拉,学到了许多东西,一面思索着如何将长航线上的某些特色移植到中日线上去。

驾驶舱里,秦风云已经换下了贝特朗机长,和另一名副驾驶向东开,一路逆风。

云霞已经来送过一次饮料,和他唠了几分钟,出去了。第二次萝拉来送,帮秦风云调制了一杯欧式咖啡。秦风云像是随口地问起:"菊池呢? 也在前面服务?"

萝拉说:"她忙着呢。""你们比我们忙,今天可把你们忙趴了。"他说。萝拉扬眉道:"年轻,还好,熬一下就过去了。"

秦风云抠了抠耳朵,目光有些迷离。萝拉送饮料,勾起了他的记忆,前几回,同样是外籍乘的菊池进驾驶舱送东西都吃了闭门羹,第一次是东南亚航班,被他"轰"了出去,第二次,中日线上,被他打发了回去,第三次在哪条线上,也被他"请了"出去。后来,在外面有几次生活上的交集,尤其是那次上黄山,彼此了解了一些,觉得她是个蛮懂事的孩子,做事勤勉,学汉语一头扎进去拔不出来,不仅工作用语绰绰有余,和人交谈,竟被外国人和许多中国人认为是"汉人"。哎,人就是一种逆向思维动物,不希望人出现时往往出现,当某些人不出现时,反而盼着她出现。

云霞将客舱一摊子弄妥帖了,又踅进驾驶舱来,问几位"舵手"有没有别的需要。秦风云的目光瞄向她的身后。云霞愣了下,回头瞅瞅自己的身后、脚上、服饰,是不是有什么不得体的地方,当发现一切正常时,才鬼精灵似地反应过来:"你是不是看我后头有没有啥人跟着?"

"没有的事。"心思被揭穿,秦风云不由得呆了一呆。

"嘿嘿,你那点弯弯绕,还能瞒过俺的法眼?"云霞盯着他的双眸,

"你心里一直在想,这次菊池也在飞机上,怎么不进来送东西?告诉你,别做梦了,她现在不进来了,不敢进来了,不想进来了,超条件反射了,一看见驾驶舱,就双脚发抖,路都走不动,怎么还能进来送东西?"

副驾驶一头雾水:"咦,这里有故事么?"

"瞎说。"秦风云五味杂陈,讪笑道,"夸张,说的太玄乎了。"

云霞扭身向外:"好了,没空陪你们了,出去干活,差不多也快下降了吧。"

他说:"再一会,将进入上海终端区了。"

## 5

方向准瞧着窗外翻滚的云朵,听着呼啦呼啦的风声,二话不说,开着他的私家车,进单位加班。

在管制中心,领导们一会商,决定抽调部分在家的骨干进现场支援,这符合特殊天气加班的条件。按要求,进近管制主任编了一段文字,通过手机发送了出去。

主任刚发送完不久,方向准已出现在他的视野中。"三边王,神腿哪,这么快就到岗啦?"

"主任可千万别这么喊我,否则又会出啥幺蛾子。"方向准哈哈一笑,"不心有灵犀吗?天气就是我出发的信号。等领导点我,不如主动登门,不过,咱可不是为了年终评先进,而是怀着一颗赤诚之心。"

"方向准的境界越来越高了啊。"

方向准做了个敬礼状:"全心全意为机组服务!"

主任咧嘴笑道:"你就吹吧,喇叭口吹得越大,风也刮得越猛了。"

"那可不关俺的事。"

"是不是还在生上次出差错的气?总想为那次的纰漏找回场子,多报几次仇?上次的事么?帮你分析过了,可能是临时换了管制单位,从进近到了区域,水土不服,才导致的错漏。"

"呃,还得从自身找原因,区域跟进近一样难做。"方向准边说边走,"哈,主任,咱上班去了啊。"

方向准心下承认,主任的话说得不错,他是有为岗位、为用户服务的心,但境界还远没到无私奉献的程度,顶多算个先公后私,或者说那个,公而忘点私。每有特殊情况,如天气严重、航班大面积延误,他都奋勇当先,其间一个不可告人原因,就是想反复验证自己这个"三边之王"的一些做法的实际合理性。当然,他的每次实操,都是在安全红线以内的,他要验证在复杂天气下,下降飞机之间最小的间隔在哪里。如果在大风、云雨天气下,这样的间隔能排队降落,晴空万里就更没问题了。他就是要通过一次一次复杂天气的积累,摸索出一套完整的经验,推给其他同事用,也在整个管制界发挥些作用。他的"三边之王"可不是这么好当的,独乐乐不如众乐乐,他希望有更多的管制员成为三边之王,那玩起来才带劲。倘若几十次"临床"下来成立,他准备做篇论文,在专业杂志上推推。哈,该露脸时就露脸,工作要干,虚名也要,该露尖时就露露尖,况且,这事做好了,对其他管制员也有大大的参考价值。

方向准"三边之王"的称号得来不易,是无数心血、心智、体力换来的。获得了"王位",就想要保持住,但难也难在保持,保持不能在原地踏步,得进步,否则别人一上来,就和你同步了,这个称号无形中就被抹去了。问题是,"进步"的空间越来越小,他已将飞机队形压得这么密,总不能"挨上去"吧,又不是战斗机,如果贴得过近,挨上那条"空中红线",那是物极必反,就是事故征候。

目前,民航机在空中相撞的概率几乎为零,安全的"保险"加了一道又一道。首先是机器,雷达设有自动告警装置,发现两机接近到危险距离,会自动告警,提醒指挥人员注意。地面雷达二十四小时睁着眼,为每架过往的飞机站岗放哨。其次,每架飞机上装有空中防相撞装置(TA),只要检测到危险,也会相互告警,视接近程度,在仪表盘上显示黄色、橙色及红色告警;为防止驾驶人员不注意仪表,还伴有语音提示,通过急促的语言提示,敦促机组采取措施;万一驾驶人员还是"执迷不悟",飞机会根据自己的软件系统,在空中防相撞装置的指挥下,自动选择方向回避。当然,最重要的还是人,地面管制员就是空中安全守护神,他们那双黑眼睛无时无刻都紧盯着屏幕,将危机处理在危险发生前,而方向准的玩法,就是在寻找那条极限"红线"到底在哪,具体在几公里? 他要在安全的前提下,将指挥效率提至极限。他好比一个精明的商人,满脑子的风险与利润,要在控制住风险的前提下,将利润锁定在最大化。

何雨丝乘电梯登上塔台。几乎和他不约而同地进到班上。

"哇,又一个美人主动来加班。"有同事惊呼。

何雨丝刚洗过头,一头美发如黑色的瀑布倾泻而下,宛若芙蓉出水,清艳无比。

"看你们这么多准妈妈,身怀六甲不下火线,我一枚单身猫哪好意思在家偷懒呢。"她说。

这倒是大实话。不像方向准的进近管制室,几乎清一色的"光头"。塔台管制室,女管比例超过三分之一,渐渐向半数目标靠近了。北京首都机场,还有个"女子塔台",塔台上班的管制员清一色长头发。这几年又是女管婚姻、生育高峰期,平时排班已捉襟见肘,复杂天气,需要人手加班,领导有时急得双脚跳,如果有人自动提出,那是雨中送伞的大好事。

"啊,欢迎欢迎。"塔台主任心花怒放地说。

何雨丝双手轻轻拢了拢那头骄傲的青丝,笑道:"许多功夫都是靠硬仗、恶仗打出来、拼出来的,靠形势倒逼出来的,这时不来体验啥时来呢。"

一个怀孕三个月的准妈妈凑上来说:"今天来班上的人可不少,对应咱们的进近室的'三边之王'方某人也来了,他一上岗,死命地往下放飞机,咱们肩头的力可受大了。"

"哦,他也来了,难怪我的手忽然痒了起来。"她故意不知情似的,"正好给我一次淬火的机会。"

正说着,方向准打电话下来问个事,她接的电话。她侧头瞥了眼那位准妈妈,半冷着脸对他说:"悠着点,别放那么凶猛,安全为魂。"

"哈哈,咱啥时候不安全过?"

"嘿嘿,没有吗?"她讥笑道。

方向准语塞。是从未不安全过,但那次,在区域室临时代班时,两架相似航班号,混淆了,差点闯祸。

想到此,他咽了咽口水,吭不出声,哪怕仅有一次,也是发生过。

挂了这头,他再打电话给气象预报室,询问后面一小时至三小时的天气,以便安排后续航班的起落。今天气象预报室值班的是步晴空。这小子最近捉住了机场安检部的名花欧丽亚,春风得意,空管系统的许多小伙子都有些眼红,连飞行悍将秦风云都说这家伙交了桃花运,他自己不怎么样,却将大众情人般的欧丽亚弄到了手。对此,步晴空未置可否,他对自己在这方面的才能颇为自信。

但他对天气预报并不那么自信。按他的话说,天气原不可预,只是人想预,便有了预报,从这个意义上说,预报不准是绝对的,报得准是相对的。那为什么会有预报?各国各地要投入这么多人力、设备进行天气预测?这反过来说,天气也是可以预测的,哪怕是相对准确。现在,各地的天气观测点,有人工观察,有机器自测,将各类数据收集,每半小时发一次报,汇集到国家气象局,国家气象局据此发布全国天气预报。民航系统也类似,各机场、航路观测点的数据每半小时交换一次,由地区局、民航总局气象中心发布给全国的航空用户。

短期天气预报的依据,为"临近外推法",就是依据目前的晴、雨实况,根据风向、云系等数据,往后推算半小时后、一小时后、二小时后的天气情况。但这种"临近外推法"推导的只是一般规律,普遍情况下成立,如遇偶发因素,就不准确了。步晴空内心对这种推导法,持保留态度,但也想不出更好的手段。至于数小时以上的预报,主要靠数值预报,是电脑根据数学公式算出来的。但方程计算出的预报也是一般规律,碰上蝴蝶效应这类情况,数值预报也会大打折扣。有时报的是下雨,大家都收到预报了,但从早等到晚就是不下。害得预报员第二天的心情都不好。这也是步晴空等人最苦恼之处。

步晴空说过一句行话:"我们的工作,就是从海量的数据中揣摩天意。天气预报就像高考,但高考考三天,我们天天是考日。"

方向准来询问,步晴空说:"从观察和图上分析,天气情况比较悲观,能落地的抓紧,也不知后一步的天气会演变到什么程度。"

"咦,你个步晴空,怎么不给句准话呢?"方向准说。

"你认为是什么,天气就是什么。"步晴空说,"所有的数据和可能的结论都在电脑上,你也能查到,咱们的预报大概就是这样了。"

"那你们的工作和机器做的也差不多。"

"也可以这么理解,现在靠机器的成分比靠人的成分高。"步晴空不生气,反而哈哈一笑,"准确地说,风、温(度)、湿(度)、压(气压),机器测得比人准;然而,云、能(见度)、天(天气现象,如雨、冻雨、雪、冰雹)等,机器反应比较迟钝,人工观察更精确。"

方向准无语,拿起话筒,忙他的指挥去了。

撂下电话,步晴空走近雷达图、手工绘制的天气图,瞪圆了眼细细比对,发现未来几小时的天气趋势真的不乐观。他将这个情况通报了方向准他们。

## 6

马上要进终端区了,所有机组人员进入驾驶舱。

贝特朗说:"秦机长身体真棒,实际已超出执勤时间许多了。"

"我真不累。"秦风云笑道,"也不是只有白人、黑人身体才壮。"

"秦机长开玩笑了。"贝特朗说,"你的身体,我两个都赶不及。"

"贝机长开玩笑了。"

"秦机长是要亲自降落吗?"

"你们都比我飞得好,包括二位副驾。在今天的复杂天气下降落,我估计不会有问题,但要是换了你们,那是彻底没问题。"秦风云顿了顿,"只不过我对这边的情况更熟悉一点。"

"是。"三人几乎同声说。

贝特朗说:"这班机一路逆风,速度比平时慢了一个多小时。"

飞机进入进近过程,边降低高度边向目的地机场飞进。周围全是云,深灰色的云系将飞机裹了起来,看不到天,看不见地,看不见日光,看不见山川河流,只在云中雾中穿行,驾驶人员完全靠仪器仪表飞行,依照设备的指引调正方向,依照地面管制员的指令下降高度。云系中的气流复杂,运动不规则,不时带来剧烈的抖动,整个进近过程,始终伴随着颠簸进行。

贝特朗坐在秦风云机长的后面,显得沉着悠闲,毕竟开了几十年飞机了,大雨大风那是常见面。他暗中观察着,暗中也在比照自己和秦风云驾机的差别。见秦风云渐渐地下落,稳稳地转进,从容不迫,履险如夷,不禁暗暗佩服。面前的年轻人显得沉稳异常,宛如一位在惊涛骇浪的大海上航行的舵手,不管风大浪巨,只顾专心操作,似乎外界任何的不平静都打扰不到他内心的平静,这应该不是三十多岁机长具备的心理,但秦风云是。

"你好,请下降至3800米。"

"是,下降至3800米保持。"

秦风云重复一遍。今天,进近管制员为方向准,他的声音太熟悉不过了,从电波中都能感受到他声带震出的气流。天气不佳,估计他闲不着,早进来加班了,两人通着工作用语,惺惺相惜。

"天气很糟,进近快忙死了吧。"秦风云说。

"要我的命,多收一架是一架。"方向准快速说,"大胆降落,一会机场停摆也是可能的。"

"听你这么说,心中底气足。"

"你从西边来,不用再往北,直接切三边,转四边,进五边。"

"明白。"

飞在云雾当中,看不见地面,更看不见机场,凭着仪表,听着方向准的口令下降。客舱里没人说话,个个屏息聚神。驾驶室里只有仪表的滴答声,和玻璃外呼呼的风声,或者就是两位副驾驶的心跳声。秦风云驾机一个倾斜,已转到了五边。

"联系塔台。"方向准说完,即和其他机组对话去了。秦风云将无线通话调至塔台频率。

"你好,这是塔台。"

一个脆亮的女声,何雨丝。今天的管制员,人头熟络,好几位是加班狗。他多问了一句:"天气怎么样?"

"不怎么样,秦机长。你飞的比我高,比我远,现场感比我更直观。"何雨丝也听出了他的声音,"刚问过气象中心,临界天气,二类盲降引导你们下降,能不能落,机长自定。"

贝特朗机长在中国公司干了多年,能听懂些中文,但有些还是要问:"什么叫自定?"旁边的副驾驶答道:"自定,就是由机组自己决定。"

秦风云笑着对何雨丝说:"哥们,知道了。"

何雨丝想,这货也忒冷静太自负了吧,这时还有心思调侃,以为我

294

这儿没录音啊,我这儿可是分分秒秒有录音录像,一言一行记录在案的。便挪正身子,板下小脸,说:"请规范用语。十五分钟后,大片乌云将压过来,现在多落一架是一架。"

"我落。"秦风云决定。

# 7

长五边上,秦风云前面排着两架飞机,以紧密队形向前降落。

管制这儿,何雨丝对方向准光着火:"压力太大了,两机才5.4公里的间隔,天气又这么浑,给你弄得七荤八素了。"

方向准忙得不可开交,刚想说:娘的,跟我干活,就这德行,谁让你们封我个"三边之王"呢?天气越糟越显管制本色,天上的飞机还很多!转而一想,她和自己已不是单纯的工作关系,好像是那种进一步的暧昧了,就说:"你也只有接住了,咱们联手尽快将头顶上的十几架飞机放下来,离这儿更远的,说不定只能去外埠备降了。"

何雨丝弯了弯嘴不吱声,憋着气,将他甩在五边上的飞机逐一指挥落地。

秦风云前面的第一架机已经落下,快速脱离跑道,滑出去。第二架机摇晃着翅膀,抖抖豁豁地降落下去,看得他心惊肉跳。

"差点横到草地上去了。"他想着,"必有气流。"

当他将飞机降到35米高时,一股强气流袭向机身、机翼,飞机左摇右晃,仪表出现告警。他的心想得到验证:低空风切变,老花头,不是一回两回了。雨天躲雨,风天躲风,惹不起躲得起。他将飞机拉起的同

295

时,告诉塔台上的何雨丝:"我机姿态不稳,自行复飞。注意,有下击气流,维持时间不详。"

何雨丝让他通场后联系进近。方向准接手指挥,当即问他:"要不要去南京、合肥备降?"

秦风云扭头和贝特朗交换下眼睛的余光。贝特朗表情深沉,不言语,双手紧紧攥着。秦风云说:"我再转一圈。"他依次二边、三边、四边,又呼啦一下转至五边,被安排在一架公务机后头。何雨丝又接过了指挥棒。她还是那句话:"别硬撑,不行就复飞。"

没人提醒,他也会将安全置于无可撼动的地位。但在年轻的美女管制员面前,牛总是要吹的:"30米内已看清跑道,我可以落地。"

嘴上说得轻巧,内心加倍警惕,手和脚齐动,将一架几百吨的重型客机以 5.5°的仰角维持平衡,机头则微倾向于风向的那侧。随着他轻轻地收杆,跑道上发出"吱遛"一声,客机的主轮接地,接着前轮着地,飞机在跑道上滑行,减速板打开,速度衰减下来,转上滑行道。

贝特朗暗叹一口气:到底是魔鬼手艺,这类天气下降落,从接地位置和平稳度综合分析,可以打满分 5 分,自己尽管飞了几十年,在欧洲飞行员里可算顶端高手了,和眼前这个年轻人一比,手艺也只在伯仲之间。

停机位上满是飞机,机坪上停满了飞机,有的来不及放出去,有的落下后起飞不了,连某段滑行道上都停了飞机,一架接着一架,像接受检阅似的。等秦风云的班机在桥位上停稳,机场上空黑云密布,闪电隐现。

何雨丝和方向准等会商后,决定关停机场。

# 8

云霞率领菊池、小佟、小金、萝拉等十几个乘务员在舱门口送客。送完客，他们还有最后一道工序：清理机舱。

菊池隐约看见前面座位间有件衣服。一定是哪个客人不小心落下的。她快步上前，如果来得及，或许能追上出舱门的旅客。忽然发觉那件衣服在微微晃动。衣服怎么会动？她三步并一步上前，到那排位置的走廊口，一瞧，真有"衣服"在动。

"哎，这儿还有个小孩！"菊池惊叫道。

一个四岁上下的小男孩头朝地，屁股外撅，似乎在寻找什么东西。听见菊池叫唤，前后几名乘务员拥上前来察看。果然，小孩一个人在大人空出来的座位间跳来跳去。见到几个空姐围上来，略显惊讶地朝她们望望。

小佟咋呼道："天哪，谁这么不小心，将这么大个孩子丢下了没发觉？"

萝拉头一次经历这档子事，挤上前一瞧，说："呃，真有个小孩，中国孩子。"说着，蹲下身子，亲切地问他："你好，小孩。"

小孩望了眼面前的黄头发、蓝眼睛的外国人，生怯地睁大眼睛，往后缩了半步。

菊池见状，挪步挡在萝拉面前，俯下身子说："你好，小朋友。"

小孩的小眼珠骨碌碌转了转，发现是个"中国人"，嘟哝着说："阿姨。"

菊池上前，轻轻地撸了撸孩子浓黑的头发："小朋友，你妈妈、还是爸爸带你乘飞机的？"

小孩说："爸爸妈妈一道乘飞机的。"

云霞不知什么时候到了跟前。"你爸爸妈妈都走了呢。"云霞说，"他们怎么把你这个心肝宝贝扔下了呢？"

孩子环顾左右，发现除了眼前几个陌生阿姨，爸爸妈妈一个也没见，心中着急起来。

"乖乖，小朋友，叫什么名字？"云霞甜笑着问。

"……叫……"小朋友发着愣，眼睛都红了。

云霞使个眼色给旁边的乘务员："快跑下去，问问哪位粗心的父母将孩子丢下了，叫，叫什么……"

菊池、小佟、小金三人飞快去了。刚到廊桥口，一对夫妇气急败坏地跑上来，看到几个乘务员，如大海中落水的人抓到了一块漂浮的木板，急促地问："姑娘，有没有看见一个小孩，这么高，男孩，穿浅色红格子上衣……"

孩子父亲擦着额上的汗珠："以为，跟着他妈下去了。"

那位母亲埋怨父亲道："看他多粗，连孩子都看不住。"转成笑脸对她们说："孩子的脚上穿着一双小白鞋，运动型的。"

菊池上前说："给您找见了，等着认领呢。"

孩子父母对视一眼，跟着她们走向舱内。

原来，孩子父母分别从网上值的机，位置没排在一起，因为航程长，孩子在父母之间来回游走，一会在母亲这儿，一会到父亲这头，奔来跑去挺开心。但两个和尚没水吃，下机时，父母各自提拿行李，都以为孩子跟着对方走，到了外边汇合时才发现，手中的行李一件不少，却落下了个大活人，赶忙返回机上找，还好，菊池她们帮领了过来。

# 十一、蓝　天　作　证

## *1*

秦风云最近接了两趟新飞机,一去图卢兹接 A350,二去西雅图接 B787。都是些炫耀到天上的新机,什么世界民机的扛鼎之作,什么飞向未来,飞向太空……吹吧。

接机的仪式感流光溢彩,红毯、鲜花、掌声、美女,生产方大吹大擂一番,接收方自我陶醉一番,新下线的客机披红挂绿,飞回国内。

秦风云的感觉一次比一次无趣,一次比一次失落。公司每接一架新机,大把的美钞就流进了波音、空客人的腰包,超额的利润转入了航空制造寡头的账户。参加接机的活动多了,别人眼中引以为豪的差事,他甚至都想丢弃,扔给其他同事。但有些是上面硬派下来,要求作风过硬、技术超赞的机长去,他也只好和许多优秀乘务员如云霞等一起"勉为其难",漂洋过海,去遥远的彼岸接收一架又一架的新机。

他又开始伤感,感叹起运 10 的中途夭折。要不是运 10 的半途而废,中国的民机制造,也不会窝囊到今天仍是外机一统天下的局面。难道是中国人笨拙,技术追不赢老外? 似乎不是,北斗组网,空间站在轨,航母入海,核潜艇远航,高铁开进欧洲,怎么到了航空这一块,就偏偏短板、偏偏怂了呢?中国又不是伊拉克、埃及、利比亚,又不是阿根廷、秘鲁。他不是想不开,而是想不通。现在的接机,他要么藏在后台一言不发,要么躲在驾驶舱内,只作为一次普通不过的航行。不就是一架载人的客机吗?人家将场面搞得这么火,这么旺,无非是想显摆他们的技术超赞,站在制造领域的那个制高点上。耍吧,要尽威风,说不定过十年、二十年后,态势倒转,没得耍,也就蔫了。客机,只不过比汽车大几十倍而已,搞不成每种新车交付,也要搞个接车仪式?他甚至想建议,取消这种浮夸的接机仪式,应该将这种过于夸张的接机活动列入违反八项规定精神之列。然而,他不是官员,只是一名驾驶员,只是技术比别人稍好一些,身体比人家结棍一些,但总归只是一名"司机",一名驾机的"舵手",位卑言轻,还是别去操这些心了,"肉食者"谋之,又何必去担这份闲心?哎,还是放开,放下,开好手上的飞机吧,信马由缰地飞,飞出它个诗情画意。

## 2

菊池飞着中日线,重点还是上海至大阪往返。

中日一衣带水,航班密集,日籍在公司的空乘不少,飞东京、大阪、名古屋、北海道等九条线,他们大多数以日本为基地,向上海这头排班。这样,在日本国的休息时间较长。

菊池和那些乘务员不同,她愿以上海为基地向大阪排班,留在上海的时间长,去大阪相当于工作。她的理由够充分:大人的身体好,不需要人照应,一个姐姐也已出嫁,家里无负担。在上海的这几年,她的中文水平与日俱升,已和韩国那位南开大学研究生毕业的乘姐在一个平台,公司每年测试的四德"三字口诀",分数和中国乘务员不相上下。在秦风云的影响下,对孔子老子兴趣日浓。

几年读下来,孔子的《论语》艰涩,暂时学不下去,先搁一搁,倒是老子的《道德经》文字短,负担轻,进入快,边对照注释,边读原文,每周学几句,不懂之处还可以问问秦风云。另外,她更喜欢《道德经》的原因,是因为老子主张退、守、柔、弱的思想和她投缘,老子的欲"扬"必先"抑"的哲学思维给她留下了深深的印象,她认为老子主张的退是以退为进,守是先守后攻,柔是柔能克刚,弱是以弱胜强,充满了东方智慧、东方文化。比起欧洲的尼采、康德,中国的老子显然更有诗意。

她的脑海里,忽然闪现出一个无比鲜明的人物——云霞,永远笑眯眯的脸蛋,永远婉转温耳的言语,却能化解无数奇险难疑。云霞老师的身上,就是柔能克刚的老子思维的不二体现。

在中国待久了,回日本做菜做饭,也满锅中国风,寿司、料理反而生疏,沪菜、杭菜、徽菜、川菜、淮扬菜各能做几只,弄得姐姐、姐夫翻白眼。但过不了小半年,他们的口风起变化,赞她的菜好吃,她也就更起劲地做。

一次休息,她和客舱部的两位中国同事去合肥玩,来回高铁。从合肥返沪的路上,她不舍得眯眼,沉醉在窗外掠过的人造风光中。铁路两旁,全是崭新的高楼大厦,合肥、南京、镇江、常州、丹阳、无锡、苏州、昆山,农村被城市包围,城市与城市首尾相顾,既有摩天的商务楼,又有人文的住宅。一座座现代化火车站的穹顶,闪闪发光,金碧耀人。

次日回日本,跟姐姐说起中国的建设成就。姐姐哼了一声:"房地产,泡沫经济。"

想她是故意拧巴。世界这么大,国家这么多,有本事谁都来泡沫一把? 老气横秋的欧洲、日本难道不想重整旗鼓? 歪脖子的美国做梦都想焕然一新,问题是新得了么? 自己做不到,就说人家是泡沫,新建筑多就是泡沫经济? 当年曼哈顿、芝加哥大建摩天楼时,怎么没人说泡沫经济? 除了地产,中国也有工业,也有服务业,而工业产值早已拔得头彩,且人口众多,消费也是头筹。她每回回大阪,都有点回乡下的感觉。有人吃不到树上的果子,拼命说果子酸得牙疼。当晚,她在本子上写下一句:哎,星星还是那颗星星,月亮也是那个月亮,难道中国还是那个中国吗? 她已不记得,这句话,说了第几遍。她瞧见的,是越来越多的外国人飞向中国。


3


飞行者秦风云解读完孔子,倒过来说说老子。每周发一段老子的《道德经》在微博上、微信圈里。在那么多学者的冷眼下解读老子孔子,显然有种鲁班面前耍大斧的味道,需要足够厚的脸皮和勇气。但他不为炫耀,不和学者专家比拼鸡汤式的学问,只在朋友圈里晒晒,每周摘抄几句,后面是他的个人理解。凭什么教授学者解得,他解不得? 不信让他们来学飞机开飞机试试? 仁者说仁,智者说智,勇者说勇,老子孔子千人千解,千人千面。他解读老子孔子,还有个不肯轻易示人的理由,他对从业以来一直开着外国造客机,心中无比憋气,又无处发泄,欲用老子孔子的学术来调节和对冲。

他开着现代的飞机,却打着古老的太极,穿着当代服装,却读着古代的词句。开始时,朋友圈人嗤之以鼻,以为他乌鸦想当凤凰,到后来渐渐习以为惯。许多偶然翻一翻他的微信的朋友,倒觉得有几句解释得还不赖,有道理,好像在说自己,难免多瞧了几眼。久而久之,习惯了,当作民间人士读古书。当下,喜欢读老子孔子孟子庄子韩非子鬼谷子的大有人在,但这不是要点。

现实问题,秦风云和方向准等人讨论了多次,是飞行员和管制员之间的问题。一是双语问题。空地对话,一部分人说中文,另一部分人说英文,总归是个问题。看看国外,除了英、美及英联邦国家外,也是通用英语空地对话。没办法,让英国人尤其是后来居上的美国人占了先机,占了便宜,大家只好鹦鹉学舌,跟着嗷英语。谁叫当年日不落国比你强势,谁叫山姆大叔比你厉害?看来,咱也得往国际民航标准上靠,由国内航班中文、国际航班英文的"双轨制"合拢成一轨制,统一用英文下达指令和相互沟通。这可能有个过程,但总是方向。

二是米制和英制问题。现在的飞机都是欧美造,人家设定的高度是英尺,大多数国家都统一了"度量衡",唯有中、俄沿袭米制——飞行高度以米制计。其实,米比英尺通俗、方便,但美、欧宁可采用不方便的英尺,也不愿向方便的米制靠拢,这就带来了许多麻烦。中国管制员下达一个口令,说的是多少米高度,飞行员复述也是多少米,但操作时,需要将米换算成英尺,有时容易整成差错。但是,这个问题大得很,他们也解决不了,改革的拍板权在国家层面,议论归议论,也只能搁下。

至于空域改革,涉及面宽,不光民航,关系到军航,也不是他们小老百姓能企及的。华东区,情况更特殊些,空域面积占全国的九分之一,有 45 个民用或军民合用机场,承担了全国 30% 的客运量和 40% 的货运量,许多公司想飞长三角的一二线城市,苦于没有时刻资源。这些情况上层可能也清楚,也总有舆论不时在议论空域改革问题,讨论多次,小步小改,估计上头也难下决心。想也是空想,无济于事,还是立足现状,飞好自己的每一班机。

"比起接飞机,我更愿意招飞。"秦风云多次坦言。

许多机长闻言捂着鼻子笑。接收新机可是荣耀的事情,镁光灯下享受贵宾的尊荣,吃香喝甜,载入公司史册。秦风云竟然不想去,他不去,多少机长抢着去。那样最好,将机会留给红眼睛的机长。

上面听到,赞他高节清风,吃苦在前,荣耀在后,又派他新的任务:既然愿意招飞,就去澳、新招飞。上次,他去欧洲招成熟的飞行机长,招了五名,这次去澳新,计划招四名。公司扩张,成熟的机长总是缺,国内资源不足,就去国外招。据说还有巴西的、加拿大的许多机长排着队想加盟进来,递交了申请,等着公司派人去面试。这一圈兜下来,起码忙一大阵子。

菊池想找他讨教问题,关于老子孔子的,老联系不上,不是关机,就是在飞行模式,不方便接电话,见面更是妄想。后来,看见他一条微信,说最近在澳大利亚、新西兰公干,参加考核几个想来公司就职的机长。

本来想当面告诉他,她这阵子得在日本待些日子,帮公司外籍部选空乘,想不到和他在澳、新差不多的路子,都是对外"招工"。这次外籍部在东京地区挑选十名外籍乘,主要是大学中文专业的毕业生或研究生,既会日语又会汉语,这样工作起来顺手些。招聘信息一公布,东京的花季少女们报名踊跃,十几个人的额度,应聘者来了三百多个,选美呀。翻翻简历,有本科学中文的,也有研究生学汉语言的,不要说招十名,招一千名都分秒成军。

既然他在澳新招飞,她在日本招乘,各忙各的,讨教的事过阵再说了。她给他回了条微信。

## 4

秦风云在澳大利亚、新西兰两座岛上奔转了十几日,在几十名候选人选中四名机长,不日将来国内体检、模拟机评估,合格后正式入职。事情忙毕,他不想在那两个苍凉的孤岛上多待半分钟,立马双脚打滑,搭乘本公司的班机回国。

前脚落地,后脚便有幽灵般的女人约他喝茶。对这个神一样的美女云霞,他从来就没看透过,总被她轻轻地牵着走。她的电话或微信一来,他只有乖乖认约的份,一种从骨子里生成的不愿拒绝的魅惑。

他故意不解其意地问,喝茶?就咱俩?怎么,不愿意呀?难道喝个茶还得请西班牙、法国姑娘陪侍?他急忙否定,不,不是那意思。不是刚下飞机吗?那就不歇了,直接过去。哎,这还差不多,才像特硬材料制成的。

从新、澳的春寒料峭,到国内的秋高气爽,并没有给他带来任何生理上的不适,倒是云霞说的几句话给他一路上的回味。她幽幽地说:

秋已深,秋天的果实,不需要催促,也会成熟,就像深秋的桂花,不需要人去追寻,自会扑鼻。哼,是她有感而发,还是从哪个地方摘来的句子?这个谜一样的女人。

面对面坐下的感觉还是非常地甜美,就像少年时代的梦,无比香甜。面前这位他曾经心动不已的女人,已经有个五岁的孩子,但看上去仍然只有二十多岁的模样,眼中泛着水盈盈的光波,真是美人风光永不凋谢。

她拎起壶给他斟上一杯,也给自己注上一杯,轻轻放下茶壶。

"我是代表静子来的。"

什么,代表菊池来的? 发什么神经,她自己没有腿吗?

她无意间往后拢了拢头发,说:"开始,她死活不肯,到现在,她也没有明确同意我来,但我还是来了。"

"发生了什么事?"他像不认识地望着她,猜不透眼前这位葫芦中卖的什么药。

"你这人,有时不解风情,尤其不解异国风情,人家尽管长得像国人,但也是正宗外国人。"她忽然敛起笑容说,"这样吧,直说了,我要为你们做媒。"

秦风云腾地立起,错愕地说:"做媒? 为我们?"

"请坐下,年轻人,别激动。"她重开笑脸。

他瞅瞅周围,没有服务生,没有其他人,是小包间,就他们二人,只得落座,咪了口茶。

"对,我代表她,向你探婚。"

他又刷地站起,一口茶差点喷到对方眼睛里:"开啥玩笑,这么老土的说辞,探婚,说媒? 哈哈,难道你是媒婆?"

"坐下坐下。"她用双手往下按按,"坐下,怎么一点也不像叱咤高空的秦大机长,动不动就升温呢。"

他复又坐下,咕噜咕噜喝了几口茶:"哈哈,笑破天了,你来说媒,哼,菊池静子和我又不是不认识。"

"是,你们认识,还一道上过黄山,一道之乎者也,但人家毕竟是小姑娘,外国人,好歹是外籍名乘,大阪之花,你不张口,她怎么好意思先开口?"

"哼,日本人,不是学欧美,挺 Open 的吗? 怎么听上去像古代小脚女人似的,羞羞答答?"他气呼呼地说。

"她不是跟咱学老子孔子吗? 学着学着,人也回到古代了。"她轻笑道。

"你别糊弄我。"他说,"我对外国人有戒心。"

"所以,需要我这个中间人,从前称媒人的人,来居间说项,消除双方的隔阂心理,玉成好事。"云霞呷了口茶,幽邃地说,"我经过几年的观察,觉得你们俩合拍,很搭,就自告奋勇地、主动地代劳了。"

当从坐下开始,秦风云就觉得云霞并不是找他消遣,是有话要说,而这个话题似乎和他有关,和某人有关,但至于是啥话题,他也吃不准——他历来对这个女人吃不准。听她方才说出主题,才知说的是菊池。自几年前东南亚回国航班上,菊池送饮料被他"逐客"开始,一路走来,二人磕磕绊绊,打过多次交道,她给他的印象是碧玉般精巧的容貌,甜腻略带羞赧的笑容,勤勉做事的风格,从抵触到不反感到随意往来,隐约感到与她有那么一点情愫在,但今天被云霞石破天惊地一说,还是有种事出突然的感觉。

他埋头喝茶，猜想她正眯着双眼盯着自己的神态。他的小腹中有股莫名其妙的气血腾起，升上脑门。他的脖根微微一热，说："觉得我们很搭？嘿，可我从未想过中外婚姻，那会带来多少麻烦！"

"什么麻烦？无非是办手续比普通婚姻多几道小卡而已，一般婚姻只要去一趟民政局，而你们需要多跑几个部门敲图章。"她嘿嘿一笑，"在国内，在本公司，老外嫁中国人的又不只有你一个。"

"别，别，现在不谈婚姻二字。"他连连摆手，"嘿嘿，你做媒，听着都好笑，倒有点像父母之约、媒妁之言了。云霞，菊池和我是否合适暂且不论，你不觉得这方法太土太老吗？"

"老式的不等于不好，新式的不等于就好。"云霞清清嗓子，"看看眼下这些年轻人，学所谓的西方新潮——自由恋爱这无可非议——酒吧舞厅认识，先滚床单，后领证结婚，结了离，离了结，结了又离，离婚率逐年攀升，真的像西方。倒是家长、亲戚介绍的，先考虑双方性格、学识、职业、爱好、家庭状况，觉得般配，才出面撮合，相信父母和群众的眼睛是雪亮的，当然最后还得当事人双方心甘情愿，这样配对的婚姻反而稳固。忘了告诉你，我的婚姻就是父母托人介绍的，见了几次面，觉得合适，OK，登记办证，走红地毯，婚前两人没那个、身体上的接触——你可能说我老土，但婚后生活一路绿灯，内和外顺。当然，我绝对没有让你走我老路的意思。"

"哎，哎，的确头一次听说你这么说你自己。"他深呼一口气，"这方法不等于又回去了吗？"

"你错了，还是学老子孔子的呢，传统的东西有糟粕，也有精华，精华的东西传接下来,就是文化了。当年欧洲的文艺复兴,就是由老的东西带动新的发展。"云霞拿她的凤眸瞧着外面高大的建筑,"又如服装,人们总愿意赶潮流,一味追求新、潮,花样经年年翻,但翻来翻去又似乎回到了前面,上衣还是上衣,裙子还是裙子。难道还能将裙子穿在上面,上衣穿在脚上? 颠来倒去就这些花样,现在男的又时兴什么唐装、汉服,女的又穿旗袍,也不见得是复古,实在是翻不出新花样了,老东西搬出来一看,挺好,吸人眼球,又时兴了,难道能说又回到古代了吗? 并不是,传统的东西经过翻修,又是创新。"

"嘿嘿,你这套歪理、悖谬,孔孟在那边听着,都要笑醒。"秦风云狡黠笑笑,"听下来,我怎么觉得你在为媒妁之言正名呢。"

"我走南闯北,足迹遍布五大洲,不是封建主义者,当然不赞成包办婚姻。原本不认识的两个人,从未见过面,媒人撮合,父母同意,送入洞房,这太紧张、太冷酷了。但任何事物都是双刃剑,媒妁之言的好处在于,世界太大,本来般配的两人无缘相识,或者相识无缘表达,白白错过一生姻缘良机,如果有个第三者,牵线搭桥,将话说开,可能就成了一段佳话。这个世界上,偶然的事情还是少,必然的事情未必会发生,这让中介机构显得很有存在必要。自由婚恋新鲜,过把瘾再说,但长不长久,不一定。难道真的是世界变了,人心变了,当下离婚率这么高? 也不能全赖西方,命运是自己选的,何必样样模仿人家呢,这话可能许多人不同意,但我还是想说,媒妁之言的婚姻必定比所谓的自由恋爱的婚姻成功率高。当然,我说的媒妁之言并不是古代意义上的媒妁之言、父母之命,其内涵也是在发展变化的,也是在与时俱进的。"

他一向掰扯不过她,哪怕是歪理,她也能整成正理。沉吟半晌,他忽然说:"进一万步说,你代表静子来,难道真是她的内心意思?"

"终于谈到正题了。"她抬了抬细眉,"我早看出来了,她在踌躇,最好是男方主动,你嘴上说着反对中外联姻,但那是说说,内心也在犹豫徘徊,所以这件事并非空穴来风,我说的对不对?"

"不对。"他说:要是你云霞,现在单着,即便有个孩子,咱也愿意上。但人家一个外国人,哎,想到这,头大如斗。

"光阴荏苒,一晃,你周围人都结了,你原来喜欢过的那个安检姑娘欧丽亚,上周完婚了,和气象的步晴空。你以为自己是仙人,不会老啊。"

"谁说我喜欢欧丽亚?"他不服气地怼道。

"你肚子里有几根蛔虫,别人不晓得,我还不晓得? 你个秦老五,准备单到啥时候呢?"

想想也是,去澳、新前,他专门去欧丽亚工作的安检口晃悠,正好她当班,手法还是那样娴熟、飘逸,嘴角还是含着那抹妍妍笑意。她和他打招呼,请他是否过去坐一会。他说不了,你在工作,我也要上机,再见吧。

不久,就收到了她和步晴空的电子请柬:出席他们的简约婚礼。他说在国外,参加不了,真不巧了。她说航空人天南地北,原本不着家,理解,回来补顿饭。约好了后天和几个朋友过去看他们的新房。

"知道了。"他呷了口茶,忽觉余香满口。

"知道什么了?"她问。

他苦笑着摇摇头,不知道自己说的啥意思,也不知如何应答她。

310

# 5

秦风云回到家已是晚上十一点,父亲坐在客厅的沙发上等他。

"明天,跟我回乡下看趟奶奶。"父亲说。

"嗯嗯,有小半年没去了,我去。"秦风云出差十几天,正好有两天补休。

前几天,秦父在电话里说过,请他最近跟他回浙西老家一趟,瞧瞧不肯来城里住的老奶奶。

奶奶今年八十九,爷爷去世后,一直住在乡下老宅里。也来过城里,好不容易把她哄来住,探亲似的,住不过三周,如坐针毡,天天嚷着要回去,说住在高楼里,像悬在半空中,哪有家里的院子住着踏实?奶奶说:"你们孝顺我,接我来城里,但我在这里住下去,只有死得快。想想,一个人孤零零地在楼上,房子又小,白天你们都去上班,没人说话,又不能到处乱跑,憋也憋死了。"第三次来住了两个礼拜后再也请不动了。一个人坚持在乡下的老房子里。

父亲是学校毕业后出来工作的,是第一代,创业的一代,小打江山的一代,秦风云在上海出生,属于第二代。由于父亲的乡愁乡恋,从小跟着父母去浙江老家过年过节,先乘火车到杭州,再从南星桥乘轮船溯江而上,到乡下起早贪黑一整天。后来,轮船消失了,改乘汽车,提前买票,也要大半天光景。2005 年,杭新景高速开通,家里也有了自备车,从此自己开车,250 公里路,三小时车程。秦风云生在上海,已没有父亲那代人的浓浓乡情,但在父亲的严令下,只要有空,总随父母大人去看望爷爷奶奶。从他出生到现在,年年如此,已经习惯了。他长大成人后,父亲轻松不少,至少一路驾车——从沪杭至杭新景,秦风云一气呵成,途中不用休息,父亲乐得在旁打瞌睡。

前些年,爷爷过世,剩下奶奶一人。父母去乡下更勤了。清明、"五一"、端午、中秋、"十一"、元旦、春节,节节回乡。每逢节假,人家举家出门旅游,他们奔波在沪杭线上,目的地只有一个——老家。父亲还理由充分地说,咱老家就是风景区,抬头看山,出门见水,那个,钱塘江尽到桐庐,两岸山水画不如……还去旅什么游? 但是秦风云清楚,父亲的旅游胜地只在那里——老宅和老奶,这是他们那一代人永远也割舍不去的记忆。眼下,老奶年纪日增,身体不佳,手关节、脚关节时常疼,吃多少药也不管用,用奶奶的话说是机器零件老坏了,没办法了,过到哪里算哪里吧。这样,父母亲往那边跑得更频了,除了法定节假日,平常周末,也一脚油门轰过去,算算一年总要去十多回,有时一月两趟。秦风云飞行忙,不能每次跟父亲回乡,但他是孝子,只要时间上轧得开,也乐意陪着父母亲去老家"旅游"。

开飞机是开,开汽车也是开,开哪个不是开呢。

老奶奶接到电话,一早就在等候,当听到院子那扇铁门哐当一声响开时,眼睛不便的她老远就在喊:"是云云回来啦?"

父亲说:"是的,我和风云回来看您了。"说着,扶着奶奶走进老宅。

秦家有一所不大的老居和一间新屋,通过院子连通。眼下,奶奶眼脚不便,已出不了院门,就在老屋新屋和院子里走来走去,还唯恐摔倒。

中饭是邻居帮着张罗的,四菜一汤吃完,收拾碗盏。刚坐下喝水,奶奶左手拄着她那根走路从不离手的竹子拐杖,右手抖抖豁豁地从上衣兜里摸出一串钥匙,上有小钥匙两把,中钥匙两把,用一根红丝线串起来。父亲见状,忙上前扶住,九十岁的老人,骨头脆了,跌一跤可不是闹着玩的。

奶奶颤巍巍地走了两步,甩出那一小串钥匙:"这几把是新屋楼上的,你们父子俩去试试,看能不能打开,万一哪天我走了,怕你们找不见。"

秦风云说:"奶奶,千万别这么说,说了伤感,村里一百岁的老人还在,你不算顶大。"

"人家那是体格好,人和人不能比的,我已经剩皮包骨头了。"奶奶呵呵笑了几声,"我老早准备好了,随时可以走的。人老了哪能不死?小孩要出生,老人要走,人老了一直不死,地球也盛不下,就成妖怪了。"

父亲说:"妈,这话说了好几年了,别再说了。"

"好,不说。"奶奶望望院子里温和的阳光,"今天日头好,不冷不热,你们上二楼去开开大衣柜和写字台,都是三十几年前的物事了。"

父亲说:"我扶着您,一块上去看看。"

父亲扶着她走了几步,来到木制楼梯口。奶奶抬眼张了张楼上,哎了声:"我上不去了,关节炎,手疼,脚痛,骨头痛,搀我上去都吃力。清明节上去过一次,也是拼命爬上去的,最后一回,那以后,再也上不去了。呃,你们俩上去吧。"说着,充满爱意地将那串红丝线串成的钥匙塞给父亲。

父亲接过,瞧瞧有些灰暗的几把钥匙,踌躇着。真是许久不用了,也许生锈了。能不能打开还是个问题。奶奶见状,眼睛一下变尖了:"好久不用了,可能卡,抹点油,抹点油就活了。"

说话间,奶奶躬下了身子,就要朝桌子下面钻去。父亲骇了一跳,连忙阻止:"妈,我来,您别动。油在桌子底下么?菜油么?我来抹,我来。"

奶奶还想往下钻:"我来,菜油就在瓶里,我来抹一点,我的手脏,正好一会要洗手的。"

"不、不,我来。"父亲抢着蹲下身子,拎起那壶油,打开盖子,抹了点在食指上,分别在几把钥匙上涂一涂。钥匙润滑多了。

"妈,要不我背你上去?"父亲说。

奶奶瞅了瞅儿子和孙子,欣喜又无奈地说:"不了,背上背下不便当,你们上。"

抹了菜油的钥匙活络多了,插进锁孔,轻轻旋了两旋,大衣柜门啪地一声跳开。

父亲拉开当年结婚时木匠手工打的大衣柜,一股樟脑味扑鼻而至。三十多年前盖过的被子共有四条,还是当时时兴的绸缎被,有三彩的,有五彩的,也有七彩的,现在看来有点土,在当时可是醒目时尚。几床红红绿绿的被子,折叠得整整齐齐,有点像军用背包。另一半,则是以前穿过的衣服,有夹克两用衫,也有呢制中山装,都被折得像一块块豆腐干,粒粒纽扣位于正中央。旁边的一角,还有父亲三十年前穿过的背心、短裤、尼龙袜子等,安静地待在属于它们的角落。

十几年前,父亲已经在家乡的小城买了房,江景房——风景比黄浦江边的景观房还好一点,离乡下老宅不远。他们每次回来过年过节,白天和奶奶生活在老宅,晚上住小城,早出晚归。空着的电梯房,请老奶奶去住,照样也不肯去。她说了,一个乡下老太太去城里的高楼做什么? 那是去作死! 远不如住乡下,有院子,有空地,主要还有邻居,有人气,遇事叫得应。尽管秦风云和父母早已不在乡下过夜,但看得出,奶奶每年在打理,拖着日渐年迈的躯体,定期上楼查看。

父子俩没有伸手去触摸,仍感觉得到这些被褥和衣服热乎乎的,因为奶奶每年梅雨季后给它们晒太阳,有时一年两次,直到今年病况加重,无力再翻晒,才让他们父子上来瞧瞧几十年前的家什。

面前的被褥和衣服袜子暖烘烘、香喷喷,这是奶奶空晒了三十年的衣物,虽然知道没人来使用,也许只是备用,也许永远也不会再使用,但奶奶还是年复一年地晒,年复一年地叠,年复一年地整理,好像她手中捧着的棉被和衣物带着儿子的体温和余香,会和她对视,会和她说话,会和她不用语言的交流。

父亲几欲坠泪。他们面前的衣物,静静地排列着,如一列列整好队的士兵,带着他们的温度,带着他们的梦,忠诚地守候在他们的家园,默默地等待着主人的光顾,二十年不来,就等三十年,三十年不来,就等五十年,五十年不成,就等九十年,一直等到主人的再次光临。这些柜中的衣物,如孟姜女眼中的长城,固执地坚守与痴等着,伴着奶奶老去,伴着父亲由青年到壮年,伴着秦风云从婴儿到成人……

"云云,打开写字台抽屉看看。"

奶奶在楼下的一声喊,将他们的思维牵回现实。

父亲将钥匙递给儿子:"云儿,你来。"

秦风云接过钥匙,打开写字台的抽屉。这十来年,他飞行忙,来乡下也是行也匆匆,走也匆匆,已记不清有多少年没开过曾经伴他一起成长的写字台了。打开一瞧,恍如隔世。

从他记事开始,每次来乡下,奶奶就会启开写字台的抽屉,从中抽出一沓连环画图书给他看。每次都说,这些是你爸爸小时候看过的,现在传给你,下次你的儿子女儿接着再看。他蓦然双眼一热,打开一排排井井有条的三、四十年前的小人书,儿时的幕幕场景浮上心头。这些连环画曾伴随父亲从这儿走向远方,也伴他度过幼小的童年。

他细细摊开,曾经读过的许多老书赫然在目,《天竺国》《智取威虎山》《鲁智深》《海瑞》《居里夫人》《南征北战》《打击侵略者》……藏在深处的一本本连环画,经过几十年岁月的折磨,已褪色泛黄,那是它们对时间的印痕,对时光无情逝去的沧桑记忆。他好奇地打开那本《居里夫人》,有一页似曾相识,明显被折去一角,是他二十年前看过后的记号。那一页上,居里夫人发现元素镭的绘画下面,写着一段表述文字:他们推开门,走了进去,这座破旧的屋子变成了一座魔宫,各个瓶瓶罐罐里发出一片蓝汪汪的荧光,有一个玻璃管射出的光最强,这就是他们花了四年心血提炼出来的镭。

秦风云翻着这些书本,又翻到背后,见这些连环图书的出版社都赫赫有名,有人民美术出版社,有上海文艺出版社……从时间上看,有1967年出版,有1971年出版,也有1980年出版的,大部分书的出版时间比他的年龄长。

“这是什么?”

秦风云摸到一本红色塑料皮的证件模样的东西。

父亲从儿子手中接过本子,打开,是他1979年的中学毕业证书,上头盖着已故校长某某的图章。

“啊,四十年前的东西,妈还留着……”父亲哽咽道。

在这儿,父亲瞧着大衣柜里几十年前的被子衣服,秦风云瞅着儿时读过的一本本连环画书,心中百感交集,柔肠千转,久久说不出话来。

下得楼来,看见奶奶皮包骨头的瘦状,父亲说:"平时多吃点,肉、鸡蛋,吃下去,才有营养。"

"吃不进,吃多了肠胃不适意。"奶奶反而乐呵呵地说,"现在条件好,不是你们小辰光能比的,政府贴心,开办老年食堂,上头贴钞票,中饭、夜饭,一顿才两块钱,有荤有素。我自己也让人做点菜,肉、鱼都有,但吃不进了。你们孝顺得好,家里什么营养都有,人参、白木耳、灵芝、青春宝样样不缺,就是吃不进,人老了,不进任何营养了。"

奶奶叹口气:"主要是困觉,困不着觉,每日夜里八点钟吃安眠药,十点睡着,十二点就醒,一天只能睡两小时,十二点后,醒到天亮。夜里醒着,就要上厕所,手脚不便,起床后要在原地站五分钟,再拄着拐杖一步一步摸到马桶边,一个晚上起来四、五趟,多少难。"

奶奶手、脚患重关节炎,走路都困难,耳朵不灵,但说话中气十足:"身上各种东西都死了,只有嘴巴还活着,要是不见本人,电话里听着,以为我是个大活人,其实,你们看见的,现在这副样子,只有嘴活,其他都死了。"

秦风云不忍地说:"奶奶,还是跟我们去城里住吧。"

奶奶哈哈一笑:"出院子都不行,哪能走那么远? 哪里都不去。日子不多了,死也要死在家里。"

秦风云心中阵阵悲悯。忽而想起人生如戏、人生如梦的老训,从眼前的奶奶想到云霞,想到远去的小洪,想到菊池,想到加西亚和萝拉,想到乘务部成千上万的莺莺燕燕,这些如花似月的年轻女人,几十年后,就是今日奶奶老态龙钟的模样,不禁悲从中来,泪水蓄满眼眶:"奶奶……"

秦风云和父亲要走了。奶奶坚持要送到院子门口。父亲使使眼色,秦风云上去扶着走。

秦风云搀着奶奶的胳膊,感觉老人的大臂基本是一副骨头架子,羸弱程度无以复加。

"我一点都不怕,人老了哪能不死?你们已经够孝顺,哪一天我真去了,你们用不着心痛。"奶奶在秦风云的搀扶下,边走边说,"不过,云云,像你这个年纪,别人家儿女都六、七岁了。哎,哎,奶奶有个最后的心愿跟你说,我这样子,你也看到,时间不长了,不晓得有没有福气,看见你成双?哎,就这么走了,口眼都不闭。"

说着,奶奶那枯涩的双眼堆满了泪花,满脸苍凉。

秦风云瞧了父亲一眼,不知怎么的,热血呼地涌上脑门,不带考虑地说:"奶奶放心,三个月,不,一个月之内带个孙媳妇回来给您看,我保证。"

奶奶停住脚步,一时心花怒放,满眶的泪花不自觉地奔涌出来:"好,孙子,一言为定,拉勾!"

秦风云义无反顾地伸出右手的中指,说:"拉勾,一言为定!"

父亲看见奶孙两个拉勾的动作,几乎放声哭出来。

## 6

某些消息总是先从女人堆里传出。客舱部的女人最多,传出的消息最快、最灵:秦风云和菊池静子发喜帖了。

大家嘻嘻哈哈,到处打听他们的罗曼史。有人说,听说是云霞做的媒,先说动一方,再说动另一方,双方同意,就成了双。哦,这倒是新鲜事,听上去像组织婚姻似的,好像又回到从前了,媒婆的作用比双方当事人还大。也有人说不是那回事,是菊池静子追的秦风云,但一个外国女人不太好意思开口,云霞不过代劳将事情挑了明。还有人说,才不是呢,本来秦风云没答应,还要考虑考虑,一次回乡下,看见奶奶老得不行,为尽孝道,答应七天之内带个孙媳妇回去,顺便就把菊池收了。有人问,中外婚姻手续挺麻烦吧? 哈哈,应该是的,是不是有些人也想试试?

过了一周,外籍部又爆出新闻:加西亚也脱单,发喜帖了。这么快? 许多人不相信,知道这个西班牙女郎暗恋过秦风云,难道秦风云大局一定,她也迅即改弦易帜了? 有好事者问她本人,坊间传言是不是真的? 加西亚咧着嘴,说真的,找了个大学的体育教师,身体一级棒,和秦风云差不离。在黄浦江边骑车认识的。

加西亚说,太喜欢黄浦江两岸的江滨了,全世界没有一条江滨如此动人如此透着魅力。她一有空,只要有小半天的间隙,就去跑几下。哈哈,也是老上海了,坐地铁过去,哪一段都行,哪一段都奇,跑起来就是诗,就是情。后来,改骑车了,骑单车,可以骑更远。

加西亚说,在上海的公园和江边,超级安全,单个女孩半夜两点跑步骑车都没问题,在马德里或纽约那是万万不敢。只有一次被吓倒了,那是凌晨四点半,我偶然兴起独自骑车锻炼,忽然听见树丛中传来怪怪的声音,大着胆近前一瞧,哈哈,原来是一对老人在练太极。

同事问她,找的是位中国教师吧? 认识多久啦? 加西亚笑逐颜开,说傻吧,当然是中国人,难道来中国找外国人?认识半年了,差不多了,半年和两年三年没什么区别。怎么认识的?朋友介绍的。骑自行车也有一帮朋友,骑车锻炼,有朋友介绍了两回,第三回又说,你们两个性格相近,气场相投,配,可以多聊聊。聊聊就聊聊,真还挺聊得来。中介人又将各自的优点向对方灌输一通,咱就谈得更投入一些。后来怎么样?什么怎么样?谈到后来就差不多了。哈哈,现在就正式准备结了。怎么又是介绍婚姻?怎么啦?介绍婚姻很好啊。

同事"哦"了声,说话真直爽。又问,男朋友,不,应该是老公了,教你中文吗?人家是大学老师,当然能教了。中国男人,比西班牙人,比欧洲人怎么样?嗨,两种风格,东方人更有味道。想说更有情调吧?对,不是味道,是更有情调,更含蓄,更内秀,有文化的意思,不像西方人,太直白,缺少温婉。难道欧洲人没文化?欧洲人也有文化,但人和欧洲的建筑一样,有些老旧了,成"骷髅贵族"了——秦机长的话,中国的城市建筑新,青春期,人也是新的,却很有情调,似有藏蕴千年的调调。加西亚说着,一点也不脸红,反倒那中国同事听了差点醉倒。

秦风云知道,加西亚几次明示过自己,送过秋波,自己装聋,不接口。她也不强迫与追逐,尤其是那次上黄山,她发现自己前面有个菊池,对他充满憧憬,也就打灭了念头,转身觅其他了。想不到找的还是中国人。秦风云回忆起那次登黄山,几个人同登梦幻栈道,爬天都峰,夜观星月,说得胡天野地,现今时过境迁,一切都成为过往,加西亚也有了归宿,成了中国人的媳妇。

# 7

空中的"飞人"喜讯接连,地面管制员也不甘落后。朋友圈里传开了,方向准和何雨丝两个"老管"局势明了,准备"办事"了。何雨丝说了,咱们可是实打实的自己相识、相知、相恋,纯粹的自由恋爱、自主婚姻,从未有第三者居间说媒。

云霞听见,一笑了之,说这么巧的事,居然有三对朋友喜结连理,不如集体婚礼算了,热闹、简约,省得朋友们赶场子,那样大家都忙、都累。

方向准说,咱本身就不想大操大闹,越简约越入味。

云霞说,那样最好了,两对涉外婚姻,都是外籍女嫁中国男,外方家属不多,如果按中方规矩办,大部分是男方亲朋,女方嘉宾稀少,显得冷落,不对称。

加西亚说,西班牙家里无所谓,女儿长大了,让她在外面飞,怎么着都行,彻底照中方的意思来。

菊池瞧了瞧秦风云的眼色,说既然大家有意,又是好朋友,风云君和我也没意见,集体一下也不错,搞个小规模的三方婚宴,至多30桌,每对10桌。

何雨丝嚷嚷道,方向准和我的亲友都在国内,至少需要15桌。方向准也说,同事朋友多,有天上飞的,有地面拿话筒的,起码15桌。

秦风云说,适当增加点没关系,要么就放在西郊宾馆,环境好,交通方便。

加西亚说她的客人大多数都是公司同事,可能外籍部的领导也会来祝贺。

方向准想了想说,这个也是种方案,就劳驾云霞去联系吧。

云霞呵呵两声,朗声说,集体办几十桌酒,你来我往喝个酩酊,是不是有点土?何雨丝想,你给人家做媒就不土啦?但听云霞往下说,大家都是航空界人士,不如走出去,六个新人选个地方旅游几天,给自己放几天假,回来后再搞个答谢酒会,这样是不是更有意义?

几位当事人你望我,我望你。秦风云说,这个主意好,我同意。

方向准说,就等你这句话。

加西亚的丈夫,大学体育系季老师说,出去一下好。

三个男主人表态,三个女主人自然附和。至于地方,秦风云对巴黎情有独钟,飞得也最多。加西亚则想去马德里,那儿是她的家乡,正好有同事过来贺喜。菊池幽幽地说,近一点的话,去大阪也行,但她听秦风云的。方向准说,去哪儿都无所谓,各有千秋么。何雨丝说,那不如去希腊,那儿更古更老,历久弥香。

云霞眨眨杏眼,笑道,既然都同意出去,意见又不一致,只有抓阄了,抓到哪个算哪个,各按天命。众人想想也是。

当场,用纸裁剪成相同的几张,分别写上巴黎、马德里、雅典、大阪字样,揉成一团。

忽然何雨丝说,差点忘了,不能光国外的,论近的话,国内的更近些,我建议加上国内的两座山,黄山和华山。方向准说,华山,华山论剑,杀气太重,还是黄山吧。大家无异议,又写一张,将五张纸条揉成一样,洗了又洗,请云霞闭上双眼抽,五抽一。

云霞闭上眼,伸出手去时,大家也都闭起了眼,为各自的愿望祈祷。

云霞的纤手在五张纸团里绕来绕去,搅了又搅,终于用力抓住一张,拎起,团在掌心睁开眼。大家也睁开眼。

云霞轻轻地松开五指,那团纸噗地落在台子上。她瞥了六人一眼,沉重地拾起纸团,轻轻展开。

停,停下!方向准猛喝一声,别打开了,我提议远不如近,近不如熟,省时省力省钞票,不如去黄山吧。

秦风云冷哼一声,你是为雨丝站台吧,不过我没意见。菊池说,咋没想到这一条呢,上次去黄山,何小姐有事走不开,应该补一课。

加西亚说,我老公上次也没去,也要补。

方向准说,就难为了季老师,他可能想出去走走的,比如西班牙。

季老师当即表态,和加西亚结婚,就算航空公司的家属了,公司每年有免费的家属机票,学校又寒暑假,出去机会不要太多噢。

何雨丝脸上潮红,激动到了,说也别为我等个别人考虑,还要服从大局,要不大家举手表决?

秦风云说,还表什么决,不见大家都同意吗?

云霞偷偷地将手心里的纸团展开,暗暗一瞧,笑眯眯地走上前,将掌心摊在众人面前,那纸条上赫然写着两个字:黄山。

众人狂笑,齐声欢呼。

方向准说了,咱们就在山上住他三天三夜。

秦风云说,哪怕住四天四夜也没问题。

云霞说,你们就在黄山之巅观星星看日出,蓝天作证,日月为媒,姻缘天长地久,如星月不老。

# 8

菊池新婚后,继续飞行。

一次,云霞和她同飞大阪线。同行的,还有个云霞新招的空乘山口惠子。

旅客开始登机。山口惠子跟着乘务员们在走廊中来回走动。上来一大块头旅客,提着一件超过 10 公斤的行李。咦,这么大件行李怎么不托运,手提呢? 山口惠子蹙下了眉。

大块头将行李往地上一扔,对一旁倔头倔脑的山口惠子说:"替我搬上去。"山口惠子新来乍到,不明所以,惊慌地说:"叫我吗?"大块头指了指行李,又指指她:"对,放上去。"

山口惠子弯下小蛮腰,双手拎起行李,吃力地举过头顶,搁在行李架上,摆了两次才将箱子放好。嘴中喘着急气,腰有些酸。云霞路过,见状,对大块头说:"这位先生,乘务员不是搬运工,没义务为旅客搬运行李的,尤其是对您这样年富力强的乘客。当然,老弱病残,我们会提供相应的帮助。"

大块头刚想反咬,被她晶莹透底的眼光一扫,似受了千斤的压力,竟瘪了下去:"好,以后自己来。"

云霞对山口惠子说:"往后别给这些人搬,当心你的小腰。"

山口惠子欠身道:"是,云经理。"

菊池作为外籍部头一个提上来的乘务长,半点也没有乘务长的"官腔",仍然本分地干着活。她理解云霞的苦心,乘务长就是班排长,在战场上是头一个冲锋、最后一个退却的人，只有干在前，冲在前，才能使大家服气。她明白，自己这个外籍乘务长，肯定动了其他人的奶酪，几百名外籍乘也抢了不少中国人的饭碗，当然，也可以说有些方面的工作需要外籍乘，但某些公司不招外籍乘也不照样运转？

别人最不愿打扫厕所，她就去干，她最放心不下的也是厕所不干净。

"新娘子，让底下人多干干吧。"云霞半戏谑地说。

菊池说："我是乘务长，不是乘务经理，凡事应多干点，尤其是跟着您，师傅。"

云霞觉着菊池像从前的自己，对卫生间的卫生尤其上心。飞机上的厕所要类似于五星级宾馆的卫生间，镜子上不能有手印，马桶盖上不能有水渍，马桶里不能有残留污秽物……菊池的标准就是自己年轻时的要求——当然目前自己也不算老，想当年自己得了个"厕所皇后"的雅称，难道这东瀛来的外籍弟子，要演绎成为"厕所公主"？她想：外籍乘的引入，除了语言，还有额外的鲶鱼效应。

发好餐，送趟饮料，再逐步回收餐盒。一连串工作做完，旅客们开始懒洋洋地打瞌睡，乘务员们也可暂时歇个脚。菊池仍像得了强迫症似的，一双眼睛盯着厕所打转。那一次马桶堵塞事件，被追忆成了痛事，不时浮上心头，常常耿耿，总想在每一回工作中弥补。

只要有两个人进出卫生间，她必进去打扫一番，动作如打仗，战斗结束，马上撤离，以免外面用厕的人等急、等久。这回，她刚擦好地板，添上手巾纸，一个男士大步跨入，数分钟后，放水声奇大。待他出来，菊池进去一瞅，里面又像冲过澡似的，满地是水，她赶忙用拖把擦干，来不及抹把额上的汗,外面就有人敲门,她只好先让出来,等那人出来重新进去整理。一个小时时间,她前后进去六次。这种事无法讨巧,只有多干、傻干、硬干。

一会,一小姑娘进厕,几分钟后,马桶吸水声咻地一声响起。小姑娘出来,她进去,发现马桶里的污物没有抽走,又用器具打扫一遍,再冲一次水,人还没出来,外面又有人咪咪咪敲门。一大娘有急用,她只得先出来。这大娘一蹲蹲了十来分钟,飞机都快下降了。好等歹等终于等到大娘出来,她刚要进去,山口惠子站在身后说:"师傅,您休息休息,我来吧。"

菊池一怔。师傅?哈,我也有徒弟啦?她会心地笑笑,伸手捶捶自己的后背,对山口惠子说:"走,一块进去收拾下,马上要下降了。"

## 9

三个月前,客舱部下属的外籍部又给云霞加了一道头衔:外籍部女工委主任(兼职)。谁叫她脑子灵光、能干呢,能干的人当然要多干点。

这个兼职的差事,等于名正言顺地给她多压了巨额的工作量。飞行以外,凡是和女人有关的工作她都要做,外籍部绝大多数为女性,工作自然五花八门。当然,多了个衔,和男人有关的工作也要帮忙。

至于收入么,只和飞行小时数挂钩,留空时间多少决定收入多少。有时地面工作忙不过来,她只有放弃个别航班的飞行,小时费随之下降,从前两个月的情况看,人忙得晕头晕脑,收入却略有降低。

马上,令人烧脑的春节又将光临。在这个地球上,没有比春节更重要的节日了,春节几千年前就定了的。圣诞节算什么,屁都不算,西方人吃草时,茹毛饮血时,春节就已经诞生。难也难在春节,央视搞联欢晚会,公司也要搞迎春联欢,尽管是员工内部的娱乐庆典,但要求一年比一年高。今年,搞大了,几家民航相关单位联合庆祝。还是本航空公司提的议,其他单位齐声响应,说这个想法好,今年就请贵公司主场,辛苦点,其他单位参与,以后么,可以轮流做东。

这也好理解。从前的春节,都是团拜,轮流团拜,单位与单位之间,上下之间,层层团拜,圈圈团拜,元旦之前就开始,轮流做庄,一直闹到大年三十前一天。所谓的团拜,就是吃饭喝酒,喝得人仰马翻,喝得天旋地转,梦里也怕,没有几个人钻到桌子底下绝不收场。现在好了,"八项规定"了,领导们高兴啊,轻松啊,有人概括起来,叫三个"解"字:解放、解脱、解救。现在文明了,不兴请来请去、迎来送往,那就搞个文艺的,几大"家子"联在一起,航空公司、机场、管理局、空管局、边检、海关、新虹社区、程桥社区……各大单位串一起,挑个下午时间,就两点至五点吧,选个场子,每家出几个节目,领导们坐一起,职工代表坐一起,握握手,说说话,看看表演,欢聚一堂,结束时谢幕上台照个大合影,下班各自回家,多轻松。

可云霞她们不轻松,得准备节目,烦恼。春晚一年比一年难搞,吐槽之声不断,不是节目水平跳水,是观众的要求上翘了。互联网时代,手机端时代,一般的东西,人家真没时间瞧,不如玩手机。云霞这几天愁得慌,上面说了,客舱部近万人,都是有文化的年轻人,至少二至三个节目,其中一个指派给外籍部,由外国人演咱的传统节目。

云霞的眉头皱了两天了。"十一"已演过，春节的节目自然不能重样，得翻新，况且春节是几大单位的大联欢，档次更高。选什么好呢？舞台节目，无非是唱歌、跳舞、朗诵、小品、杂技……背景舞美倒是可以弄豪华、大气一些，但主要还是靠现场演员的表演，重点是人。要有新节目，用新面孔。接手后，开始选人、选节目，开始犯脑筋，晚上不时做梦，睡不着觉。

就在她愁眉不展时，第三天一早，外籍部的一个意大利小伙子叫亚瑟的，找到她，毛遂自荐地要求参加公司的"春晚"。面前的亚瑟中上身材，金黄的头发、蓝晶晶的大眼睛，俊朗、帅气，一口流利的中文。云霞问，你什么情况？亚瑟说，我原先是意大利驻广州领事馆的工作人员，能做中文翻译，离职后应聘进入公司外籍部，光荣地成为一名空少。

你是文艺爱好者？云霞问。亚瑟点头道，爱好歌唱。具体有什么想法？我请示，外籍空乘中挑选十个人进行合唱，再选八个女孩子伴舞。什么曲子，有打算吗？有，《光荣与梦想》，我可以领唱。说着，亚瑟站起来，用中文清唱了开头两句。

听到《光荣与梦想》歌名，云霞跟着慢慢立起身来。亚瑟没哼到第三句，她说，可以了，这歌好，《光荣与梦想》，就用这首。人么，可以由你挑选，有女有男，伴舞的都用女孩吧，拣身段软的，条杆好的，现场尽量动感一些，劲爆一些。

亚瑟说，领导放心，我们选十个外籍乘唱歌，再挑八名女孩跳舞，西班牙女孩、法国女孩、意大利女孩、德国女孩、荷兰女孩，反正在中国人眼里，欧洲人长得都差不多。云霞被他逗笑了。

客舱部的郑总打电话给她，说客舱部虽然有上万人，但飞在外面的多,搞三个节目有点难,反倒外籍部有特色,外国人多,这个特色就比较鲜明,其他单位如机场、海关、空管局等单位基本没有外国人,而公司除了外籍机长,最大的群体就是外籍乘务员,这些在公司工作的年轻人,文化程度高,普遍本科、研究生以上,既然是特色,就把这个特色放大、扩大、再放大。这样吧,客舱部三个节目,外籍部包两个,中国乘务员表演一个,啊,就这样吧,你就多辛苦一下了。

郑总一句话,云霞双脚抖几抖。但有亚瑟他们《光荣与梦想》歌舞打底,她已没有开始那么闹心了。春节,民族的节日,应该以中国风为主调,传统的,民族的,传统的也是民族的,民族的也是世界的。中国歌曲,由外国人演唱,中国乐器,由外国人演奏,也是一个新。她首先想到了菊池的古琴。由此联想到这些年,外籍人群中大兴中国风,学中文、学民乐、学太极、学烹饪、学中医,学这个学那个的大有人在。她侧面找人打听了一番,哇哈不得了,飞行之余学古筝古琴、学琵琶二胡、学笛吹箫的外籍乘不下百人。偶尔听到飞行部有个外籍机长,学京胡唱京戏上了瘾,飞行之余边拉边唱,乐此不疲,也很想在"春晚"上露一手。

云霞摸底后,在内部微信圈内发了个公告,拟组织一个民乐合奏节目,欢迎有特长的外籍乘报名参加,也不介意公司其他部门的外籍员工参与,届时根据乐器种类及人员结构,择优录取。通知发布二十四小时内,竟有五十多老外参与遴选,包括飞行部的几名机长。

名单汇总后,云霞从外面请了个民乐老师,和她一起从中选定十人参演,包括飞行部的那名拉胡琴的机长。

人员落定,她总算睡了个安稳觉。

# 十二、飞雪迎春

## 1

新一年春节的脚步渐渐迫近。纷纷扬扬的雪,下得飘忽,下得顽皮。雪一来,年味重了。

家中,菊池弹着琴,最近一有空就弹几曲,琴韵悠扬。她被选上单位"春晚"的民乐表演队,准备在春节前三天正式登台,已排练了一次,业余主要靠自己练。按计划在演出前顶多再集中排练两次。

她铮铮地弹。秦风云在案前读《春秋》。读的是古书,弹的是古琴,宝贝一对。琴声叮咚,时断时续。秦风云缓缓合上书本,若有所思地问:"你有什么话想说?"

静子收了琴声:"咦,你怎么知道?"

"古人有'闻弦音知雅意'之说,知静子莫若秦风云,我还听不出你琴弦上的那几个调调?"

静子温柔地轻笑,碎步踅到他跟前:"我们民乐合奏的节目,好是好,但有些单调,如果能搭配点动感的,效果会更丰满些。"

"嗨,这个简单,可以请人伴舞呀,挑五六个漂亮女孩,穿上汉唐宫廷装,她们跳,你们弹,静和动都齐了。"

"哈,里面有个情况,我们十位民乐演奏者,八九个是女的,所以最好请男的。"

"就换男的,外籍部也有男空乘,比如亚瑟。"

静子嗫嚅着说:"可是,我们想要古雅的。"

他沉吟半晌,眯起眼说:"嘿嘿嘿,你们不会是打我的主意吧?"

"正是。"她笑道,"想请夫君出山,飞行魔手,打套小太极,这,还不是手到擒来?"

秦风云仰起脖子:"是不是那个云霞的酸点子?"

"嘿嘿,师傅那是随便一提,我们自然全力拥护。"

"哼,猜着就是她,让你来摸底,探口风。"

"这个。"她笑得蜜甜,"怎么样,支持一下?"

"也不是不支持,我飞行这么忙,哎,这个,我一个人打拳,显得孤单、零落。"

"可以去外面请几个师兄师弟一块么。"见他答应,她蹦跳着说。

他叹了一气:"找外援,那就不是咱们自己人的节目了。"

"应该没关系,节目单上报的是民乐合奏,太极表演可算是配角,借人不碍事的。"

"哼,那也不可以。"秦风云佯装生气地说,"你师傅,云霞为什么不自己来说?"

"师傅说,我们是夫妻了,她说枕头风……这个,我来说更直接些。"她羞报地说。

"这个小观音娘娘。"他嘿哈几声,忽而说,"记起来了,公司机务、地

331

服、运控中心也有几个人学太极,也是陈式的。这样吧,看在静子的面上,我联络四个同事,最好是男的,或者三男一女,不,也可以两男两女,显得阴阳调和,编一套表演式,将陈式老架74式中的精要动作挑出来,串个13式,估计四分钟左右,当你们演奏第二首曲子时,开打,为你们伴伴镜头。"

"我们一共两首曲,第一首《空中交响曲》,新曲,第二首是老调子《高山流水》,很适合太极伴乐的。"

"别颠倒了,是我们为你们伴拳。"

"也可以说我们为你们打拳的伴奏。哇,潇洒的风云君一出场,说不定观众的眼球都被你吸了去。"

"这哪跟哪?都一样。嗯,这事交给我了,也省得你那一骑绝尘的师傅穷伤脑筋。"

"静子谢谢风云夫君了。"

## 2

这天,两人难得一块在家中休息。像秦风云这类双飞家庭,平均两周差不多能挨到一次两人同时休整。如果两人牵手在家待个一天一夜,那是上帝开眼。

静子老早起来,做了早餐,请他吃。他边吃边说:"自家开伙仓,才像生活。"她说:"是啊是啊,那叫一个在人间,有烟火味。以后只要你在家,我都会做给你吃。"

他吃完,换衣服。"干吗?"她问。"去单位。""今天不休息么?"她惊奇地问。

"学习,你不懂,组织生活,党员,开支部大会,懂吗?学习'新时代中国特色社会主义思想',知道吗?自古多条道路通罗马,通向伟大强国的路不止西方一条,中国走的是另一条康庄大道。这个,说了你也不懂。"他套上皮鞋,准备出门,"还有,四个自信——'道路自信、理论自信、制度自信、文化自信',知道吗?党员学习。"

人家不懂,就你懂?人家又不是不识字,但听到"党员"二字,她不再吭声。在公司多年,她懂的,中国除了行政领导外,还有党组织的书记、共青团的书记,党的组织,团的组织会定期开会、学习什么的,有时也组织不是党员、团员的群众开展一些活动,比如演节目,就是党委宣传部、团委、工会联合组织的,端午包粽子、划龙舟,也是工会、团委策划安排的。在她的周围,许多人是党员,公司客舱部的领导是党员,外籍部的总经理是党员,云霞师傅是党员、秦风云也是党员。总之,这些在各方面优儿尖儿的人都是党员。像云霞师傅是乘务员中的拳头品牌,夫君秦风云则是开飞机的顶尖行家、"魔术手",在她眼里,对这两位有天人般的敬重与膜拜。这个问题,在她心里存了很久。

当晚,秦风云踏进家门,就闻到了一股香进五脏六腑的味道。他穿上拖鞋,静子已端上一锅炖了近三个钟头的千岛湖鱼头汤,热腾腾,软糯糯。"哇,好香。"他说。

"静子的菜怎么样?"她的脸上红扑扑。

"越来越成地道的中国媳妇了。"他用鼻子嗅了嗅香到骨子里的砂锅,"没开筷,已经淌口水了。"

静子请他坐下,帮他舀了一碗汤,又添上几块鱼头肉,"吃,多吃点,

333

最好一顿吃尽，下顿再热着吃就不如第一次的好吃了。"

"这么一大锅，怎么吃得完？"

"所以请你拼命吃。老吃机上食物，味觉都迟钝了，那些东西总归没有家里做的地道。"

"哈，静子说的汉语越来越地道了。"

他望着对面的异国妻子，心中满满的甜蜜。她总是甜甜的笑，有情绪时也只是沉默，似乎永远不会发脾气，两人婚后从未红过脖子。

见他的碗里空了，她又站起给他盛一碗，也给自己盛一碗，坐下。"你也吃呀，多吃点。"他说。

她拿调羹舀了一勺，轻轻用口吹了吹，送进嘴里，赞道："真的香呵。"他齐了齐筷子，夹了块鱼肉："你也拼命吃，慰劳慰劳自己。"

她停顿了下，突然忸怩地说："风云君，像我这样的人，如果表现好，可不可以加入党？"

他整个人像弹簧一样弹起，双眼突鼓，筷子差点掉地上："你说什么？"

"我，可不可以申请，加入你们那个党？"她一字一顿地说。

良久，他缓过气来："为什么？ 你一个外国人，了解我们党是怎么回事吗？"

"怎么不了解，网上都能查到。"她嘻嘻一笑，"主要是我能观察，我周围好多人，都是党员，看下来，都是人聪明、做事勤奋、有上进心的那些人，飞行部的大队长、中队长、客舱部的总经理、我师傅，还有你，都是尖子，都是对人善良、乐于帮人、技术精湛的人，这些人都是党员，入党肯定是件好事，不是坏事，所以我也想进步，也想入党，看能不能打申请?"

他满头冒汗,不知是喝汤喝的,还是其他什么,反正额头上不停地往外冒汗。他走去卫生间,拿湿毛巾擦了擦额头和面颊。听她说得合情合理,合乎逻辑,但是,他却不知道如何回答。他来回踱了几步,说:"哎,这个问题太复杂,这个,你是外国人……"

菊池的问题并非心血来潮的率性而为,却是经过深思熟虑的。早在一年前,她在观察中发现,许多员工中的党员比人家干得多,做得好,开会、学习的机会也多。别的不说,云霞、秦风云、方向准参加的组织必是优秀的组织,为了和秦风云他们在一个平台上,她最好也能加入这个组织,尽管他对这个组织的加入条件、内部结构、宗旨目标缺乏真实的了解。她为今天的问题准备了太长时间,半年前就想问,却一直憋到和秦风云完婚后才正式开口,中间储蓄了针对这一问题的太多思维。秦风云说出什么话,她马上就能应对。

"外国人就不能入党吗?列宁是外国人,白求恩也是外国人。你们这个党本身也是从外国进口的,你们也没有规定,外国人——在中国工作的外国人不能入党呀。"

"这个,好像有规定,只有中国公民才可以申请入党。"

"我也查过资料,历史上还是有外国人入党的。我长期工作、生活在中国,又嫁给了中国人,成了中国人的妻子,当然可以申请了。"

"那是你认为。哎,哎,这个问题比较特殊,要去问问领导,好好查查规定……唉,这个,别急,不急,这个话题先打住,打住,也不用再问我了。"秦风云头皮阵阵发麻,想赶快绕过这个话题。唉,好不容易在家同休一天,不料她甩出来这个比黄山还重的问题。

"照你说,问谁比较好呢?"她还穷追不舍。

"不知道,别问我了。"

他放下碗筷,没胃口再吃了。

静子还不放手,总想把一肚子想法尽情说出来:"明天上午休息,要晚上才飞,白天肯不肯带我去兴业路瞧瞧?"

"瞧什么?"他又头痛起来、

"咦,去看你们党的一大会址呀。还有,还有嘉兴南湖的那只红船,最近也很火。"

"你怎么知道的?"

"电视上不一直在播吗?网上随便也能瞧到,这些个地方,都是网红,外国旅游者也去的。"

"不去不去,要去你和别人去,我要准备飞行。"

"呵,我知道了,风云君只想自己进步,不让静子进步。"

"别瞎说,不是这回事。"他跺了跺脚。

真服了她了。看上去一向中规中矩的静子,在炖好一锅美味的鱼头汤后,冷不丁问出这么一个大题,令他猝不及防。吃进去的鱼头汤连豆腐都在腹中发酵,开始反胃。真给她闹糊涂了,搞懵了,一个外国女,怎么会有这种浪漫的想法?说不定是一时兴起,随口说说的,别当真。哎,这个问题不跟她谈了。

秦风云在客厅里踱了几圈步,回头说:"你还是多练练古琴吧。"

看他板起脸,她慢慢收拾碗盏,听话地说:"我会练的,放心。这汤,不喝了吗?"

他一摆手:"不喝了,饱了饱了,剩下的下顿吃。"

这个日本女人温顺没的说,做家务的手也勤快,如果趴在家做专职太太,蛮称职的。

## 3

过了几天,菊池手机上接到通知,又奖励她飞一次欧洲线。她怕有人开玩笑,打电话过去核实,是真的,没人打她的诳。这些年,菊池成熟多了,对微信上的通知,凡重要的或心中疑虑的,一律打电话过去确认,无误后才遵守执行。

日、韩、泰籍空乘进入公司比欧籍的还早,人数众多。按正常排班,她们都飞中日、中韩以及中国至东南亚线,几个小时的路程。作为激励制度,客舱部对绩效考核优的来自日、韩、泰及港、台的乘务员采取飞欧美长航线的奖励。收到通知,菊池激动得半晚睡不着觉,第 N 次奖励了,而且这次不同以往,是婚后第一次受奖,她又可以走在欧洲那些旧得发光的石板路上了。古老的石板路,亮滑的石板,咚咚响的石板路,哈哈。

跳到电脑桌前,打开一查,哈,更巧了,那一班次的机长竟然是秦风云。想象中的夫妻档,"男耕女织"般的生活终于在眼前了。风云君说要将飞机飞成诗,比翼双飞不是最煽情的诗么?

那天,她先到家,不过已经是晚上七点多了。八点光景,秦风云也踏进家门。她上前接过他的箱子,替他拿了双拖鞋。他已很习惯她的"伺候",慢悠悠地靠在沙发上,随口问:"第几次奖你长航线了?"

"第六次了,都是去的欧洲,我很可能跟欧洲有缘。"

"亏你记得这么清楚。"

"这是我在公司的荣誉,当然得记住。"她眯眯笑着,给他端上一杯柠檬水。

她已经发微信告诉了他这个消息,而且也将查到的他是那次航班的机长的巧事像喜报一样发给了他。她在房间内蹦蹦跳跳了几步,依偎到他的身旁:"风云君,这可是咱们婚后的头一次搭档呵。"

他正对她要求申请入党的事恼着呢,从问下来的情况看,很难操作。他巴不得有阻碍,否则又是个新闻爆点:他秦风云娶的外国太太竟然要申请入党,说不定惊动到了国资委,惊到了中组部。还有太极,被她绑架上台打太极,还好,已找到另外三个合作者,连他自己,两男两女,共四人,已穿上太极服有模有样地排了一次,几个人都挺有感觉。但他在工作上还是想和她撇开关系,保持点距离,别将工作与生活捆在一起,他说:"你是你,我是我。"

"是嫌我做得不够好,妨碍上你?"

"我有这么说吗?"他不太乐意地说,"我是开飞机的,你是做客舱乘务工作的,性质不同。"

菊池不发声了,默默地坐到一旁去弹琴。她学会看他的脸色,只要发现他脸上有不太适意的表情,立马识相地回避,绝不和他正面冲撞,这点她向老子学的。她不响地移步到一角,她的古琴旁,轻轻拉开架势拨弄琴弦。他坐在沙发上,从包里抽出一本书,翻着看,读着读着,渐入状态。

菊池练了会琴,瞄到他自若的神态,轻轻贴了上来,见他看篇《实践论》的文章,说:"是毛、毛泽东的文章? 怎么想起看这篇书?"

"这你就不懂了。"他扬了扬书的封面，"这不是一般的文章，是哲学著作，飞行部亓书记推荐的，原来读过，现在重温，特有味。毛的文章比柏拉图、黑格尔、培根、笛卡尔那些人的文章通俗、管用。有空，你也可以读读，反正都是学中文。"

"哦，没读过。以后有机会再读吧。"

嘴上这么说，内心却不是这回事。这个风云君，书读得真杂，从老子孔子到毛泽东，这样的节奏她可赶不上，慢慢再理会。

第二天，秦风云忽然收到公司飞行部信息，他前面一航班的机长临时遇到突发状况，问他能不能提前接班？废话，还问什么？直接通知就是了，在急难险重面前，他秦风云啥时讲过一分一厘的价钱？况且这次不是特别飞行，只是一般的换班。

菊池眼巴巴地瞅着秦风云和其他空乘们一路嘻嘻哈哈飞往欧洲。她第二天才走，错过一机，到了意大利，在罗马街头和他相遇，他没走。去不同机，回来同机也不错哦，两人手挽手地徜徉在罗马的小巷里，心里美滋滋。当晚，秦风云又接到飞行通知，请他晚一天离开。他歉意地说："你先飞吧，正好先回去练会古琴。"

菊池心里疑窦重重，怀疑他做了手脚，不愿和她双飞。婚后，小两口举案齐眉，红袖添香，如果能同飞一个航班，她打算和他开个有趣的玩笑：进驾驶舱送几次饮料，与前几次吃闭门羹的情景相映成趣。但是他似乎在回避，不愿意和她同机。他们本身就是飞行与乘务的关系，可用不着避嫌的，但他显然在这么做。

"你是不是不愿和我双飞？"她扁着嘴巴说。

见她不高兴的样子，他笑着说："当然不是。"

"两次同机,怎么又绕开了?"她还是将心里话抖露了出来。

他轻轻地搂住她,拍了拍她的后背,抚慰地说:"是运控中心的调配原因,啊,你先回去,我随后就到。"

被他一抱,菊池又酥软到骨子里,糯糯地说:"嘿嘿,那我先走了呵。"

秦风云暗暗说:这丫头还不明白,我是为她想入党的事烦。这,几乎是不可能登攀的山峰,你偏要试一试?这么些年,外国人在中国工作的人越来越多,外国人在中国结婚的比例也年年攀升,但外国人入党的可还真没听说过,这不是让我为难吗,也让单位犯难么?

从秦风云不卑不亢的表情中,她也朦胧地感应到,他可能为自己想申请入党的事生冷气。她自己只是有这个想法而已,随口一问。她老早就觉着,云霞、秦风云都是有担当有作为的人,这些人都是党员,那入党必是件美妙的事,但她却不了解中国共产党内部的种种规则和要求,组织内部的许多弯弯绕绕她是一无所知的。她有愿望,但也并非马上想实现,既然风云君觉得麻烦,应该等,她就等好了,慢慢等,来日方长,人世间的许多事情都需要等,她有时间,不怕等。风云君有顾虑,那她就暂时不提了呗,唉,暂且不提了。

## 4

菊池无法与秦风云双飞,噘着嘴,不情愿地拖起飞行箱,赶赴罗马机场。

一个人就一个人,单飞就单飞,这么多年,不也一个人飞,不也过来了？罕见的一次欧洲双飞硬是给"调配"掉了。也不知是真的公司调配原因，还是被他自己"调配"了，反正还是她孑然一身，孤零零一个人去，孤零零独自回，嘿，大男人，臭男人，大臭男人，搭什么架子，一个人还不照样飞，不照样横穿欧洲？况且，机上还有其他同事姐妹，还有另一个暖和的大家。

她登上班机，进入角色，很快忘了秦风云那档子事，投入到眼面前紧张繁杂的乘务工作中去。

机上有意大利籍空乘一位，叫丽莎，头一次搭档，喊了两声"菊池姐"就熟悉了。客舱经理也是生疏的中国人，年龄比较大，有四十多岁的样子，脸上稍微有点冷，不像云霞那样天生的笑嘻嘻。

电脑资料显示，这班飞机上，两位白金卡的客人逢生日，一位坐商务舱，一位坐经济舱。乘务员俀琐捧着块蛋糕送至商务舱，向龚先生恭贺生日。

龚先生望着俏丽的空乘，借机提要求："能不能唱支生日歌呀？"

俀琐瞅瞅周边客人，腼腆地说："对不起啊龚先生，这样会影响到其他客人的。"

龚先生歪了歪大嘴，斜着眼说："那就算了，蛋糕搁这儿，去吧。"

俀琐如获大赦，弯下腰，赶去经济舱送蛋糕。

后面一位带小孩的妈妈正哄着孩子睡觉，孩子看见有人送蛋糕，扬起了头说："妈妈，我今天也生日吗？怎么不送蛋糕？"

妈妈摸了摸他的头发："人家是白金卡旅客，不一样的。"

"为什么白金卡有人送，我生日不能送呢？"

妈妈笑着说："等你长大了，乘飞机多了，呜呜地飞得多了，也当上了白金卡乘客,空姐姐就会给你送蛋糕了。"

小孩羡慕地说:"妈妈,我长大后也要做白金卡。"

菊池听见,对丽莎交代了句:"你们忙你们的,我去去就来。"

她来到商务舱部,问刚返回的侔琐说:"你这儿还有一块生日蛋糕吗? 一点点小就可以。"

侔琐摇摇头说:"生日蛋糕,就这么两块,根据贵宾信息定制的。"

菊池双手搓着,东张张西望望。侔琐说:"你要干嘛?"

"有个孩子很可爱,也是今天生日,撞上了,我想送块小蛋糕为他庆生。"

侔琐说:"那样啊,你不妨去头等舱部瞧瞧,看有没有什么类似的甜点,如果甜点中有小蛋糕的话,不妨……"

菊池拊掌道:"啊呀,侔琐姐怎么那么聪明,我怎么就没想到呢? 只要是蛋糕就成,生日蛋糕是蛋糕,点心蛋糕可不也是蛋糕?"

菊池去头等舱部厨房,从甜点里挑了两块小小的白底巧克力蛋糕,谢过头等舱乘务员,兴冲冲地赶往经济舱,途中遇见丽莎,对她说:"不如跟我一起去为一位小朋友庆生。"丽莎二话没说跟着走了。

菊池将蛋糕送给小朋友妈妈,对他说:"小朋友,祝你生日快乐!"

丽莎也用生硬的中文说:"生日快乐!"

妈妈代小朋友接过蛋糕,激动地说:"谢谢,多谢你们了。"

菊池掏摸几下,摸出一件折纸,送给小朋友:"这是我从家乡带来的折纸,送给你玩的。"

小朋友接了折纸,玩了几下,一双大眼睛望了望她们两个,尤其是后面的外国人丽莎,忽然说:"今天生日,我们能唱一首歌吗?"

菊池和丽莎对视一眼，笑着说："小朋友，恐怕不行，周围有许多旅客，会影响别人的。"

旁边的男旅客瞧了瞧蓝眼睛黄头发的丽莎姑娘，说："唱，唱吧，不影响我们的。"

后面的七八个旅客高声说："不介意，我们不介意的。"

"这样啊。"菊池朝周围的旅客笑笑，又朝丽莎说，"想让我们俩出丑哪。"

不料丽莎挺挺脖子说："唱就唱，声音轻一点，我只会唱英文，你们可以中文。"

小朋友妈妈说："太好了，儿子，还不谢谢二位阿姨？"

儿子真的懂事似的朝她们鞠了个躬。菊池连连欠身："不敢当。那我们就唱一段，一段，前面几句，祝你生日快乐——开始。"

几个人唱了第一句，引发周围旅客的跟风合唱，声音由此及彼，由近及远，共同将一段歌唱毕，前后左右噼噼啪啪爆出一排掌声。

小朋友的妈妈看清她的胸牌，才晓得她也是外国人："菊池小姐中文这么溜，已听不出是外国人了。"

"过奖过奖。"菊池一脸幸福，"跟我先生学的，他是中国人，朝夕相处，音调也和他渐渐近似了。"

"看得出你们很和谐美满。"老师出身的小朋友妈妈说，"中文咬音这么准，很难得。"

飞机飞在巡航高度，菊池和一干乘务员忙于送吃送喝，忙得小腿肚酸胀。消停的空隙，她就想起了秦风云，他在罗马干嘛？在喝茶？在和其他乘务员遛街？噢，他是不大喜欢遛街的，一定是坐在房间里看书，看他那些永远看不厌的书本。那个叫侔琐 ——姓氏太难读，字开始不认识，问了别人才认识——的乘务员，也进驾驶舱送过饮料了。要是他在，她一定进去送餐送饮，嘿……

## 5

菊池飞走的次日，秦风云从那混乱的罗马机场昂首起程。

和他在驾驶舱搭班的，有两名中籍副驾，另有一名意籍机长，这名意籍机长和美籍的勒特机长及法籍的贝特朗机长不同，面相严肃，不苟言笑，要么操作，要么喝咖啡，包括休息时也不怎么和人交流。甲副驾在背后说，意大利快破产了，害得有些人也像破产似的，一脸的苦大仇深。乙副驾说，会不会得了抑郁症？甲副驾驶说，那不至于吧，有忧郁症的怎么能当机长！那也不一定，自己不说，医院是查不出来的。秦风云哼道，别瞎说，人家没病，那是性格使然，有人就不喜欢讲话，这不犯纪。二位副驾不吭气了。

闲话间，班机从外蒙古进入内蒙古，转向南，往上海方向逼近。

临近年关，云呀雾呀又多了起来。云和雾听起来艺术，画家、摄影家、诗人、作家们喜欢，可以引发他们创作思维的泉涌，却给飞行添麻烦，云和雾是颠簸与延误的重要推手。

然而，在飞行者眼中，漫天的云也是绝美的风景，空中的景色圣洁晶莹。看惯了天上的云，那黄山的云海、泰山的云涛立马退回到垃圾级别了。

云霞说得好，飞者工作室外的风景美翻天。日出日落不一样，弧光悠悠，机尾拉出的白烟。风云变幻，闪电自天而地划出，带闪的云才有诗意。曼谷夜航北飞，随便往外瞄一眼，看见几颗流星匆匆掠过。冬天飞欧洲，夜晚的天际，流星成雨，一片一片。北美归来，极地之光，恍如童话……

　　傍晚时分，晨昏线迫近，处于高处的航机上，万道霞光从彩云深处透进，一闪一闪发着金波。秦风云驾机飞上了112700米的高空，要不是有些颠簸，翼下的云状绝对是美轮美奂的巨幅景致，这是飞行者才有的视觉盛宴。

　　飞得足够高，云都移到了翼下，即使在遥远的太阳光射出的西方，云系也顶多和飞机平行。望不见边的云一团一团，呈深深的灰色，也像一棵棵密密挨在一起的树梢，铺成了一张巨大无比的网，拉扯在一起，将天托住，将地罩住。西沉的太阳挥动神奇的笔，蘸着浓艳的墨，在不同形状的云块上涂涂抹抹，折射出鲜红欲滴的光芒，如梦境般变幻莫测。

　　随着飞行的南去，无比深远的云网的颜色变成了浅灰，一团一团的云如一个一个握紧的拳头，拳面朝上，无边无际地排列着。极远处，烟灰色的云腾升得比飞机的翼尖还高，垒起了一道高墙，终于挡住了人的视线，看不透，猜不透，挨不着。

　　又飞了半个小时，云状由烟灰变成了更浅的淡灰，灰着灰着，渐渐冒出糊涂的白，棉絮状的，一块一块，一片一片。慢慢地，天灰暗下去，原本泛白的云系又回到了深灰，大多数的云由团状形成了片状。秦风云他们如船行在海上，前进着。突然，巨幅的云幕中出现一个大大的坑，似天坑，也似海水中的漩涡，也如山谷中深深的黑洞。仔细瞧下去，黑洞深深,见不着底;再凝目探视,黑洞似能见底,洞底依稀有淡淡的山体、河流及村舍。

近蚌埠了,天幕云系撕开了一个口,口开处,显现稀稀的灯火,隐约的田园,河流和城市在快要沉落的夜幕中隐隐闪现。但那不过是昙花一现,瞬间,浓重的云网又逼近了机头、机身和机尾,趁机裹住了周围大片的土地和天空,他们只能瞧见飞机两个翼尖上发出的指示灯的闪光。

管制员呼叫他秦风云。波道里没有熟悉的声音和嗓子。管制员明确指示:上海地区雾情严重,一时不会消散,请他去合肥备降。

秦风云一阵寒凉:难怪刚才在安徽上空有个天眼,露出地上的城乡和灯光,过了淮河,风云突变,飞机不能落地。还好,眼下离合肥不远,去备降就是了,倘若进入上海终端区,降到几百米低空再折返合肥,心理上更难接受。瞅了瞅意籍机长,不料他耸耸双肩,平静如止水,说就去合肥备降吧。

降在合肥新机场。菊池打来电话:"嘿嘿嘿,怎么又去备降了呢,我已煲好了汤,排骨汤,又浓又香,等你呢。"

"云雾难测,世事难料。刚在天上观云,别有一番风景,观着观着,观到合肥来了。"秦风云的心中升起一团火,"有家的感觉真暖和,静子先吃吧,我不知啥时能回呢。"

"不呀,一人吃饭单调没劲。我先躺会,等你回来一块吃。"

"傻丫头,完全没必要么,等我回来,饭和汤不凉了吗?"他笑着骂她。

"有一种诗意,叫等待。"她坚持地说,"你也先歇会,我先睡一觉,就是等到天亮,也等你回来一起吃,谁叫咱们是双飞家庭呢。"

秦风云说："感动死我了，静子。下次你夜航，我也等你回来一块吃，即使到天明，是不是？"

她嘻嘻一笑："那倒没有必要，你是男的，家里的顶梁木，不用等我的。"

"哈哈，必须得等，那叫一个，相濡以沫。"

"哇，太好了，又学到一个成语，相濡以沫，用得好，嘿嘿。"

四小时后，秦风云接到合肥塔台的指令，上海天气好转，可以接收飞机落地。立马按程序关舱门、开车、滑出、起飞，载着三百多名疲惫不堪的旅客飞向上海。

合肥离目的地不远，轰几油门的事，只要上了天，着陆也快。当他从机场向市区，踏进家门时，已是凌晨五点。晨曦叨开了厚厚的云层，释放出最初的白光。

听见钥匙在锁孔中旋转发出的特殊的咔嚓声，菊池腾地从沙发上弹起，拭了拭惺忪的眸子，拖上鞋子就走："我，马上去热煲里的汤。"

"不用不用，合肥用过餐了。"他指了指沙发，"昨晚，你就睡厅里？"

菊池瞧了瞧瘪下去一角的沙发，羞羞答答地说："本来想等你的，不知怎么的，竟睡着了。"

"哦，早该睡了，你以为几点？已经是第二天了。"他有些心痛地说，"快回床上去睡吧，明天，不，下午你还得飞呢。"

## 6

前几天，方向准忙于国产 C919 样机试飞的空管保障工作。

C919 的试飞棋行中盘。三号机首飞秀在预设的空域内,主要高度在 3000 米至 6000 米间,空域在崇明岛以北的南通上空至东海之间。C919 新一架验证机首飞后,还得进行一系列的数据测试,并非一两次试飞就能完成,需要反复、多次地开展各类科目的飞行,收集数据越完整,准确度越高。三号机试飞后,四、五、六号机的试飞也将提速,全部在一年内上天。试飞的高度范围基本在进近区域,方向准他们就承担起了相应的指挥职能。

试飞与航线飞行不同,需要做各种高难度动作,验证飞机的安全边际。载客飞行是朝安全地方飞,回避一切不安全点;试飞则相反,那是朝有危险的地方飞,哪里可能出现危险,就飞往哪里,通过试飞,找出安全与不安全之间的那条"红线"。与试飞员一样,试飞的管制指挥人员也选出了精兵强将。"三边之王"方向准首当其冲地入围,他们连续在屏幕前趴了好几天,保障了 C919 许多新科目的飞行。由于保障到位,指令精准,服务优质,方向准等几个受到了表彰。

方向准挠挠头皮说:"表扬不用,咱一听表扬心里反而打鼓,做好了那是一个应该,做不好该罚,苦点累点没啥,大客机快点服役就是对咱们最大的奖赏。作为指挥人员,对满天飞的外国机越来越感冒了,简直是难以名状的疼痛,哎,这个问题不知叹了多少遍苦,都不想再重复了。"

这是方向准他们的肺腑之言。上周末,铁路局的同行们——指挥中心邀请他们去参观交流。走进天目路那处气派的调度中心,电子屏上赫然打出一行文字:欢迎空管局的同行莅临指导。羞愧得他们差点寻条缝往里钻。指挥大厅内,工作人员通过话筒有序调度着南来北往的高铁、动车，几乎分秒不差。这不是关键，关键是他们指挥的是清一色的国际先进车辆，一列列国产的和谐号、复兴号漂移在全国铁道线上，风驰电掣地将旅客送往各地；而方向准他们，同样拿着话筒，指挥的是清一色的西方造，心中的抵触与悲苦只有自个儿体会。航空制造业，难道就这么怂？再怂，也别害得咱指挥人员跟着受窝囊气。乘客可以麻木，公知们可以麻木，而且可以列举出"买比造好"的许多悖论，但他们面对屏上的标牌，时刻读着 A、B 打头的机型，想麻木都难。铁路方面的黄主任热情洋溢，座谈过后，非要留他们吃工作餐。方向准他们推说回去还有事，赶紧上车离去。

C919 阶段性试飞告一段落，接下来面对的是冬季的雾雪天气。雨雪云雾干扰下的终端区，空域越发紧张了，值班的管制员不得不拿出看家的本领，指挥航班的进进出出。

这天，何雨丝在塔台当副班。上岗前，正班老王说："今天进近又是你那口子值班，这方老弟也太牛逼了，总在螺蛳壳里写春秋，即使在糟糕透顶的天气，也能凭他的手艺，将队伍排得天衣般无缝。哎，今天俺已做好了打恶仗的准备。"

何雨丝寻思：老王说的话需要反着听。臭老公也是自寻麻烦，这种雾雪天，少放几架上去，有啥关系？天气原因，延误就延误么。

见她不吱声，老王说："也是没法子，管制员心地太善良，总想着让机长们早点上去，早点下来，回家休息。"又说，"目前这种手指头上刻花的话，只有他能干。没关系，来吧，咱已做足了预备，嘿嘿，'名管'就是这样炼成的。"

老王和何雨丝上岗后，没见多少飞机放下来。老王又开始纳闷，今天这方向准咋啦？怎么跟换了个人似的，干的活四平八稳，并没有像想象中那样，对下一级管制单位"狂轰滥炸"，将无比密集的队形交给他们。

"咋回事？方向准这么文绉绉。"老王问。"我怎么知道？"何雨丝说，"放多了怕狠，放少了又不讨好，老王，到底让他怎么着？"

"总归帮你那口子说话了吧？"老王笑道，"听说几年前你们还为这个吵过？""那是家庭内部矛盾。"

"嘿嘿嘿，那时还没组成家庭吧？""有那打算了。"她说归说，心里又是一回事。当时确实想说：死鬼，下手这么猛，下来收拾你。

老王说："今天他这么做，我反而不习惯了。你先顶着，我去打个电话。"

老王走到一旁，打个电话给进近："方向准，照顾我呀，这么稀稀拉拉。告诉你，咱不用照顾，你该咋整就咋整，手上这么多飞机等着呢。"

方向准说："话可是你说的，我放了啊？"

"尽管放，谁怕谁！咱早已撸起了袖子，准备接你的大板斧。"

方向准心里美翻了天：知道你老王手脚慢一些，工作求稳不求速，本来想照正常节奏进行，雪雾天，省得出现个小差小错，既然你自己憋不住，可别怪我手下不容情。转眼间，他脑子电转，将飞机的队形压得密之又密，哗啦啦移交给塔台。老王瞧了眼何雨丝，卷起袖子，对自己说：咱也不是吃素的，来吧，早点让机组下来休息。

做了一会，方向准调了下位子，让副班小邵做正班，他当副班，按他提炼出的方法将飞机调整队形，排成密密的交给塔台。几年的实践后，他已摸索出了一套高密度高效率的工作法，并将"三边之王"的许多法宝无条件地公于众，引领了进近室相当一批管制员上台阶，也诞生出了小邵这样好几个管制新星。

在大密度的航班面前,何雨丝对老王说:"要不要休息一下,我来指挥?"

老王全神贯注地盯着屏幕,发出一道又一道口令。对她说:"不需要,我接得住。"

她瞥了他一眼:这大老王,进步神速哪。

老王无意中瞟了她一眼:还不是你家那口子逼的? 逼着逼着,哗啦一下,就破茧成蝶了。

## 7

春节前,秦风云还有个美国来回的长航程。这个长程飞完,他准备参加公司和几家民航大单位的联合联欢会。他们的节目已排练过两次,配合得还算满意,按他的话说,打太极伴贺,只是配角,打个齐整基本能对付过去,台下的大多数人又不懂太极,不需要打得那么柔,那样的节节贯穿,反而应该让舞蹈表演的成分多一些,有那么个意思就行,也就没啥心理负担。

他真是块飞行的"硬材料",一会儿向西,一会儿向东,飞欧洲飞美国,腕表上调的始终是北京时间。手机上有显示当地时间,但他关注的只有北京时,上了飞机,不论东西南北中,一律的北京时间,他经常乐呵呵地对同行炫耀:咱用的是北京时,心中只有北京时间,心向首都心向党,所以飞到哪里也不会有时差。有同事仿效,有人灵,有人不灵。他说:那是你们的心不诚。其他人一笑置之。

进入纽约机场候机楼,后背被重重地捶了一记,继而一个洪亮的声音在耳畔响起:"hello,秦机长。"

回头一瞧,不是那位美籍机长又是谁?"勒特机长!"秦风云和他紧紧握了握手,"好久不见,终于又碰上了。人说百年修得同船渡,我们是五百年修得同机飞哪。"

勒特机长一脸兴奋,激昂地伸出两根指头:"第二次了,两年两次,一年一次,第二次。"

两人聊了些闲话。过了几分钟,两位副驾也进来会合,四人从工作人员通道进入隔离区,登上飞机。按老套路,旅客登机,关舱门,塔台下指令,他们滑出,经联络道上跑道,加速、起飞,上了云霄。

巡航阶段,两位机长谈到上次聊过的"双语"问题。这是除美、英及英联邦国家之外普遍存在的一个问题:国内航班用国语,外国航班用英语,引发一些困惑。秦风云和方向准等管制员多次探讨过,也和其他国内机长聊过,今天和勒特机长重启该话题,心里打了预备,等勒特将中国管制员直接或间接地贬那么一通,客气的话含蓄点,直接的话单刀直入。不料勒特说:"不,不,中国管制员的英语棒棒的,比欧洲国家的管制员强。"

秦风云侧脸瞅瞅对方的表情。欧洲是西语国家,中国管制员的英语怎么可能强过欧管?这勒特,来中国了几年,难道也学会阿谀奉承了?从神态上,倒也看不出虚假的成分,抑或是他将乔装功夫也学到了家?

秦风云说:"你是逗咱中国人开心吧?"

"不,不开玩笑。"勒特龇龇牙严肃地说,"我有次亲身的经历,说了给你们听,你们就明白了。"

接下来,他正正他那魁梧的身板,忆起了那次在欧洲遇到的印象深刻的经历。


已记不清哪一年,那座机场的名,反正飞去希腊的一个岛上。飞在半空,正要降低高度,当地区域管制员告知,目的地机场的消防设施发生故障,连备用系统也出了问题,如果有情况,不能灭火。

勒特一听,脑袋立马发胀:糟了!没有消防设施的机场,不符合降落条件,只有去附近备降了,等那边修好了再过去。

他驾机在空中拐了个弯,朝另一个小岛上的机场飞去。岛与岛之间不远,油门捂着就到了。殊不料备降场管制员的英语差劲得要命,像鹦鹉叫,他这个美国人一点都听不懂,有点类似于中国人听日本话。他几乎不相信自己的耳朵,同是西语系,这个戴着文明古国光环的管制员的英语,怎么就听不懂呢。

那天天气良好,客机没有多带备用油,难以去更远的机场备降,更飞不到巴尔干大陆,只有在这儿了。因为燃油不多,只想早点落地,但机场塔台那个管制员的英语他实在懵圈,已经折腾七八个来回了,仍听不明白对方说什么。他甚至怀疑,这个希腊管制员说的是不是原著民的"土话",就这些人怎么能上来指挥飞机?也许他们平时对应的都是希腊的国内航班,用的希腊语,不用英语,但他们也是对外开放的备降场,必须会英语通话,而这些人明显不会"官方"英语,口中的所谓英语,顶多是方言化的英语。你能把他们怎么样?!

已经没有时间了,飞机已经抵达机场上空。勒特机长急中生智,决定由他来说,请管制员听,他说出自己的方案,地面管制员只要说"Yes"或"No"。注意打定,他不再和对方进行无聊的纠缠,洪亮地说出了自己的打算:准备坡度下降,从三边切入,转四边,进五边,由南往北落跑道。怕对方听错,他将自己同样的话重复了三遍。他说完,请地面管制员说"Yes"或"No"。对方想了一想,终于说:"Yes."有了管制员的确认,他就按自己的程序,提心吊胆地落了下去。

飞机一接触到跑道,他马上又问塔台,自己这样做是否正确?这时,不知从哪冒出来一个英语稍好一点的人,说你们飞的正确。

回到美国,他将这事说了给其他飞行员听,都以为他在讲笑话。这就是希腊,也是欧洲。


勒特收回思绪,说:"类似的事,我原先的同事也遇见过。"

秦风云颇有感触。他飞行多年,和公司的美、欧、澳、新、巴西、菲律宾的机长们都搭过班,也算是见多识广,阅人无数。论技术和胆略,他和许多中国机长不输欧美,复杂天气下,凡老毛子能起飞落地的他们都能做到,有些老毛子不能起落的,他们也能起落。眼下勒特机长口中说出的,对中国管制员英语水平的评价似乎是溢美之词。但有一点勒特不会明白,中国管制员还面临着航线交叉密集、空域结构复杂、其他航空用户冲突明显等世界级难题。由此推想,只要国际民航组织有硬性要求,在全球同一天空下,中国管制员、中国飞行员用全英文工作是分分秒秒可以实现的。

他在太平洋的上空,想到了静子。她也在天上,今天应该飞名古屋或大阪,或许此刻正在东海上空。她是个优秀的妻子,只要在家,热菜热饭端上,屋子里永远纤尘不染,厨房和卫生间永远清清爽爽,脸上永远挂着笑意。也够辛苦的,在外忙飞行,到家忙家务。他暗对自己说,如果这次早到,定要做顿饭给她吃,也让她吃吃现成的。

忽而想到另一个问题,转头问勒特:"今天怎么你飞? 从表上看不是你的班。"

"为了和秦机长搭班,我和别人调的班头。"勒特脸上泛着红光,兴冲冲地说,"我想快点飞回去,早点到中国,早回去一天是一天,早回去一小时是一小时,参加几家航空公司和空管局、机场、边检等单位的联欢会,很热闹的。"

"是春节前夕的那次联欢会?"

"是的,能参加春节大联欢,太幸运了。"

"难不成你有节目表演?"

"怎么没有? 大合唱。"勒特拍拍胸脯,越发兴奋地说。

"啊,你也上?"秦风云不信地说。

"秦机长看不上我?"勒特激动起来,说话的语速都加快了,"我在美国念大学时,参加过合唱团,到了公司上班,也唱过歌,这次中国过年,我们用全中文唱《光荣与梦想》,还有欧洲空乘伴舞呢。"

"记得这个节目是云霞组织的,怎么没听说名单里有你?"

"合唱的人数增加了,要求的人多,人员增加了几个,我原先作为候补,候着候着,正式上位了。"

"哦,上位好,增加人好。可是,你们不飞行啦?"

"跟人商量好了,调班,将班头调开,参加节目表演比啥都要紧。"

"啊,你是那个老骥伏枥,不,小骥伏枥,志在千里——"秦风云突然

355

怔住,想老勒是美国人,听不懂中国成语里的故事,忙煞住口。

忖着勒特荡漾激情的言语,秦风云想到静子,她也在为中国人的一台过年节目刻苦排练,似乎比中国人还欢喜怡悦,古琴叮咚地响,常常响到深夜,不知疲倦。中国人的这个新年,注定着使许多外国人激奋不已。

## 8

春节前三天,多家大单位联合举办的迎新春联欢,在新落成一年多的基地航空公司俱乐部(礼堂)如期举行。室内空调充足,温暖如春。身着节日服饰的嘉宾和各单位的观众步入会堂,安然入座。

东道主、航空公司的董事长上台作了个简单贺词后,文艺汇演随即开场。

第一个是大型歌舞《欢歌》,这也是老套路,总有一个阵容强大的歌舞节目暖场,从央视春晚学的。由机场、航空公司、边检、新虹社区几家单位的员工集体演出。灯光绚丽,服饰华美,表演精巧,气势磅礴,似乎也不比央视春晚的歌舞逊色多少。

第三个节目轮到菊池他们的民乐合奏。演奏人员全是外籍空乘和飞行员,女子旗袍,男子唐装,手提中国民乐琴、箫、琵琶、唢呐等乐器,鱼贯进入位置。第一曲《空中交响曲》新乐,约四分钟。虽然不是专业的演奏团队,但在同样不是专业观众眼中,已是专业的演出。观众们的目光在台上耀眼的演员间转来转去,纷纷猜测拉二胡的姑娘是哪国人,吹箫的小伙是哪国人,弹琵琶的女孩又是哪国人,不知不觉,几分钟的时间哗地从手指缝里滑了过去。

第二曲《高山流水》，观众比较熟悉。菊池的古琴开了个头，众民乐跟进，将听众领回到钟子期和俞伯牙时代。人们沉浸在古乐的悠扬旋律中。

忽然，从舞台一侧，蹿入四位中籍的太极队员，两男两女，往舞台中间立定，缓缓打起了太极，这四人身穿白色对襟太极服，足蹬白鞋，一路编排的陈式太极徐徐展开。他们缓慢有致的运动中，身上的绸缎服饰在舞台射灯下耀出梦幻般的白光，衬托得他们如仙人下凡。第三式名为"金刚捣碓"，四人收起右脚，使劲往下一跺，震得地板稍稍晃动，同时嘴巴齐声喊出"嗨"的一声，震脚与"嗨"声通过扩音器送入会场各个角落，众人听来，似有地动山摇之势，仿佛地球都微微颤动。观众们的注意力被台上四人的表演所吸引，他们神态自若，动作飘逸，一招一式从容沉稳，气场传到几十米之外。不知不觉中，他们太极的表演俨然成了主角，民乐演奏倒成了伴奏，退居为配角。台下的观众们这样认为，台上的表演者丝毫没有察觉到角色已经互换，主次已经易位。民乐继续奏出高山流水般的音符，菊池他们弹琴的弹琴，吹笛的吹笛；秦风云等四人继续挥拳使脚，一拳一掌虎虎生风，威风八面……

接下来一个节目为机场集团推送，职工自编自导自演的诗朗诵《You Raise Me Up》(你鼓舞了我)，中英文双语朗诵。伴舞的男女造型生动，舞姿柔美，眉目传神。台下有人问机场在座的观众，是不是有市舞蹈学院的学生混迹其中？回答说百分之百的自家员工，许多表演者从小学过舞蹈。出场诗朗诵的一对男女颜值至高，普通话、英语更是达到播音员水平。朗诵与舞蹈将节目推至艺术高地。有人说，难怪春晚难搞,这些节目搬上央视,一点问题都没有。

秦风云完成太极的"伴拳"后,回归台下,走到观众席的最后。瞥见云霞也在最后坐着观看。他奇怪地说:"你是公司节目的副总监,怎么下来当观众啦?"

她站起身来说:"前期工作已经完成,接下来全靠演员卖力,成功与否,与我无关了。"

"有格调。"他盯着台上变换的场景,"接下来是咱公司的合唱,全老外阵容。"

《光荣与梦想》合唱节目,原是十人,现在四十人。节目初次排练以来,公司的外籍空乘、机长倾慕不已,抱着极浓兴趣,纷纷要求加入。有的乘务员、飞行员专门留出了空当,挤破头也想报名参加中文歌唱。盛意难却,开演前的十来天时间里,只得打开绿灯,不断地增加歌唱人数,将小合唱改成中合唱,又变成大合唱——四十人的大合唱。

这么多的外国同胞要求参与,公司又有什么理由不尽量满足他们呢?伴舞姑娘也由八人增至十四人,一色新进的欧洲小姐,琦年玉貌,纤腰楚楚。

幕帘弹起,合唱队伍整齐出列。

秦风云对云霞说:"高潮来了,你的节目花开红艳,场面壮观。"

"内部演出,满足一下外籍人士的参与热情而已,再说,合唱多几个人,声音更加嘹亮。"云霞戏谑道,"蛮好你也上去吼几嗓子,打了太极再唱支歌。"

"嘿嘿,都是老外,我轧啥闹猛。"

"他们当中,也有人看你老子孔子的东西吧?"

"有那么几个，文化自信么。"他笑道，"传统承接不等于抵触现代，现代国家治理和人际交往，也不能全照搬老子孔子那一套。"

"哪一类学术都不能包治天下。"她由衷地说，"你也是批判性地解读，从老百姓的角度分析，比专家们的东西更地皮。"

"是接地气吧，什么叫更地皮。"

她自顾自往下说："你秦风云一不留心从机长变成大师了。"

"别臭我了，我要是大师，全国十几亿人皆为大师。"

"哈哈，不说这个了，咱是开飞机的，最关心飞行上的事，我要飞到世界的尽头。哇，演唱开始了。"

台上领唱的意大利空少已唱开了第一句。今天，亚瑟身着黑色的中装，新理的一头金发向上向后翻去，两鬓剃得溜光，正是中国当下年轻人时兴的发型。高亢的一句唱毕，众人和声进入。果然人多气众，四十人中尽管有人汉字咬得不太精准，但曲调准确，中气十足，几十名外国人抬着举着将一首中文歌唱得有模有样，情深意长。

彩光灯下，西班牙女郎加西亚一袭紫衣长裙，急步而出，在舞台中心旋了360°的三个圆圈，引爆阵阵掌声。这次原本没有加西亚的戏份，选的都是今年刚入职的欧洲女孩，但加西亚经不起诱惑，以从小学过独舞的优势主动请缨，博得机会。舞台上，她的旋转还未停止，伴舞的一串欧洲姑娘从舞台两侧闪入。她们美肤雪白，一律中式旗袍，分浅红、深红、紫红、淡黄、深黄五类色系，娉娉袅袅，鲜艳妩媚，赚足观众眼球，要不是合唱队歌声洪亮高亢，绕梁不绝，风头又差点被这群伴舞的女孩反超。

秦风云问："你的五朵金花有人落下了，萝拉怎么没上场？也是你的洋花朵。"

"还十朵金花呢。也不是所有的弟子都得上,要看各人的专长。"云霞摸出手机,"她飞巴黎了,刚发来微信贺词,看,都快流眼泪了。"

云霞指指台上:"合唱队伍中,有几位都是新加上去的机长,有欧美的,也有亚洲的。"

"我看到了,有韩日的,欧美的,也有菲律宾和巴西的。"

"你认识他们?"

"有的搭过班。"他忍俊不禁地说,"咦,这几个家伙都参加了,难道都有特长?"

"哪几个?"她美眸左右顾盼,"主要是有热情。"

"你瞧,最右边的大块头,勒特机长,刚和我从美国赶回来,计划上不是他的班,到机场才知道,他换了班头,急着回中国是为了参加彩排和演出。嘿嘿,乔纳斯、贝特朗机长都在呢,这些家伙!"

"还不是咱们的节目强,歌选得赞,有吸引力?吸得外国机长们都折了腰。"

"咋不说公司好、国家灵啊,引得众老外纷纷来到这里。"他深吐了口气,"几十年前,那是不可想象的。哎,可能还有个原因,主要是唱歌和伴舞的美女靓,引得老少机长齐参与。"

"随人怎么猜,咱航空公司,特产就是美女与靓仔,羡慕死人家。"

不经意,他的后背被人轻轻一拍,扭头一瞅,竟是空管局的何雨丝和方向准两口子。

"怎么是你们?"秦风云惊叫道。

云霞媚眼弯弯,挽住何雨丝的胳膊:"二位一定是作为先进代表来的。"

方向准说："猜对了。"

"二位没节目?"云霞转向何雨丝，"雨丝是管制美女，也不上台亮亮相?"

"咱是喊口令的嗓子，干不了舞台上的艺术活。"

"假虚了。"秦风云说，"有位置吗?"

方向准说："座位在前面，忽然往后一瞧，老远瞥见你们在后头，就过来了。"

"在后面站会挺好，看得远，听得清。"秦风云说。

《光荣与梦想》大合唱已近尾声。缓歌曼舞间，舞台后面的巨幅电子屏上，映示出冉冉升起的大洋上空的一轮红日，尔后是天安门、黄河壶口瀑布、长江三峡、黄浦江、陆家嘴……

不知啥时，何雨丝的后背被人轻戳一下，她惊愕地"唉"了一声，众人回头，见是菊池。

"你怎么也来台下啦?"何雨丝问。

菊池瞧了他们两口子一眼，又瞧自己的丈夫，再瞧云霞："师傅。"

"知道你演出结束，一块石头落了地。现在想当一会观众过把瘾，对不对?"

"知我者，师傅也。"菊池微红了小脸，紧偎在秦风云身旁。

众人开心齐笑。台上帷幕缓缓落下。

# 后　记

航空是个不寻常的行业,缘于技术高端,载体高端,客人高端。

自 1903 年美国莱特兄弟驾驶"飞行者一号",冲上北卡罗莱纳州那片灰蒙蒙的天空后,航空业带给人类的变化匪夷所思。航空器的出现,使人类的移动方式从轮轨的转动跃升到了飞翔,速度几倍暴增;人类的运动从平面演进为立体,活动空间从地表拓展到了空中。

十几年前,我主要写航空科普,为航空杂志、报刊写了大量科普文章,也先后出了《飞遍天下》《享受飞行》《飞行与健康》《和飞机有千万个约会》《人类的翅膀》等五本这方面的书籍,差不多将这一行写了个十之七八。2007 年起,中国民航出版社的王迎霞女士做了十年责任编辑,却从未谋面,互相通过邮件、微信和电话往来。直到 2017 年,我在北大参加一个学习班,时间比较宽裕,她和另一个同事专程来看我,说:"十年间,我已从小姑娘成功升格为母亲,眼下,我的孩子都能认字了。"相逢一笑似千言。航空这回事,越往内里深入,打捞出的素材越丰厚,除了科技,还有行业内形形色色的人,充满传奇色彩的故事,真有伐尽南山之竹也书写不完的人和事,于是就开始了小说创作,欲对这一行作更为深入的描绘与探求,也请广大读者站在云端看看这边独有的美妙风景。

写航空满是荣幸。我非为蹭热度而来,因在此浸润三十年,有缘结识了许多踩在行业浪尖的飞行员、乘务员、管制员、机务员、气象员、情报员、安检员……许多热心的朋友不断撺掇、鼓励我,让我一头扎进去几乎出不来,我也毫不犹豫地将书中的人物锚定在这些一线人物上,包括中国人、外国人。飞行世界风雷激荡,有时云开日出,有时大雪纷飞,目迷五色,人特殊,事也特别。

看到的不是核心,看不到的才是核心。大家熟知的飞行员其实并不熟知,他们干的可是手艺活,手艺的高低决定飞机开得安不安全、平不平稳。乘务员也不是服务员,而是技术活,自古有"贵族血脉",美国最初的空乘必须是具有护士或医生从业资格、25岁以下的年轻女性,我国民国时期的空乘都是从南京金陵女子大学、上海圣约翰大学挑选的女生。在庞大的航空帝国里,一架飞机在天上,地面无数人员"跑龙套":地上的管制员是怎么指挥天上飞机的?机务、通信、导航部门怎样展开工作?航空气象人员又是如何地洞察"天机"?……处处是谜团。

写航空又无比艰难。貌似高端的行业,越是遭人挑剔;看似神秘的行当,说清楚更为费劲。我的航空业正值青春期,厚积薄发,据保守估计,三、四年后将冠于全球,成为第一大市场。眼下,我国的飞行员、管制员的技术水准已赶上或超越发达国家,中国民航创造了全球最安全的飞行纪录。如果说《马上起飞》试图全景式的展现航空业,那么《飞往中国》揭开的又是一爿新的天空——外国人在中国民航,书中的料是新料,人是新人,故事也是深巷中的私房故事。

星空还是那个星空,演员已不是那些个演员。开放的国家,开放的天空下,有中国飞机,也有外国飞机;开放的行业,中国的客机上既有中国飞行员、乘务员,也有外国飞行员、乘务员。天地悠悠,自有"幽人"踏香前来,长着翅膀的航空业,不断飞入外来鹰、外来凤。二十世纪九十年代末开始,中国各大航空公司逐步有外籍机长、乘务员进入。近十年来,欧美、日、韩以及东南亚籍的机长、乘务员,被中国民航发展的巨大机遇所吸引,大批量地来到中国国营、民营公司做事。日、韩、泰、德、法、意、荷、西班牙的空乘,欧洲、美国、巴西、东亚的机长,扎堆在中国航空界就业,他们开飞机,做乘务,学中文,塞龙舟,裹粽子……工作认真轻松,生活有滋有味,演绎了一个又一个的精彩故事。有几位日、韩籍的空姐,自二十世纪九十年代来华,至今也没有回去的打算。

言之有物、有趣,清新地叙事,使人欢笑,是我始终的向往。现实并不多是讽刺,人世间还是有许多美好的东西在。无比扭曲与变形已不是创新,无病呻吟、一味亮丑与谩骂无助于现实。写作者应更多地从灰黯地带撤离,涵养正气,扬厉清风,凝蓄阳光。本书的形成,得到了东方航空集团、国际航空及南方航空上海分公司、春秋航空、吉祥航空等单位毫无保留的帮助。每当我去虹桥西区东航城时,会由衷地对那几座交通并不便利、停车困难的楼宇生出一种敬意,在那些不太高大的建筑物里,有许多既平凡又特殊的人群,他们有中国人,也有外国人,共同为中国民航征程的再出发添砖添瓦。本书的成形,同样得到了中国商飞、上海机场集团、民航华东管理局、民航华东空管局等单位的大力支持。尤其是天路守望者——空中交通管理局,肩负着保证飞行安全、维护空中秩序、提升运行效率的重任,却鲜为人知,一贯将光环留给他人,默默地做着幕后推手。空管系统的同事、朋友们为航空的安全与正点功不可没,也对我的作品提供了十分具体和精到的帮助。有人说,我这是写的小说,也像纪实,实得缺少某些弯路子,这或许就是这部作品的特点之一。不过,也有某些超级天才,根本用不着跟飞行员、乘务员、管制员接触,凭空想象,就能整出一部大品。前些天,听某高校的一位老师说,他的一名学生,不认识一个飞行人员,不需要一次访谈,就写出了一个关于个飞行机长的剧本,而且交给了某制作公司。我固然没有这些绝顶高手的无限想象能力,也没有他们天马行空般编织故事的才气,只有实打实地跟,实打实地访,实打实地写,这就是《飞往中国》的人和事。

本书的创作与出版过程,得到了上海作家协会杨扬、薛舒以及叶辛等老师的勉励和指导,得到了上海文艺出版社社长陈征、责任编辑乔亮的悉心支持和帮助,在此一并致谢。

大时代需要大作品,大行业应有大作品。因本人水平有限,书中难免有许多不足或不尽人意之处,恳请业内外读者批评指正。

詹东新

2019 年夏

图书在版编目（CIP）数据

飞往中国/ 詹东新著. -- 上海：上海文艺出版社,2019.8

ISBN 978-7-5321-7208-5

Ⅰ.①飞… Ⅱ.①詹… Ⅲ.①长篇小说－中国－当代

Ⅳ.①I247.5

中国版本图书馆CIP数据核字(2019)第136779号


发 行 人：陈　徵

责任编辑：乔　亮

装帧设计：丁旭东


书　　名：飞往中国

作　　者：詹东新

出　　版：上海世纪出版集团　　上海文艺出版社

地　　址：上海绍兴路7号　200020

发　　行：上海文艺出版社发行中心发行

　　　　　上海市绍兴路50号　200020　www.ewen.co

印　　刷：崇明裕安印刷厂

开　　本：890×1240 1/32

印　　张：11.5

插　　页：2

字　　数：265,000

印　　次：2019年8月第1版 2019年8月第1次印刷

ＩＳＢＮ：978-7-5321-7208-5/I.5746

定　　价：42.00元

告 读 者：如发现本书有质量问题请与印刷厂质量科联系　T:021-59404766